Iris

Johansen

Ostateczny cel

przełożyła Małgorzata Hesko-Kołodzińska

Warszawskie Wydawnictwo Literackie MUZA SA

Tytuł oryginału: ***Final Target***
Projekt okładki: *Anna Kawecka*
Redakcja: *Magdalena Stachowicz*
Redakcja techniczna: *Zbigniew Katafiasz*
Korekta: *Marianna Molak*

ISBN 83-7319-373-1

Warszawskie Wydawnictwo Literackie
MUZA SA
Warszawa 2003

Dla Lindy Howard, Catherine Coulter,
Kay Hooper i Fayrene Preston,
wspaniałych pisarek i najlepszych przyjaciółek.
Dzięki za wszystkie te lata, dziewczyny.

Prolog

Wrzesień
Vasaro, Francja

Tancerz Wiatru.

Trzeba biec do Tancerza Wiatru.

Krew, wszędzie krew.

Zbliżał się do niej.

Cassie z krzykiem wybiegła z sypialni.

– Wracaj natychmiast! – Mężczyzna w kominiarce rzucił się za nią.

W białej łopoczącej koszuli nocnej przebiegła przez korytarz i wpadła na schody, zanosząc się płaczem. Musi dotrzeć do Tancerza Wiatru. Jeśli zdąży, będzie bezpieczna.

– Zatrzymajcie dzieciaka, do cholery! – Mężczyzna przechylał się przez poręcz. Ten sam mężczyzna, który zastrzelił w jej sypialni Pauleya, kiedy Pauley zasłonił ją własnym ciałem. Nieznajomy wrzeszczał tak do trzech zamaskowanych mężczyzn w holu. Znowu krew. Jeszcze więcej ciał na podłodze...

Cofnęła się z przerażeniem. Tatuś...

Ale mamy i tatusia nie było. Pojechali do Paryża. Została w domu sama z Jeanne, opiekunką, i z tajnymi agentami. Gdzie Jeanne?

– Chodź, mała. – Odnalazła się. Stała w drzwiach do gabinetu.

Tancerz Wiatru też jest w gabinecie. Będzie bezpieczna, jeśli do niego dotrze.

– No chodź, Cassie. – Jeanne uśmiechnęła się do niej.

Czyżby nie widziała tych trzech mężczyzn zagradzających Cassie drogę do gabinetu? Może udałoby się ich ominąć. Gabinet znajdował się na lewo od schodów. Cassie przeskoczyła przez poręcz i pobiegła w tamtą stronę.

– Mądra dziewczynka. – Jeanne wciągnęła ją do gabinetu i zamknęła drzwi.

Cassie rzuciła się jej w ramiona.

– Zastrzelili Pauleya. Obudziłam się, a ten człowiek stał przy łóżku i... Pauley krwawił...

– Wiem, Cassie. – Jeanne poklepała ją po plecach. – To musiało być dla ciebie straszne. Ale teraz jestem przy tobie.

Przerażona Cassie przytuliła się mocniej.

– Oni są w korytarzu. Włamią się tu! Zastrzelą nas!

– Nie zastrzelą. Przecież zawszę cię chronię. – Odsunęła dziewczynkę delikatnie. Wskazała głową Tancerza Wiatru na postumencie. – Przyjrzyj się swojemu przyjacielowi, a ja coś wymyślę.

– Boję się, Jeanne. Wyważą drzwi i...

– Przestań płakać. – Odwróciła się. – Zaufaj mi, Cassie.

Nie mogła powstrzymać szlochu. Ufała Jeanne, ale czuła, że tamci i tak wejdą. Nic nie mogło ich powstrzymać.

Tancerz Wiatru.

Przebiegła przez cały pokój, żeby popatrzeć na rzeźbę. Teraz przydałyby się czary, a wszyscy mówili, że ten posążek jest magiczny. Cassie wiedziała, że to prawda. Zawsze wyczuwała magię w pobliżu Tancerza Wiatru. Nie była to prawdziwa rzeźba, tatuś jednak twierdził, że hologram niczym się nie różni od oryginału. Na pewno wystarczy mu magii, by je ocalić.

– Pomóż nam – wyszeptała. – Błagam. Chcą nam zrobić krzywdę...

Pegaz wpatrywał się w nią lśniącymi szmaragdowymi oczami, które zdawały się wiedzieć wszystko. Cassie poczuła, że teraz już będzie dobrze. Chłód strachu ustępował wrażeniu ciepła, które zawsze niosło jej pociechę, gdy znajdowała się w pobliżu rzeźby.

Miała Jeanne i Tancerza Wiatru. Nikt nie mógł jej skrzywdzić. Będą teraz bezpieczne, skoro...

Ktoś zastukał.

Cassie się odwróciła i z przerażeniem zauważyła, że Jeanne podchodzi do drzwi.

– Nie!

– Cicho bądź!

– Nie, Jeanne! – Przebiegła przez pokój. – On nas...

Jeanne ją odepchnęła i otworzyła drzwi. Za nimi stał mężczyzna w kominiarce.

– Mówiłem ci...

– Najwyższy czas – przerwała mu Jeanne. – Gdzie, do cholery, byłeś Edwardzie?

– Kończyłem sprawę. Pełno tu tajniaków. Wiedziałem, że jej pilnujesz, więc zająłem się wszystkim. – Wszedł do gabinetu. – Helikopter już leci. Mogę zabierać dzieciaka.

– No to zabieraj. Kończmy z tym. – Jeanne skrzyżowała ręce na piersi. – Po tym, co się zdarzyło tej nocy, czuję niesmak.

– Bo masz wrażliwą duszę. Co prawda nie dość wrażliwą, żeby nie uciec z kasą. – Popatrzył na Cassie. – No już, mała. Musimy się stąd wynosić, spotkać kogoś.

– Jeanne! – Cassie się cofnęła. – Jeanne, pomóż mi!

– Idź z nim. Nie zrobi ci krzywdy, jeśli będziesz go słuchała jak grzeczna dziewczynka. – Głos opiekunki był twardy, zupełnie inny niż zwykle.

Ten człowiek zastrzelił Pauleya i zostawił go na dywaniku w jej sypialni, z krwią tryskającą z piersi. Jak Jeanne może twierdzić, że nie skrzywdzi Cassie? Jak może kazać jej z nim iść? Dlaczego patrzy na nią w taki sposób?

– Tatusiu – jęknęła Cassie. – Tatusiu!

Zielone oczy mężczyzny błysnęły w otworach kominiarki.

– Nie ma tu tatusia. Nikt się tobą nie zajmie, więc nie sprawiaj nam kłopotów.

Nie przestawała się cofać.

– Jeanne?

– Przestań – powiedziała szorstko Jeanne. – Nie mogę ci pomóc. Zresztą nie chcę. Idź z nim.

Cassie poczuła za plecami zimny marmur postumentu Tancerza Wiatru i nagle przebudziła się w niej nadzieja.

– Nie, nie pójdę. Nie zmusisz mnie. On ci nie pozwoli.

– On?

– Zgłupiała na punkcie tej marnej rzeźby – wyjaśniła Jeanne. – Myśli, że to zwierzę wszystko potrafi.

– Marnej? – Popatrzył na hologram. – To profanacja, Jeanne. Koń jest piękny, a ty nic się na tym nie znasz.

– Doceniam pieniądze, które ta rzeźba mogłaby nam przynieść.

– Nie jest jednak prawdziwa, w przeciwieństwie do Cassie. Zabieraj ją.

– Sam to zrób.

– Jeśli naprawdę chcesz się znaleźć w tym helikopterze, zapracuj na swoją działkę.

– Już zapracowałam. Nigdy by się wam nie udało, gdybym wszystkiego nie przygotowała i nie otworzyła... – Napotkała jego spojrzenie. – No, dobrze. – Przeszła przez pokój. – Chodź, Cassie. Nie możesz z nami walczyć. Jeśli spróbujesz, stanie ci się krzywda.

Zabierz mnie stąd, modliła się Cassie. *Zabierz mnie. Zabierz.*

Jeanne położyła jej dłoń na ramieniu.

Zabierz mnie.

– Chyba nie chcesz, żeby cię zastrzelił, tak jak Pauleya? Zrobi to, jeżeli nie będziesz go słuchać.

– Ona ci chyba nie wierzy – odezwał się cicho mężczyzna. – Pewnie potrzebuje kolejnego przykładu.

– O co ci...

Głowa Jeanne eksplodowała.

Cassie wrzasnęła, gdy mózg opiekunki bryznął jej na piersi. Przykucnęła i wpatrywała się w zdeformowaną twarz Jeanne.

Zabierz mnie!

– Przestań krzyczeć!

Zabierz mnie...

– Wstań. – Szarpnął ją do góry. – Nie powinno ci przeszkadzać, że się jej pozbyłem. Obraziła twojego przyjaciela, Tancerza Wiatru, i okazała się judaszem. Kto raz zdradzi, zawsze zdradzi. Wiesz chyba, kim był Judasz, mała?

Zabierz mnie. Zabierz mnie. Zabierz mnie.

Zaczęło się. Nieznajomy rozpływał się coraz bardziej, jakby stał na końcu długiego tunelu.

– Nic się nie stanie, jeśli będziesz posłuszna. Rób, co ci mówię, a... Co, do cholery! – warknął, kiedy usłyszał strzały.

Puścił Cassie i wybiegł na korytarz.

Znowu skuliła się na podłodze obok Jeanne. Krew. Śmierć. Judasz. Już się nie bała. Odchodziła. Teraz to ona znajdowała się w tunelu, a ciemność jej nie przerażała. Dopóki stamtąd nie wyjdzie, nic nie zdoła jej dosięgnąć, będzie bezpieczna. Z każdą chwilą coraz bardziej zagłębiała się w mrok.

– Cassie?

Klęczał przed nią mężczyzna. Bez kominiarki. Miał ciemne oczy, jak tata.

– Nazywam się Michael Travis. Źli ludzie już sobie poszli. Teraz jesteś bezpieczna. Muszę sprawdzić, czy nic ci się nie stało. Mogę?

Nie odpowiedziała. Nie musiała się już dłużej bać. Odpędził potwory. Wkrótce i on zniknie, ale nie obchodziło jej, co się dzieje poza tunelem.

Poczuła ręce mężczyzny na swoich ramionach i nogach... i po chwili odpłynęła.

– Chodź, dziecino. – Zacisnął wargi, patrząc na trupa Jeanne. – Zabierzemy cię stąd. Pójdziemy do kuchni i tam cię oczyścimy, a potem poczekamy na rodziców. – Podniósł ją i ruszył ku drzwiom. – Wiem, że trudno ci w to uwierzyć, ale wszystko będzie dobrze.

Wcale nie było jej trudno uwierzyć. Teraz już nie. W tunelu panował półmrok, a ona nie bała się ciemności. Gdy dotarli do drzwi, spojrzała nad ramieniem Michaela na Tancerza Wiatru. Szmaragdowe oczy wpatrywały się w nią przez całą długość pokoju. Dziwne. Wydawały się dzikie i okrutne, jak u smoka w książce od tatusia. A przecież jej Tancerz Wiatru nigdy nie był okrutny.

Nic już nie było okrutne. Nie tu. Nie teraz.

Żeby się upewnić, weszła głębiej do tunelu.

Rozdział pierwszy

Maj
Cambridge, Massachusetts

– Przykro mi, że to akurat w trakcie twoich egzaminów, Melisso. – W głosie Karen Novak pojawiło się wahanie. – Jeśli istnieje jakiś inny sposób…

– Chcecie, żebym się wyprowadziła. – Nie zdziwiła się. Wiedziała, że prędzej czy później do tego dojdzie.

– Tak… dopóki nie rozwiążesz tego problemu. Znalazłyśmy ci kawalerkę, niedaleko stąd. Możesz się tam od razu przenieść.

– Wendy? – Melissa odwróciła się do drugiej współlokatorki.

Wendy Sendle smutno pokiwała głową.

– Uważamy, że lepiej będzie, jeśli zamieszkasz sama.

– Wam na pewno będzie lepiej beze mnie. – Uniosła rękę, żeby uprzedzić spodziewany protest Wendy, i powiedziała łagodnie: – W porządku. Rozumiem. Nie mam do was pretensji. Spakuję się i wyniosę przed wieczorem.

– Nie musisz się spieszyć. Jutro będzie… – Wendy urwała na widok spojrzenia Karen. – Chętnie pomożemy ci w pakowaniu.

Melissa wiedziała, że nie chcą ryzykować jeszcze jednej wspólnej nocy.

– Dziękuję. – Próbowała się uśmiechnąć. – Nie patrzcie na mnie z takim poczuciem winy. Od lat się przyjaźnimy. To niczego nie zmieni.

– Mam nadzieję – stwierdziła Karen. – Wiesz, że cię kochamy. Robiłyśmy, co się da, Melisso.

– Wiem. Byłyście naprawdę tolerancyjne. – Powinna się była wyprowadzić wiele tygodni wcześniej, ale czuła się tutaj bezpieczna. – Pójdę do łazienki i spakuję kosmetyki.

– Melisso, myślałaś o powrocie do Juniper? – Wendy zwilżyła wargi. – Może twoja siostra zdoła ci pomóc.

– Zastanowię się nad tym. Na razie Jessica musi się zająć nowym projektem.

– Jesteście ze sobą bardzo blisko. Gdyby wiedziała, na pewno przełożyłaby tę pracę.

– Raczej nie. Nie przejmujcie się, nic mi nie będzie. – Zamknęła za sobą drzwi łazienki i oparła się o nie, a serce waliło jej jak młotem. – Uspokój się – nakazała sobie. A więc wieczorem zostanie sama. Może to się już nie zdarzy. Może minęło.

Ale w ostatnich tygodniach raczej się nasilało. Najpierw było dalekie, zamglone, ledwie rozpoznawalne w wirującej ciemności, jednak wciąż się zbliżało. Wiedziała, że wkrótce zobaczy to wyraźnie.

Boże, niech tak się nie stanie.

Juniper, Wirginia

– Cassie znowu miała koszmar. – Teresa Delgado stanęła w drzwiach sypialni Jessiki. – Zły sen.

– Sny zawsze są złe. – Jessica Riley przetarła oczy, usiadła na łóżku i sięgnęła po szlafrok. – Nie zostawiłaś jej samej?

– Nie tylko ty znasz się na swojej robocie. Rachel z nią siedzi. – Teresa się skrzywiła. – Ale Cassie równie dobrze mogłaby zostać sama. Zwinęła się w kłębek, twarzą do ściany. Usiłowałam ją pocieszyć, ale jak zwykle zachowuje się tak, jakby mnie nie słyszała. Głucha jak pień.

– Nie jest głucha. – Jessica minęła Teresę i ruszyła korytarzem. – Ma świadomość wszystkiego, co się wokół dzieje. Po prostu to odrzuca. Tylko we śnie jest bezbronna i wtedy ją dopada.

– Może więc powinnaś ją leczyć we śnie. Wypróbować hipnozę czy coś w tym rodzaju – stwierdziła Teresa. – Nie radzisz sobie najlepiej, kiedy nie śpi.

– Daj mi szansę. Leczę ją dopiero od miesiąca. Na razie poznajemy się wzajemnie – odparła Jessica.

Teresa miała jednak rację; nie stwierdzono specjalnych postępów. Dziecko pogrążyło się w ciszy od napadu na Vasaro osiem miesięcy temu. Z pewnością powinien już nastąpić jakiś przełom, pomyślała Jessica, ale spróbowała oddalić wątpliwości. Po prostu była zmęczona. Jezu, dziewczynka tkwiąca od ośmiu miesięcy w katatonii to nic w porównaniu z innymi dziećmi, które leczyła. Trudno jej jednak było się z tym pogodzić; taka siedmiolatka powinna biegać, bawić się i cieszyć życiem.

– Lepiej, jeśli zacznie do nas wracać z własnej woli. Nie chcę jej zmuszać – powiedziała.

– Ty jesteś lekarką – westchnęła Teresa. – Gdybyś jednak wysłuchała rady skromnej pielęgniarki...

– Skromnej? – uśmiechnęła się Jessica. – A to od kiedy? Odkąd pojawiłam się w szpitalu, udzielasz mi rad.

– Bo ich potrzebujesz. Pracuję w zawodzie trzydzieści lat dłużej od ciebie, więc musiałam cię utemperować. Byłaś jedną z tych w gorącej wodzie kąpanych lekarek, które nie wiedzą, kiedy przestać. Nadal nie wiesz. Mogłabyś zostawić nam małą na jedną noc i porządnie się wyspać.

– Musi wiedzieć, że cały czas jestem przy niej. – Jessica wzruszyła ramionami. – Zresztą i tak nie mogłabym dłużej spać. Przyjeżdża jej ojciec. Powiedział, że zjawi się koło trzeciej w nocy.

Teresa gwizdnęła cicho.

– Wielki człowiek złoży nam wizytę?

– Nie. Ojciec przyjedzie odwiedzić córkę. – Wielu ludzi uważało Jonathana Andreasa za jednego z najpopularniejszych prezydentów Stanów Zjednoczonych w historii, ale Jessica nie postrzegała go w takich kategoriach. Odkąd poznała prezydenta miesiąc wcześniej, był dla niej jedynie ojcem bardzo przejętym losem swojego dziecka. – Powinnaś to zauważyć. Widziałaś go z nią. To zwykły człowiek, który ma kłopoty.

– Aha, i dlatego zrezygnowałaś z własnego życia i przerobiłaś dom rodzinny na klinikę dla jego córki. To cholerne miejsce jest jak obóz wojskowy. Człowiek nie może zrobić kroku bez tajnego agenta depczącego mu po piętach.

– To był mój pomysł. Prezydent chciał ją ukryć przed mediami, a w tym domu można zachować prywatność, poza tym łatwo go pilnować. Cassie musi być strzeżona. Pamiętaj o tym, co się zdarzyło w Vasaro.

– A jeśli to się powtórzy?

– Nie. Prezydent zapewnił mnie, że ochrona jest nie do pokonania.

– Wierzysz mu?

– Jasne. – Andreas wzbudzał zaufanie. – Przecież kocha córkę. Dręczą go wyrzuty sumienia z powodu Vasaro. Nie zaryzykuje następnej tragedii.

– Bardzo jesteś wspaniałomyślna. Zauważyłam, że traktował cię dosyć chłodno.

– To normalne. Myślę, że jest zmęczony obcowaniem z psychiatrami. Poza tym rodzina zwykle odczuwa niechęć do obcej osoby, której musi powierzyć dziecko. Damy sobie radę. – Skinęła głową Larry'emu Fike'owi, tajnemu agentowi przed drzwiami Cassie. – Cześć, Larry. Mówili panu, że prezydent złoży nam wizytę?

– Biedak, trafi na nie najlepszą noc.

– Właśnie. – Prawie żadna noc nie była dobra dla Cassie Andreas. – Ale może przyjeżdżać tylko wtedy, kiedy nie wzbudza to podejrzeń. Nie chcemy tu żadnych reporterów.

– Jasne, potem wszyscy mielibyśmy koszmary. – Otworzył jej drzwi. – Strasznie dziś krzyczała. Gdyby nie robiła tego wcześniej, wpadłbym tam z bronią. Dam wam znać, kiedy prezydent dotrze do bramy.

– Dziękuję, Larry.

– Będę ci potrzebna? – spytała Teresa.

Jessica pokręciła głową.

– Idź zaparzyć kawę dla prezydenta. Może mu się przydać. – Pomachała pielęgniarce na fotelu. – Witaj, Rachel. Coś nowego?

– Jak widzisz. – Młoda kobieta wstała. – Nawet nie drgnęła, odkąd Teresa wyszła z pokoju. Uśmiechnęła się do Cassie. – Do zobaczenia, maleńka.

Jessica usiadła i odchyliła się w fotelu. Przez chwilę milczała, by Cassie mogła przyzwyczaić się do jej obecności. Dziecko miało normalny kolor skóry, ale ściągnięte rysy. Karmienie jej i tak było trudne; jeśli jeszcze schudnie, trzeba będzie się przestawić na odżywianie dożylne. Jak wyraźny kontrast stanowił obecny wygląd Cassie z fotografiami zrobionymi przed Vasaro! Była ulubienicą Białego Domu – mała dziewczynka z długimi, lśniącymi, brązowymi włosami i olśniewającym uśmiechem. Pełna życia i figlarna. Modelowe dziecko Ameryki...

Kiedy się wreszcie nauczysz, westchnęła Jessica do siebie. Nie emocjonuj się tak. Doświadczeni koledzy Jessiki nie przegapiali okazji, by przypomnieć jej, że uczucia lekarza jeszcze nigdy nie zdołały wyleczyć pacjenta.

Chrzanić ich. Jeśli miłość nie oślepia ani nie krępuje, może zdziałać cholernie dużo dobrego.

– Przerażający sen, prawda? Chcesz mi o tym opowiedzieć?

Brak reakcji. Nie oczekiwała jej, ale zawsze dawała Cassie szansę. Któregoś dnia może zdarzy się cud, może Cassie zechce wychylić się z ciemności i odpowiedzieć na jedno z pytań.

– Czy ten sen był o Vasaro?

Brak reakcji.

Tak, na pewno o Vasaro. Strach, śmierć i zdrada stanowiły ważne elementy sennych koszmarów. Co jednak było bezpośrednim katalizatorem, co spowodowało, że Cassie uciekła przed światem? Ukochana, zaufana opiekunka, która chciała przekazać ją zabójcom? Zamordowanie agenta i opiekunki? Może kombinacja tych wszystkich zdarzeń?

– Niedługo przyjedzie twój tatuś. Chcesz, żebym cię uczesała?

Brak reakcji.

– Nieważne. I tak ślicznie wyglądasz. Jeśli nie masz nic przeciwko temu, posiedzę tu z tobą do przyjazdu taty i trochę porozmawiamy. – Uśmiechnęła się. – No... ja porozmawiam. Ty chyba chwilowo masz dosyć. To nic. Nagadasz się, kiedy postanowisz do nas wrócić. Moja siostra, Mellie, to teraz prawdziwa gaduła, a przez sześć lat trzymała buzię na kłódkę. Mam nadzieję, że nie powtórzysz tego wyczynu. Mellie jest teraz o wiele szczęśliwsza. – Czyżby napięte mięśnie Cassie nieco się rozluźniły? – Jesteśmy właśnie w pokoju Mellie. Uwielbia żółty kolor, musiałam jej wyperswadować cytrynowy i przekonać ją do odcienia pszenicy. Im jaskrawszy kolor, tym bardziej podoba się Mellie. To wesoły pokój, prawda?

Brak reakcji. Jessica liczyła jednak na to, że Cassie słucha.

– Mellie jest teraz na Harvardzie, chce zostać lekarką, jak ja. Bardzo za nią tęsknię. – Umilkła na chwilę. – Tak jak twoi rodzice tęsknią za tobą. Mellie dzwoni do mnie co tydzień, rozmawiamy i to mi pomaga. Założę się, że twój tata chciałby, żebyś dziś z nim porozmawiała.

Brak reakcji.

– Ale i tak będzie się cieszył, że jest z tobą, niezależnie od tego, czy się do niego odezwiesz. Kocha cię. Pamiętasz, jak się z tobą bawił? Na pewno. Wszystko pamiętasz, dobre i złe. A złe nie dosięga cię tam, gdzie teraz jesteś, prawda? Uderza dopiero, gdy zasypiasz. Jeśli do nas wrócisz, te sny się skończą, Cassie. Trochę to potrwa, ale się skończą.

Czuła, że Cassie znowu się napina.

– Nikt cię nie zmusi do powrotu, dopóki sama tego nie zechcesz. Któregoś dnia będziesz na to gotowa, a ja ci pomogę. Znam drogę,

Cassie – dodała cicho. – Mellie i ja nią podróżowałyśmy. Zastanawiam się, gdzie jesteś. Kiedy Mellie wróciła, opowiadała, że przebywała w ciemnym, gęstym lesie ze sklepieniem liści nad głową. Inne dzieci, które odeszły, twierdzą, że trafiły do miłej, przytulnej pieczary; czy tam właśnie jesteś?

Brak reakcji.

– No nic, powiesz mi, kiedy już wrócisz. Jestem troszkę zmęczona, mogę chwilę odpocząć, zanim przyjedzie twój tata? – Boże drogi, miała dosyć tych pytań. Odpowiedz choć raz, słonko. Zamknęła oczy. – Jeśli chcesz spać, śpij. Jestem tu. Obudzę się, jeśli pojawi się koszmar.

Paryż

Lśniące szmaragdowe oczy, obnażone zęby, gotowe zatopić się w jego ciele.

Edward usiadł gwałtownie na łóżku, a serce waliło mu jak młotem. Był mokry od potu.

To tylko sen.

Idiotyczne, tak się przejąć snem o rzeźbie. Wszystko przez to upokorzenie, którego doznał w Vasaro.

Nie ze swojej winy. Plan był doskonały. Gdyby nie Michael Travis, miałby już dziecko. Skąd ten sukinsyn wiedział o porwaniu? Musiał nastąpić jakiś przeciek. Dowie się, a potem znajdzie Michaela Travisa i rozwali mu łeb.

Całkiem rozbudzony, postanowił pójść do pokoju. Na samą myśl o tym zdenerwowanie ustąpiło.

Wstał i zszedł na dół. Misternie rzeźbione drzwi lśniły w przyćmionym świetle. W pokoju będzie mógł zepchnąć myśl o porażce w Vasaro na samo dno mózgu. Był przekonany, że nie zrezygnuje i wkrótce dostanie, czego pragnął.

No i załatwi Michaela Travisa.

– Gdzie, do cholery, jest Michael Travis? – chciał wiedzieć Andreas, gdy Ben Danley wsiadł do limuzyny. – Minęło osiem miesięcy. Jak długo CIA może szukać jednego człowieka?

– Jesteśmy blisko. – Danley usiadł naprzeciwko Andreasa. – Tropiliśmy go aż do Amsterdamu. Musi pan zrozumieć, panie prezydencie, że Travis od urodzenia ma powiązania ze środowiskiem kryminalnym. Jego ojciec był złodziejem i przemytnikiem, ciągał syna po całej Europie i Azji. Ma kontakty, które...

– Już pan to mówił. – Andreas nie miał ochoty znowu tego wysłuchiwać. Chciał Travisa, bez żadnych wymówek.

– Usiłuję tylko wyjaśnić, że porusza się w kręgach, w których zostawia się po sobie bardzo niewiele śladów. Spodziewamy się zlokalizować go w ciągu dwóch dni. – Danley zamilkł na chwilę. – Nie powiedział nam pan, co mamy z nim zrobić, gdy go znajdziemy.

Andreas odwrócił głowę i spojrzał na niego.

– Czy ma mieć... wypadek, panie prezydencie?

Andreas uśmiechnął się sardonicznie.

– No cóż, Danley, wie pan, że CIA nie dysponuje już takimi uprawnieniami. Poprawiliście swój wizerunek.

– Nie mówiłem, że mu coś zrobimy – odparł Danley. – Zapytałem tylko, jakie jest pańskie życzenie.

– Bardzo dyplomatycznie.

– To oczywiste pytanie. Jeśli Travis stoi za napadem na Vasaro, nie widzę powodu, dla którego...

– Travis za tym nie stał. Nie chcę, żeby ucierpiał – przerwał Andreas. – Poza tym nie ma pan pojęcia, co się stało w Vasaro.

– Z całym szacunkiem, panie prezydencie, ale Keller z tajnych służb udostępnia nam akta od czasu próby zamachu na pana życie poza granicami kraju.

– To nie Travis.

– To dlaczego od ośmiu miesięcy go szukamy?

– Bo wam kazałem. – Wyjrzał przez okno w ciemność. – I chciałem, żebyście mieli dobry powód, by go odnaleźć. Co mówił Keller?

– Że była próba zamachu na pana życie, zabito opiekunkę i sześciu mężczyzn, trzech raniono. Na szczęście pan i pierwsza dama byliście wtedy w Paryżu.

– Na szczęście? – powtórzył sarkastycznym tonem prezydent. – Zdaje pan sobie sprawę, że moja córka od tamtej nocy nie wypowiedziała ani słowa? A żona znalazła się na granicy załamania nerwowego po półrocznej próbie porozumienia się z dzieckiem, które patrzy na nią jak na nieznajomą?

– Przykro mi, nie to chciałem powiedzieć. Miałem na myśli...

– Wiem, co miał pan na myśli. – Andreas zamknął oczy. – Nie powinienem na pana naskakiwać. Ostatnio żyję w strasznym stresie.

– Rozumiem, że Cassie o wiele lepiej sobie radzi i wkrótce wróci do domu?

– To oświadczenie dla prasy ma powstrzymać reporterów przed poszukiwaniami. Znajduje się w takim samym stanie, w jakim była tuż po napadzie. Wypróbowaliśmy czterech psychiatrów, nic nie wskórali.

– Może wystarczy trochę więcej czasu, a...

– Chciałbym, aby już wydobrzała. – Otworzył szerzej oczy. – I była bezpieczna. Znajdźcie Travisa.

– Keller i jego ludzie będą jej strzegli. Wiedzą, że jeśli nawalą, polecą ich głowy.

– W Vasaro nie zdołali jej upilnować. Gdyby nie pojawił się Travis, bandyci zabiliby ją albo porwali.

– Co?

– Travis i jego ludzie pojawili się kilka minut po zajęciu Vasaro. Zabili trzech napastników, jeden z nich uciekł. To Travis zadzwonił do mnie do Paryża i powiedział, co się stało.

– Ocalił pana córkę?

Andreas skinął głową.

– Czuwał przy niej do naszego przybycia. Miał helikopter i wyśliznął się po naszym przyjeździe, korzystając z zamieszania.

Danley gwizdnął cicho.

– Keller musiał się poczuć, jakby ktoś rzucił mu tortem w twarz.

– Nie zdołał go aresztować. Travis był bohaterem chwili... jak sądziliśmy.

– Wziął pan pod uwagę możliwość, że ta akcja była zaaranżowana?

– Nie, nie... jeden z rannych agentów potwierdził, że Travis nie był napastnikiem i faktycznie ocalił Cassie.

– Przecież nie szuka go pan po to, by wręczyć mu medal.

– Spytałem go, skąd wiedział o ataku, a on odparł, że kupił tę informację wraz z innymi towarami.

– To prawda. Od lat handluje rozmaitymi informacjami. Skoro jednak chciał interweniować, dlaczego po prostu nie zadzwonił do tajnych służb i ich nie ostrzegł?

– O to samo i ja zapytałem. Wyjaśnił, że dowiedział się zbyt późno, napad już trwał.

– Podejrzane.

– Chwilę wcześniej ocalił moje dziecko. Nie był to najlepszy moment na przesłuchanie. Uznaliśmy, że mamy na to mnóstwo czasu. Poza tym widzieliśmy, że z Cassie jest coś nie tak. Ona była najważniejsza. Nadal jest. – Zacisnął usta. – Travis mówił mi, że być może nie chodziło o mnie. Może chcieli Cassie.

– Po co?

– A jak łatwiej zmusić do czegoś ojca niż porywając jego dziecko?

– Wymienił jakieś nazwiska?

– Gdyby to zrobił, tobym je wam podał. Stwierdził, że nie wie. Wiedział tylko, że zaatakują w Vasaro.

– Myśli pan, że kłamał?

– Skąd mam wiedzieć? Skoro tak dobrze sobie radzi ze zbieraniem informacji, równie dobrze może sprawdzić, kto stoi za tym atakiem. Wam najwyraźniej to nie wychodzi.

– Trzej zabici mieli powiązania z terrorystami.

– Ale byli też najemnikami. Nie trafiliście na żaden solidny trop.

– Pracujemy nad tym.

– No to pracujcie lepiej. I sprowadźcie Travisa. Zjedź na bok, George – powiedział do kierowcy. Kiedy limuzyna się zatrzymała, prezydent pochylił się i otworzył drzwi. – Poproszę George'a, żeby do pana zadzwonił. Chcę się czegoś dowiedzieć w ciągu najbliższych dwudziestu czterech godzin.

Danley wysiadł z auta.

– Zrobię, co w mojej mocy, panie prezydencie.

– Lepiej, żeby pan zrobił więcej. – Andreas zatrzasnął drzwi i poprawił się na siedzeniu. Miał nadzieję, że udało mu się zmotywować Danleya. Coś zdecydowanie szwankowało, skoro tak długo nie zdołali wytropić jednego człowieka.

– Juniper, panie prezydencie? – spytał George.

– Tak. – Zapragnął się już znaleźć w tym pięknym, surowym domu na wsi i usiąść przy Cassie, żyjącej w świecie, do którego nie miał wstępu. Cassie, która z każdym dniem wydawała się coraz bardziej oddalać.

Zamrugał szybko, gdy poczuł palące łzy pod powiekami. Jessica Riley twierdziła, że stan Cassie się nie pogarsza, ale co ona mogła wiedzieć?

Może jednak coś wiedziała. Może terapia z dziećmi takimi jak Cassie wyrobiła w niej szósty zmysł. To jego żona, Chelsea, uparła się, żeby zwrócili się po pomoc do Jessiki Riley. Chelsea czytała książkę lekarki o terapii jej młodszej siostry, Melissy, która przez ponad sześć lat znajdowała się w podobnym stanie jak Cassie. Melissa obecnie studiowała na Harvardzie, a więc najwyraźniej została wyleczona. Andreas zasięgnął języka o Jessice i dowiedział się, że ma doskonałe kwalifikacje, jednak jej metody terapeutyczne bywają niekonwencjonalne i kontrowersyjne.

Może właśnie czegoś takiego im potrzeba. Nie wierzył w psychiatrów, ale zrobiłby wszystko, by odzyskać Cassie.

I zapewnić jej bezpieczeństwo.

Żeby tak się stało, potrzebował informacji, tych informacji, które mógł mu przekazać Michael Travis.

Tylko gdzie, do diabła, on się podziewa?

Rozdział drugi

Amsterdam

Czyżby go śledzono?

Serce Travisa zabiło mocniej na widok niewyraźnej sylwetki w ciemnościach.

Przeszedł Kerkstraat do Leidestraat, minął aleję, a następnie biegiem pokonał dwie przecznice na północ. Oddychał ciężko, gdy zanurkował w bramę i czekał.

Nikogo.

Szybko poszedł ulicą. Dziesięć minut później wspinał się po schodach do mieszkania. Sprawdził, czy na drzwiach nie zamontowano jakiejś bomby, zanim otworzył je szeroko.

Ciemność.

Zawsze zostawiał zapalone światła. Obrócił się na pięcie i zbiegł po schodach.

– Tak się wita starego przyjaciela? – Sean Galen przechylił się przez poręcz. – Mógłbym pomyśleć, że nie chcesz mnie widzieć.

– Zgasiłeś światło, cholera. – Travis ruszył z powrotem.

– Odpoczywałem. Miałem ciężki dzień – uśmiechnął się Sean. – Poza tym chciałem sprawdzić twój refleks. Jeszcze jesteś w formie.

– Jeszcze. – Wszedł za Galenem do mieszkania i zamknął drzwi. – Co robisz w Amsterdamie? Myślałem, że wracasz do Kalifornii.

– Właśnie wylatywałem z Paryża, kiedy natrafiłem na pewną informację. Skoro od Vasaro ukrywałeś się i unikałeś kontaktu, znalazłem cię dopiero po tygodniu. – Uśmiech zniknął z jego twarzy. – Masz krew na skroni.

– Naprawdę? – Travis wszedł do łazienki i umył twarz. – To tylko zadrapanie.

– Może kula przeleciała trochę za blisko?

Nie odpowiedział; wytarł twarz ręcznikiem.

– Jak mnie znalazłeś?

– Nie przejmuj się, nikt nie wie o tym miejscu... jeszcze. Nie znalazłbym cię, gdyby nie twój stary kumpel van der Beck. Chryste, w co ty się wpakowałeś, Michael?

– W coś niezwykle opłacalnego, ale należy zająć się tym ostrożnie.

– Słyszałem, że tropią cię Rosjanie i Południowoafrykańczycy.

– To prawda. Zawsze jest szansa, że w pościgu za mną powpadają na siebie.

– Ja tam bym na to nie liczył. Za bardzo ryzykujesz.

– Przyganiał kocioł garnkowi. Przyjechałeś, żeby mi to powiedzieć?

– Przyjechałem, żeby ci powiedzieć, że CIA wytropiła cię w Amsterdamie.

– Poważnie? – Travis zesztywniał.

– Mówiłem, żebyś zostawił dzieciaka i zniknął z Vasaro przed przyjazdem Andreasa.

– To nie wchodziło w grę.

– Podobnie jak pomysł przybycia do Vasaro.

– Nigdy nie wiadomo, kiedy człowiek będzie potrzebował prezydenckiej przysługi.

– Bzdura. Wiedziałeś, że ściągniesz na siebie kłopoty.

– Ty też przyjechałeś.

– Bo byłem ci coś winien. Nadal jestem. Łaskawie postanowiłeś ocalić mi skórę w Rzymie, a ja bardzo wysoko cenię swoje życie. Ja tam się nie zadawałem z Andreasem. Mamy szczęście, że zdołaliśmy cię wyprowadzić. Dom był pełen agentów i francuskich gliniarzy, niezbyt uradowanych, że spaprali robotę.

– Ale udało się wam mnie wydostać.

– A ty poleciałeś do Moskwy, wprost w paszczę lwa.

– Miał takie białe, lśniące zęby. – Travis się uśmiechnął.

– Chyba zależy ci na tym, żeby zginąć.

– Nie. Mam ochotę żyć, ale tak jak chcę... dokładnie tak jak chcę. Trafiła mi się żyła złota. Chętnie się z tobą podzielę, Galen.

Galen uniósł brwi.

– Co miałbym zrobić? – zainteresował się.

– Nic, czego dotąd nie robiłeś. Van der Beck zajmie się negocjacjami. Chciałbym tylko, żebyś mi towarzyszył. Zawsze byłeś dobrym kumplem.

– Żebyś wiedział. – Galen skinął głową. – Nie chcę zbierać profitów za siedzenie na tyłku, niespecjalnie też bawi mnie chodzenie po linie.

– Mnie również nie.

– Akurat. Nie znasz innego życia.

– Zamierzam się nauczyć.

– No to wyjedź z Amsterdamu. – Galen wzruszył ramionami.

– Już o tym myślałem.

– Mam ci pomóc? Mogę się zająć przygotowaniami.

To wcale nie był taki głupi pomysł. Poza szukaniem kłopotów Galen potrafił doskonale wyplątywać się z trudnych sytuacji. Travis zastanawiał się przez chwilę, po czym pokręcił głową.

– Nie.

– Nie, to nie. Coś jeszcze?

– Tak. Kto dowodzi zespołem CIA?

– Gruba ryba. Ben Danley.

– Co o nim wiesz?

– Niewiele. Bo co?

– Szukam wyjścia.

– Spróbuj na najbliższym lotnisku. – Galen zmrużył oczy. – Już widzę te obracające się tryby. Co knujesz?

– Wyświadcz mi przysługę. Przyślij tu CIA.

– Co?

– Dopilnuj, żeby się dowiedzieli, gdzie jestem. Nie mam zbyt wiele czasu. Chcę, żeby tu wpadli za kilka godzin.

– Co knujesz? – powtórzył Galen.

– Zastanawiałem się, jak uciec z Amsterdamu. Czy to nie szczęśliwy zbieg okoliczności, że Andreas potrzebuje mnie w Waszyngtonie?

– Może chce cię martwego.

– Wątpię. Wiedziałbym coś o tym. Daj mi dwie godziny na przygotowanie się i sprawdzenie paru rzeczy, a potem ich przyślij.

– Nie przekonam cię do zmiany zdania?

– Tak będzie najlepiej.

– Jak sobie chcesz. – Galen odwrócił się, ale przystanął w drzwiach. – Skąd się dowiedziałeś o napadzie na Vasaro?

– Mam swoje źródła.

– Niezłe źródła. Ja nie słyszałem ani słowa.

– Myślisz, że wiedziałem, bo należałem do spisku?

– Przyszło mi to do głowy.

– Bardzo logiczne przypuszczenie takiego cynika jak ty. Tylko po co miałbym się bawić w podwójnego agenta?

– Bo ja wiem? Nie znałem nikogo bardziej zdolnego do dzikich wolt. – Poczekał chwilę. – Nie powiesz mi.

– W swoich planach zazwyczaj nie posługuję się dziećmi.

– Ale nie mówisz, że tym razem tak się nie stało. – Otworzył drzwi. – W Vasaro grali bardzo nieczysto. Nie chciałbym się dowiedzieć, że wciągnąłeś mnie w coś tak brudnego. Powiesz mi, kto był twoim informatorem?

– Znasz mnie. Przyjaźnimy się od siedmiu lat. Jeśli to nie wystarczy, myśl sobie, co chcesz.

– Cholera – zaklął cicho Galen. – Powiedz mi cokolwiek.

– Nie zamierzam się tłumaczyć ani wyjaśniać. Albo mnie akceptujesz, albo nie.

– Mam ci ufać na ślepo?

Travis nie odpowiedział.

– Trudno się z tobą przyjaźnić, Michael – westchnął Galen. – Nie sądzę, żebyś przygotował ten najazd na Vasaro, ale CIA może mieć inne zdanie na ten temat. Obyś wiedział, co robisz.

Obym, pomyślał Travis, zamykając drzwi za Galenem. Znalazł się w bardzo trudnej sytuacji. Nie miał pojęcia, jak długo jeszcze zdoła uciekać. Potrzebował bezpiecznej przystani, by się zastanowić, jak nie zginąć i zgarnąć wszystkie fanty w tej grze.

No i nie dopuścić do tego, by wpadły w ręce CIA. Czekało go teraz sporo gadania i jeszcze więcej myślenia, by ustawić się na odpowiedniej pozycji do targów z Andreasem.

Co się zmieniło? Przecież robił to przez całe życie. Oszustwa, manipulacje, zręczne sztuczki, balansowanie na linie, z którym Galen nie chciał mieć więcej nic wspólnego. On chyba również nie. Jezu, czuł się zmęczony.

Szybko mu przejdzie. Adrenalina wróci, gdy tylko CIA pojawi się na progu. Trzeba myśleć o wyzwaniu. Nie każdy człowiek ma szansę zmierzyć się z przywódcą wolnego świata.

Juniper

Drzwi otworzyła pielęgniarka w średnim wieku, o rudych włosach przetykanych siwizną.

– Doktor Riley jest z pana córką, panie prezydencie. Obawiam się, że miała kiepską noc.

– Jak kiepską?

– Jak zawsze. Koszmar.

Wiedział już o koszmarach i niemal katatonicznym wycofaniu, które po nich następowało.

– Od razu do niej pójdę, Tereso. Mogłaby pani zaparzyć kawę dla mojego kierowcy i agentów w drugim samochodzie?

– Już zaparzyłam. Panu też przynieść?

– Dziękuję. – Ruszył po dębowych schodach na pierwsze piętro. W domu wyczuwało się atmosferę dawnych czasów i ten sam dystyngowany i ciepły nastrój co w jego rezydencji w Charlestonie. Jeśli Cassie powróci, to miejsce na pewno skojarzy się jej z domem, w którym spędzała wszystkie weekendy.

Jeśli? Przecież powróci. Nie zniósłby, gdyby było inaczej.

Bez pukania otworzył drzwi do pokoju córki.

– Co z nią?

– W porządku. – Jessica spojrzała na niego. – Kiepsko się czuła, ale to minęło, teraz odpoczywa. Prawda, Cassie?

Andreas podszedł do łóżka.

– Boże, wygląda jakby...

– Odpoczywa – przerwała mu Jessica i wstała. – Myślę, że ją na moment zostawimy i napijemy się kawy. – Odwróciła się do dziewczynki. – Za chwilę wrócimy, Cassie.

– Nie chciałbym...

– Pójdziemy się napić kawy. – Głos Jessiki był pełen determinacji. – Teraz.

Popatrzył na nią, obrócił się na pięcie i wyszedł z pokoju.

– I co?

– Już to przerabialiśmy. Nie jest głucha i nie jest w śpiączce, więc niech pan się nie zachowuje tak, jakby była.

– Leży tam jak trup. Nic nie mówi, nie odpowiada ani słowem, a pani twierdzi...

– Jeśli pan to zaakceptuje, tylko ułatwi jej pan zadanie. Proszę nie utrudniać mi pracy przez...

– Zabroni mi pani? Za kogo się pani uważa, do cholery?

– Za lekarkę pana córki. A za kogo pan się uważa, do cholery? – Urwała, a na jej wargach pojawił się nikły uśmiech. – Za prezydenta Stanów Zjednoczonych?

Nagle poczuł, jak gniew go opuszcza.

– Tak mówią, ale na pani najwyraźniej nie robi to wrażenia.

– Robi. Jest pan dobrym prezydentem. Nie znaczy to jednak, że wie pan więcej ode mnie na temat stanu pańskiej córki. Jeśli ja mam ją leczyć, muszę tu być szefem.

Popatrzył na Jessicę z zadumą. Była drobna, a dzięki krótkim, jasnym kędziorom i świetlistej cerze nie wyglądała na trzydzieści dwa lata. Jednak brązowe oczy patrzyły bystro, a śmiały sposób bycia zdecydowanie nie kojarzył się z podlotkiem.

– Nie przywykłem do zajmowania miejsca z tyłu, pani doktor.

– Wiem. – Uśmiechnęła się bez złośliwości. – To dla pana bardzo trudne. Musi się pan jednak z tym pogodzić.

– Skąd mam wiedzieć, czy się pani nie myli? Skąd pani to wie?

– Nie wiem. Możemy badać, zgadywać, domyślać się, ale mózg nadal jest dla nas zagadką. Przechodziłam przez to wiele razy i mam większe szanse od pana, by trafić na właściwą odpowiedź.

– Myśli pani, że Cassie jest całkiem świadoma?

– Bardziej niż świadoma. – Pokiwała głową. – Odkryłam, że w podobnych przypadkach zmysły są niezwykle wyostrzone. Zupełnie jakby odrzucenie otaczającego świata i skierowanie się ku wnętrzu wyzwalało jakąś zazwyczaj niewykorzystywaną moc.

– Inni lekarze nigdy o czymś takim nie wspominali.

– Mówię panu wyłącznie o własnych doświadczeniach.

– Z siostrą?

– Z Mellie i z innymi. – Potarła skroń. – Wiedział pan, że jestem odszczepieńcem, kiedy mnie pan zatrudniał. Robię co mogę na podstawie tego, czego się nauczyłam. Jeśli to panu nie wystarcza, proszę mnie zwolnić. Ale niech pan nie próbuje przejąć kontroli. Konflikt może tylko jeszcze bardziej oddalić od nas Cassie.

Milczał chwilę, a potem powiedział szorstko:

– Nie zamierzałem działać przeciwko pani. Nie ma pani pojęcia, jak ona się zmieniła. Nigdy nie znałem nikogo silniejszego od mojej Cassie. To ostatnie dziecko, które mogłoby tak się wycofać. Nie było w niej nic kruchego. Zawsze lubiła walczyć. Kiedy ujrzałem ją zwiniętą w kłębek... Poczułem taką złość, jakby...

– Wiem – przerwała mu. – I tak naprawdę nie ufa mi pan.

– Jeśli chodzi o Cassie, nikomu nie ufam. Jestem jej ojcem i to ja powinienem jej pomóc, a nie jakiś...

– Lekarz od czubków? Zgadzam się z panem. Czasem jednak tak nie jest. Czasem całkiem odrzucają bliskość. Wtedy psychiatra musi wziąć sprawy w swoje ręce. To co, będziemy współpracowali czy poszuka pan kogoś innego?

– Wygląda na to, że pani chce się sama wszystkim zająć.

– Nie. Tylko proszę nie rzucać mi kłód pod nogi.

– I mam pani słuchać.

– Zgadza się.

Zastanawiał się przez chwilę.

– W porządku. Zobaczymy, jak sobie pani poradzi z dowodzeniem.

– A jeśli nie stanę na wysokości zadania, zwolni mnie pan w mgnieniu oka?

– Zgadza się. Jeśli to już wszystko, chciałbym posiedzieć ze swoją córką.

– Jest coś jeszcze. Potrzebuję więcej informacji.

– Jakich informacji?

– O Vasaro.

– Mówiliśmy pani, co się wydarzyło.

– Czy przed tamtym zajściem córka lubiła Vasaro?

– Uwielbiała. Jak wszyscy. W Vasaro uprawia się kwiaty na potrzeby przemysłu perfumeryjnego, poza tym które dziecko nie lubi życia na wsi? Kilometry lawendy, lilii, z dala od ulic Waszyngtonu.

– Jeździła tam wcześniej?

– Często – przytaknął Andreas. – Caitlin Vasaro to jej matka chrzestna, są ze sobą bardzo blisko. Pozwalała Cassie pracować na polach i zrywać kwiaty potrzebne do wyrobu perfum. – Zacisnął wargi. – To straszne, że Cassie nigdy nie będzie mogła tam wrócić.

– Czemu?

– Gdyby widziała ją pani tamtej nocy, wiedziałaby pani dlaczego. Cała była umazana krwią. To trauma wpędziła ją w ten stan. Jeśli ją odzyskamy... kiedy ją odzyskamy, nie ma mowy, bym jej pozwolił na powrót do Vasaro.

– Rozumiem.

– Dlaczego chce pani więcej wiedzieć o tym miejscu? – Zmrużył oczy i przyjrzał się uważnie Jessice.

– Jak pan powiedział, tamta noc wpędziła ją w ten stan, a stało się to w Vasaro. Muszę wiedzieć jak najwięcej o jednym i o drugim. Pojechał pan tam, by pożyczyć rzeźbę Caitlin Vasaro i rozreklamować jej nowe perfumy?

– Właściwie to na parę miesięcy wypożyczyłem Tancerza Wiatru do muzeum rodziny Andreasów. Dlatego razem z żoną znalazłem się tego wieczoru w Paryżu. Uznaliśmy, że rozgłos towarzyszący temu wydarzeniu przypomni wszystkim o pierwszych perfumach Caitlin, które nazwała na cześć Tancerza Wiatru.

– Tancerza Wiatru nie było w Vasaro?

– Nie, przewieziono go do muzeum. – Skrzywił się. – Cassie była tak rozczarowana, że musieliśmy tam ustawić hologram, zakupiony przez Caitlin wiele lat temu. Jest naprawdę imponujący i zadowolił Cassie. Dlaczego tak interesuje panią ta rzeźba?

– Przejrzałam rodzinny album, który mi pan przysłał, i wyciągnęłam kilka zdjęć, by sprawdzić reakcje Cassie. Chyba zareagowała na zdjęcie przedstawiające ją z Tancerzem Wiatru w bibliotece domu w Charleston.

– Jak zareagowała? – Andreas zesztywniał. – Co zrobiła?

– Nic oczywistego. Nic, co mogłabym jakoś nazwać.

Jego ożywienie zniknęło.

– No to skąd pani wie, że zareagowała?

– Mam takie... przeczucie.

– Myśli pani, że się przestraszyła?

– Nie wiem. Bała się rzeźby?

– Do tamtej nocy nie. Tancerz Wiatru należy do mojej rodziny od trzynastego wieku. Dorastała przy tej rzeźbie i najbardziej lubiła bawić się w tym samym pomieszczeniu co ona.

– Pewnie rzeźba miała dla niej magiczne znaczenie. Złoty Pegaz pasuje do dziecięcych marzeń. Samo wyobrażenie konia lecącego przez chmury...

– Lubiła wymyślać rozmaite opowieści na ten temat.

– Jakie opowieści?

– Przygodowe. Takie bajki o lataniu na Pegazie i ratowaniu książąt przed smokami.

– Musi mieć bardzo bogatą wyobraźnię.

– Niezwykle. Była bardzo bystra.

– Jest bardzo bystra.

– Oczywiście, właśnie to chciałem powiedzieć. – Otworzył drzwi. – Zrobię wszystko, czego pani ode mnie zażąda, dopóki nie uznam, że to się nie sprawdza. Jak mam się zachowywać?

– Proszę z nią rozmawiać. Zadawać pytania. Okazać jej miłość.

– Mówiła pani, że odrzuca bliskość.

– Nic się nie stanie, jeśli będzie wiedziała, że miłość czeka. Proszę jednak nie okazywać przygnębienia, gdy nie zareaguje. To ją jeszcze bardziej od nas oddali.

– Poważne zadanie.

– Jest pan poważnym człowiekiem. – Zamilkła. – Przyniosę panu kawy. Jak długo pan tu zostanie?

– Dwie godziny. – Usiadł na fotelu obok łóżka Cassie, a kiedy na nią spojrzał, ścisnęło mu się serce. Wróć do mnie, skarbie, pomyślał. – Przed siódmą muszę być z powrotem w Białym Domu. – Ujął dłoń córki i ściszył głos. – Ale wystarczy mi czasu, żeby opowiedzieć ci, co się wydarzyło, Cassie. Tęsknię za tobą. Twoja siostra Marisa dzwoniła z Santiago i kazała ci przypomnieć, że obiecałaś przyjechać i pomóc jej tresować nowego delfinka. Strasznie chciałaby ci pokazać, jak sobie teraz radzą. Mama cię pozdrawia. Wiesz, że przyjechałaby tu, gdyby pan doktor nie kazał jej leżeć w łóżku.

Pamiętasz, że za miesiąc będziesz miała braciszka? Jest trochę niesforny, a lekarz nie chce, żeby za szybko pojawił się na tym świecie. To mały siłacz, już próbuje znaleźć swoje miejsce w rodzinie. Przypomina mi ciebie i to, jak... – Musiał przerwać, żeby opanować drżenie głosu. – Mama mówi, że naprawdę cię potrzebuje. Chce wybrać z tobą imię dla brata. Przemyśl to, może coś zaproponujesz, kiedy wrócisz. Dwa dni temu byli u nas akrobaci z Cirque du Soleil. Pamiętasz, jak cię zabraliśmy...

Jessica czuła ściskanie w gardle, kiedy patrzyła od progu na Andreasa. Boże drogi, jak on kocha to dziecko!

Dziś posunęli się do przodu, ale wiedziała, że jeszcze nieprędko prezydent jej zaufa. Nie miała o to pretensji. Czułaby to samo, gdyby Cassie była jej córką. Cóż, w pewnym sensie była. Wszyscy pacjenci byli jej dziećmi, dopóki nie wydobrzeli, a wtedy musiała z nich rezygnować. Słyszeli jej głos, a jeśli miała szczęście, w pewnej chwili udawało jej się zwabić ich z powrotem.

Czasem jednak perswazja nie skutkowała. Czasem trzeba było coś dołożyć, żeby przyspieszyć proces powrotu do zdrowia. Wolała o tym nie myśleć... teraz, kiedy z trudem zdołała zyskać kruche zaufanie Andreasa.

Wyobraziła sobie, jak by zareagował na wieść, że chciałaby zabrać Cassie do Vasaro.

– Mamy go, panie prezydencie – powiedział Danley. – Znaleźliśmy go w mieszkaniu na Amstel River.

– Nie zrobiliście mu krzywdy?

– Zakazał nam pan. Był całkiem potulny. Nie sprawiał żadnych kłopotów.

Andreas pomyślał, że potulny to nieodpowiednie słowo na określenie człowieka, którego spotkał w Vasaro. Michael Travis był spokojny i pełen szacunku, ale także nieufny. Andreas miał wrażenie, że należy się z nim liczyć.

– Niezwykłe – mruknął.

– Wiedział, że mamy liczebną przewagę. Przywieźć go do Langley?

– Nie, do Departamentu Sprawiedliwości. Nie chcę, żeby ktokolwiek czegoś się o nim dowiedział. Jutro o północy wykorzystam tunel z Białego Domu. Przyprowadźcie go.

– Tak, panie prezydencie. – Na chwilę zapanowało milczenie. – Prosił, by przekazać panu wiadomość. Powiedział, że jeśli chce pan od niego współpracy, on oczekuje od pana tego samego.

– Jakiej współpracy?

– Chce, żeby wysłał pan po niego Air Force One – odparł Danley. – Ten sukinsyn chyba nie uświadamia sobie, że to on ma kłopoty.

Air Force One. Po co Travisowi prezydencki samolot? Arogancja? Próba sił? Uznał w końcu, że facet jest zbyt bystry, aby pycha lub arogancja przysłoniły mu jasność myślenia, a wszystko wskazywało na to, że Travis nie ma nic przeciwko współpracy. Niech się bawi w próbę sił. Może dzięki temu poczuje się bezpieczniejszy.

– Gdzie samolot?

– W Waszyngtonie, gotów do drogi.

– Każ pilotowi polecieć po Travisa i wracajcie.

– To nie jest konieczne, panie prezydencie. Z całym szacunkiem, ale nie powinien pan ustępować temu sukinsynowi.

– Ten sukinsyn ocalił życie mojej córki. Nie jestem pewien, czy mamy inne wyjście. Wyślij samolot.

Rozdział trzeci

Paryż

– Jeszcze go nie znaleźliście? – zdziwił się Edward Deschamps. – Minęło prawie osiem miesięcy. Co z ciebie za dureń, Provlif?

Dłoń Provlifa zacisnęła się na słuchawce. Żałował, że to nie gardło Deschampsa. Cierpliwości. Jak dotąd dobrze mu płacono i nikt nie wiedział lepiej od niego, jak niebezpieczny potrafi być rozzłoszczony Deschamps.

– Znalazłem dobry trop. Ma łącznika w Amsterdamie. Jana van der Becka.

– Dlaczego wcześniej nic nie mówiłeś?

– Bo chciałeś konkretnych informacji. Musiałem bardzo głęboko poszperać, żeby odnaleźć Jana van der Becka. Kiedyś byli partnerami, ale Travis od lat pracuje na własną rękę.

– Czego się dowiedziałeś o Cassie Andreas?

Milczenie.

– Niczego?

– Rzecz jasna, skoncentrowałem się na Travisie.

– Do diabła, mówiłem ci, że muszę wiedzieć, gdzie ona jest.

– Chyba nie myślisz o ponownym porwaniu? To byłoby szaleństwo.

– Nie twój interes, Provlif. Musisz ją tylko znaleźć.

– To nie jest zwykły dzieciak. Prezydent objął ochroną wszystko, co ma z nią jakikolwiek związek. W końcu udało się nam ustalić, że przebywała w klinice w Connecticut, ale prezydent zabrał ją stamtąd ponad miesiąc temu. Nadal próbujemy się dowiedzieć, kto ją teraz leczy i gdzie...

– To, gdzie była miesiąc temu, nie ma żadnego znaczenia. Muszę wiedzieć, gdzie się znajduje teraz.

– Trzech moich ludzi nad tym pracuje.

– Zatrudnij więcej.

– Potrzeba mi dodatkowej gotówki. – Musiał to bardzo ostrożnie rozegrać. Deschamps był jednym z najzimniejszych i najbardziej błyskotliwych ludzi, jakich znał, ale nie oznaczało to, że zawsze nad sobą panuje. Provlif widział przy kilku okazjach, jak potrafi wybuchnąć. Mówiono, że odkąd Deschamps dostał obsesji na punkcie odnalezienia Travisa, stał się jeszcze bardziej niezrównoważony.

– Dostaniesz swoje pieniądze – stwierdził łagodnie Deschamps.

– Natychmiast wyjeżdżam do Amsterdamu.

– Nie. Wsiadaj w samolot do Waszyngtonu i znajdź Cassie Andreas. Ja polecę do Amsterdamu i poszukam Jana van der Becka.

– Ale może być trudno...

– Provlif, może nie pamiętasz, ale kiedy zaczynałem w tym interesie, słynąłem z umiejętności odnajdywania ludzi.

O tak, przypomniał sobie Provlif. Odnajdywania ich i usuwania z tego świata.

– Nie chciałem, żeby zabrzmiało to lekceważąco, Edwardzie.

– No to wsiadaj do samolotu i znajdź dzieciaka.

Cholerny sukinsyn.

Deschamps odłożył słuchawkę i podszedł do szafy. Rzucił na łóżko walizkę i zaczął upychać w niej ubrania.

Co za bezczelny typ. Żeby teraz zawracać mu głowę pieniędzmi. Taki jest ograniczony?

Mimo wątpliwości Provlifa plan był niegłupi, nadal mógł wypalić. Musieli jednak odnaleźć Cassie Andreas. Była absolutnie niezbędna.

Podobnie jak Jan van der Beck do odnalezienia Michaela Travisa.

Zatrzasnął wieko walizki i domknął ją. Za godzinę będzie w drodze do Amsterdamu.

Nie, chwileczkę. Najpierw musi iść do pokoju.

Potem będzie gotów do podróży.

– Chcę przyjechać do domu, żeby się z tobą spotkać – powiedziała Melissa następnego popołudnia, gdy tylko Jessica podniosła słuchawkę. – Zgadzasz się?

– Myślałam, że uczysz się do egzaminów.

– Mogę się uczyć w domu.

– Zawsze powtarzałaś, że lepiej ci idzie w twoim mieszkaniu. Przy okazji, jak tam współlokatorki?

– Dobrze. Uznałam, że potrzebuję trochę samotności, więc przeniosłam się do kawalerki.

– Sądziłam, że świetnie ci się mieszka z Wendy i Karen.

– Bo tak jest. Codziennie się z nimi widuję. Chyba zaczynam sprawiać kłopoty. – Urwała na chwilę. – Chcę wrócić do domu.

– Co się stało?

– Czy coś się musiało stać tylko dlatego, że chcę się z tobą spotkać? Jesteś moją siostrą, na miłość boską. Co pewien czas chcę sobie na ciebie popatrzeć.

– Co się stało? – powtórzyła Jessica.

– Mogę przyjechać czy nie?

– Mówiłam ci, co się tutaj dzieje. Jeśli przyjedziesz, na pewno nie będziesz mogła się uczyć. Poza tym oddałam Cassie twój pokój.

– Nie ma sprawy. Zamieszkam w błękitnym pokoju, chociaż to taki nudny kolor. Może w wolnej chwili przemaluję go na pomarańczowo.

– Ani mi się waż.

– Żartowałam.

– Kiedy przyjedziesz?

– Nie wyrwę się przed weekendem. To cztery dni; wystarczy, żeby uzyskać przepustkę do okazywania tym wszystkim agentom w domu. – Urwała. – Nadal tam są, prawda?

– Oczywiście. – Jessica zesztywniała.

– To dobrze.

– Zmienisz zdanie, kiedy zaczną za tobą chodzić.

– Jakoś przeżyję. Do zobaczenia w sobotę rano.

– Mellie?

– Muszę już kończyć.

– Co się stało?

– Po prostu za tobą tęsknię.

Jessica zwilżyła wargi.

– Czy chodzi o sny?

– Do zobaczenia w sobotę. – Melissa przerwała połączenie.

Jessica powoli odłożyła słuchawkę. Pewnie nic się nie stało. Mellie była całkowicie wyleczona. Nie groził jej nawrót choroby.

Przestań panikować. Nawet jeśli coś jest nie tak, poradzi sobie.

Chyba że to sny.

Jak, do diabła, miała sobie poradzić ze snami?

Departament Sprawiedliwości

Kiedy Andreas wszedł do gabinetu, Michael Travis siedział na kanapie i czytał.

– Te podręczniki prawa są strasznie nudne – zauważył. – Nic dziwnego, że prawnikom czegoś brakuje. Chyba na studiach mózgi im się kurczą.

Andreas podszedł do biurka i usiadł na fotelu.

– Jak tam lot, Travis?

– Doskonale. Dziękuję panu. – Uśmiechnął się. – Lepiej niż concorde'em. Ile to kosztowało podatników?

– Ani grosza. Dopilnowałem, żeby pokryć wydatki z własnej kieszeni.

– Bardzo etycznie. Cóż, tego się po panu spodziewałem. Jest pan jednym z tych nielicznych, staroświeckich okazów, człowiekiem honoru. Powinien pan obciążyć rząd kosztami. Pańskie życie jest cenne nie tylko dla pana i pańskiej rodziny, ale także niezbędne do prawidłowego funkcjonowania kraju.

– Mam tego świadomość. Nie musiałem jednak wysyłać po pana Air Force One. Mogłem nakazać Danleyowi przysłać pana normalnym środkiem komunikacji.

– Ale nie chciał mnie pan wkurzać, mimo że to żądanie było nieuzasadnione. Nie chciał pan zaczynać negocjacji w nieprzyjaznej atmosferze.

– Negocjacji? – Andreas pokręcił głową. – Nie muszę z panem negocjować. Mogę pana oskarżyć o udział w próbie zamordowania prezydenta i wsadzić do więzienia.

– Nie zrobi pan tego. Jak mówiłem, jest pan człowiekiem honoru. Nie ukarze pan człowieka, który uratował pana córkę.

– Zrobiłbym to, gdybym uważał, że w przyszłości może jej pan zagrażać. Skąd się pan dowiedział o napadzie?

– Mówiłem już, mam swoje źródła.

– Któż to taki?

– Mam pozwolić, żeby Danley i jego ludzie rzucili się na nich niczym harpie? Źródła informacji należy chronić. Z tego żyję.

– A także z innych nieuczciwych przedsięwzięć, jak mniemam.

– To prawda. Doskonale sobie radzę z nieuczciwymi przedsięwzięciami. Teraz jednak rozmawiamy o moich możliwościach zdobywania informacji, prawda? – Pochylił się. – Chce pan wiedzieć, kto stoi za napadem na Vasaro?

– Dowiem się.

– Nie ode mnie. Nie teraz. Powiedziałem panu prawdę. Nie wiedziałem o ataku nic poza tym, że ma się zdarzyć.

Andreas wpatrywał się w niego. Travis też nie spuszczał wzroku z prezydenta i mówił z przekonaniem. Jednak człowiek, który zarabiał na życie sprytem, na pewno umiał przekonująco kłamać. Mimo to intuicja podpowiadała Andreasowi, że Travis go nie zwodzi. Poczuł ukłucie rozczarowania.

– Wolałby pan, żebym skłamał – stwierdził Travis. – Przykro mi.

– Może pan kłamie.

– Tak, jestem w tym niezły. – Uśmiechnął się. – Ale nie byłby pan tym, kim jest, gdyby nie ufał pan własnym sądom.

Andreas pokiwał głową.

– Może i nie wiedział pan wtedy, kto stał za Vasaro, ale od tamtej nocy mógł się pan czegoś dowiedzieć.

– Byłem zajęty, a to nie figuruje na mojej liście priorytetów.

– Na mojej tak.

– Wiem. Dlatego tu jestem.

– Jest pan tutaj, bo wysłałem po pana Danleya.

Travis tylko się uśmiechnął.

„Był całkiem potulny", przypomniał sobie Andreas.

Już wcześniej uznał, że to mało prawdopodobne, teraz miał już pewność. Ten człowiek był zupełnie rozluźniony, ale cały czas miał się na baczności, nieustannie czuwał.

– Danley to bystry facet – stwierdził Travis. – Pewnie wpadłby na mnie za tydzień lub dwa. Uznałem jednak, że będzie lepiej dla nas obu, jeśli trochę przyspieszę bieg spraw.

– Dlaczego?

– Musiałem na moment zniknąć ze sceny. A pan potrzebuje więcej informacji.

– Którymi pan podobno nie dysponuje.

– Jeszcze nie. Co nie oznacza, że się nie dowiem. To musi trochę potrwać.

Andreas zesztywniał.

– Jak długo?

– Tyle, ile będzie trzeba. – Travis wzruszył ramionami. – Nic pan na tym nie straci. Danley o niczym jeszcze nie wie, prawda?

– Co pan będzie z tego miał?

– Ochronę. Moja obecna pozycja jest lekko zagrożona. Muszę na co najmniej miesiąc ukryć się w bezpiecznym miejscu.

– Przed czym mam pana chronić?

– Przed konsekwencjami wstrząsu spowodowanego jednym z moich nieuczciwych przedsięwzięć.

– Którym?

– Chce pan, żebym się dowiedział, kto zorganizował napad na Vasaro?

– Mogę kazać Danleyowi dowiedzieć się, co pan zrobił.

– Powodzenia.

Andreas przez chwilę się zastanawiał.

– Zdaje pan sobie sprawę z tego, że jeśli otoczę pana ochroną, będzie ona jednocześnie strażą? Dopilnuję, by moi ludzie wiedzieli, że jest pan podejrzany. Nie zawaham się przed zgnieceniem pana jak karalucha, jeśli dowiem się, że miał pan coś wspólnego z napadem na Vasaro.

– Rozumiem.

– To dobrze.

– Zgadza się pan?

– O tak – uśmiechnął się Andreas. – Znam odpowiednie miejsce: stróżówka przy starej posiadłości w Wirginii, mnóstwo ochroniarzy. Jeśli napadną na to miejsce jakieś sukinsyny, pana głowa poleci pierwsza.

– Poważnie? Zastanawiam się, dlaczego mieliby napaść... – Zmrużył oczy. – Cassie. Tam pan ją ukrył. Chyba powinienem być zaszczycony, że ufa mi pan na tyle, by mnie tam wysłać.

– Nie ufam. Nie wiem, co pan knuje. Ale ocalił jej pan życie i wątpię, by chciał ją skrzywdzić. Kiedy przekazał mi pan Cassie w Vasaro, zauważyłem, że po tym wszystkim, co przeszła, nie bała się pana. Może jest pan ostatnim skurwielem, ale ryzykował pan głowę, żeby strzec Cassie. Myślę, że zrobi to pan ponownie. – Umilkł. – A jeśli kłamie pan w jakiejś innej sprawie, pana...

– ... głowa poleci pierwsza – dokończył za niego Travis. – Będę o tym pamiętał. Kiedy jadę?

– Jutro w nocy. Mniej więcej o tej porze. Danley znajdzie panu jakiś hotel. – Andreas odepchnął fotel i wstał. – Zabiorę pana ze sobą, kiedy pojadę z wizytą do Cassie.

– Jak ona się miewa?

– Źle. – Zacisnął wargi. – Tak źle, że moje tak zwane poczucie honoru nie powstrzyma mnie od wymierzenia sprawiedliwości tym skurwielom, kiedy ich dopadnę. Powiem Danleyowi, że jest pan gotów.

– Jeszcze nie. – Travis wyjął telefon. – Muszę zadzwonić w kilka miejsc.

– Może pan zadzwonić z hotelu.

Travis potrząsnął głową.

– Jestem pewien, że w tym pokoju nie ma żadnego podsłuchu, a potrzebuję prywatności. – Uśmiechnął się. – W końcu nie powiedział mi pan, dokąd mnie zabieracie. W Wirginii muszą być tysiące starych domów.

– To prawda. Do kogo pan dzwoni?

– Do przyjaciela. Chcę, aby ktoś wiedział, że to pan odpowiada za moje zniknięcie. Potrzebuję niewielkiej gwarancji.

– Przecież twierdzi pan, że jestem człowiekiem honoru.

– Mogę być w błędzie. Proszę powiedzieć Danleyowi, że to nie potrwa dłużej niż pięć minut.

– Niech pan dzwoni, dokąd chce. – Andreas ruszył do drzwi. – Dopilnuję, żeby nikt nas jutro nie śledził, Travis.

– Byłbym idiotą, gdybym zaryzykował coś podobnego, prawda? – Zaczął wystukiwać numer. – To tylko gwarancja. Dobrej nocy, panie prezydencie.

– *Jessica!*

Melissa poderwała się na łóżku, a jej serce waliło jak młotem.

Bolała ją szczęka, stąd wiedziała, że musiała krzyczeć.

Boże. Boże.

Podkoszulek, w którym spała, był mokry od potu, ale teraz marzła. Zwiesiła nogi z łóżka i ukryła twarz w dłoniach.

Pomyślała, że kiedy przestanie drżeć, zadzwoni do Jessiki i wszystko będzie dobrze. Ale... nie może ciągle uciekać do Jessiki. Musi być silna.

Szmaragdowe oczy wpatrzone w krew na podłodze.

Wstała, poszła do łazienki i czterema łykami wypiła szklankę wody. Potem owinęła się szlafrokiem, zapaliła światła w całym mieszkaniu, a w końcu usiadła w fotelu przy oknie.

Wszystko będzie dobrze. Nadal było jej zimno, ale serce już się uspokajało. Da sobie radę. Jeszcze trzy noce i znajdzie się w domu razem z Jessicą.

Krew na podłodze...

Nie krzycz. Nie krzycz.

Szmaragdowe oczy...

Nie krzycz.

– Ładny dom. – Gdy mijali bramę, Travis popatrzył na ceglany budynek z kolumnami, wznoszący się z dala od drogi. – Kojarzy się z Tarą.

– Co pan wie o Tarze? – spytał Andreas. – Z tego, co wiem o panu od Danleya, niewiele czasu spędził pan w Stanach.

– Ojciec zawsze uważał się za Amerykanina, chociaż wolał mieszkać za granicą. Łatwiej mu było stamtąd prowadzić interesy.

– Szmuglerkę?

– Niech pan nie będzie taki dosłowny – uśmiechnął się Travis. – Był romantykiem. Do dnia śmierci uważał się za pirata.

– Ale pan zawsze uważał się wyłącznie za przestępcę.

– On wybrał „karierę" w młodości; uwielbiał przygodę. Ja dorastałem ze świadomością drugiego dna tej gry.

– Czyli nie przygody?

– Och, to też. W końcu jestem synem swojego ojca. – Wpatrywał się w budynek. – Tu jest Cassie? Kto się nią zajmuje?

– Dwie pielęgniarki i jej lekarka, Jessica Riley.

– Żadnych postępów?

– Jeszcze nie. – Andreas popatrzył na niego. – Ma to dla pana jakieś znaczenie?

– Czy to takie dziwne? Powiedzmy, że jestem osobiście zainteresowany. Nie lubię przerywać roboty w połowie.

– Niech się pan trzyma z dala od mojej córki. Nie chcę, żeby cokolwiek kojarzyło się jej z tamtą nocą.

– Gdyby trzeba było jej o tym przypominać, nie potrzebowałby pan lekarza.

– Słyszał pan. – Limuzyna zatrzymała się przed stróżówką. – Niech się pan trzyma z dala od Cassie. Powiem doktor Riley, kim pan jest i co pan tu robi. Nie pozwolę jej dopuszczać pana do mojej córki.

– Jak pan sobie życzy. – Travis wzruszył ramionami. – Z wielką chęcią pozostanę we własnym małym świecie. – Wysiadł z limuzyny. – Ostatnia sprawa. Z pewnością kusi pana, żeby mnie podsłuchiwać, ale uznałbym to za pogwałcenie warunków umowy. Poza tym będę dzwonił tylko do jednej osoby. Do Jana van der Becka w Amsterdamie. To mój pośrednik i łącznik ze wszystkimi źródłami, a jeśli powie mi, że pana ludzie są nieco zbyt wścibscy, umowę uznam za nieważną.

– Dlaczego mówi mi pan o van der Becku?

– Myśli pan, że go zdradzam? – Pokręcił głową. – Po prostu upewniam się, że jest bezpieczny.

Andreas milczał przez chwilę.

– Nie będzie podsłuchu w telefonie.

– Dziękuję. Będę w kontakcie.

– Nie, to ja będę w kontakcie. – Andreas dał znak kierowcy, by jechał dalej. – Może pan być pewien.

Travis przyglądał się, jak samochód wykręca na podjeździe. Na piętrze domu paliły się światła. W pokoju Cassie? Nie jego sprawa. Odwrócił się i otworzył drzwi stróżówki. Dopóki będzie się trzymał z dala od Cassie i potrafi poskładać fragmenty informacji od Andreasa, może tu bezpiecznie mieszkać. To jest najważniejsze.

Stróżówka składała się z pokoju gościnnego, kuchni i sypialni. Była wygodnie wyposażona. Przez pierwszych trzydzieści minut szukał pluskiew; znalazł pięć. Istniały bardziej wyrafinowane środki inwigilacji, ale do tego potrzebna by była ciężarówka ze sprzętem, a wątpił, żeby agenci tajnych służb ryzykowali po odkryciu, że zniszczył pluskwy. Przewaga inwigilujących polega na tym, że podsłuchiwany nie ma pojęcia o podsłuchu.

Na końcu sprawdził książki na półkach wbudowanych po obu stronach kominka i znalazł jeszcze dwie pluskwy. Uśmiechnął się, gdy uświadomił sobie, że jedną z nich wepchnięto za książkę doktor Jessiki Riley *Do światła*. Niezbyt mądre. Książka napisana przez właścicielkę domu automatycznie wzbudza zainteresowanie.

Rozsiadł się w fotelu, wyjął cyfrowy telefon i zadzwonił do van der Becka.

– Już się rozgościłem. Wszystko przygotowane?

– Na miejscu.

– Rozpocznij negocjacje.

– Jesteś bezpieczny?

– Nie zachowuj się jak kwoka, Jan. To ty będziesz miał do czynienia z niedobrymi chłopcami. Mnie otaczają najlepsi ludzie Ameryki.

– Czy dzięki temu mam się poczuć lepiej?

– Jestem bezpieczny, Jan.

– Niech tak zostanie.

– Zadzwonię do ciebie jutro. – Rozłączył się i usiadł wygodniej. Wszystko było gotowe. Zrobił, co w jego mocy. Czy to wystarczy?

Przynajmniej Jan zajął się negocjacjami w Amsterdamie. Mógł liczyć na tych, którym ufał. Kiedy właściwie przestał wierzyć ludziom? Chyba gdy był w wieku Cassie. Wtedy jeszcze nie nauczył się cynizmu i nie zaślepiała go chciwość. Kiedy ojciec i Jan zabierali go ze sobą do Algieru, życie pełne było niespodzianek.

Podszedł do szyby i spojrzał na oświetlone okna w domu. Przypomniał sobie twarz Cassie, tamtej nocy w Vasaro. Ona już nigdy nikomu nie zaufa. Zabrano jej dzieciństwo.

Zresztą to nie jego sprawa. Zajmują się nią profesjonaliści, tacy jak ta doktor Riley. Nie powinien się narażać na niebezpieczeństwo tylko dlatego, że prześladowało go wrażenie, iż czegoś nie dokończył.

Odsunął się od okna. Postanowił wziąć prysznic i się położyć.

Zatrzymał się w drzwiach sypialni, wrócił do regału i wyjął książkę Jessiki Riley. To o niczym nie świadczyło. Często czytał przed snem. Poza tym, skoro zarabiał na życie między innymi zdobywaniem informacji, nie zaszkodzi dowiedzieć się czegoś nowego.

Nie miało to nic wspólnego z Cassie Andreas.

Rozdział czwarty

– Rozumie pani? – dopytywał się Andreas.

– Wyraża się pan wystarczająco jasno. – Jessica odprowadziła go do drzwi. – Żadnych kontaktów z dżentelmenem ze stróżówki.

– Wątpię, by uznała go pani za dżentelmena.

– Twierdzi pan, że uratował życie Cassie. Trudno tego nie docenić.

– Jeden czyn nie może przesłonić całego życia pozbawionego równowagi.

– Ja ciągle mam do czynienia z brakiem równowagi. Dzięki niemu zarabiam na życie.

– Cóż, nie ma powodów, żeby zajmowała się pani właśnie tym przypadkiem. – Andreas zszedł po schodach. – Proszę ignorować Travisa. Nie zabawi tu zbyt długo. I tak ma pani pełne ręce roboty. – Popatrzył w okna Cassie. – Dziś nie było żadnych koszmarów. To dobrze, prawda?

– To zawsze dobrze. Niszczą ją. – Koszmary Cassie stawały się coraz okropniejsze. W rezultacie dziewczynka jeszcze bardziej się wycofywała. Jessica jednak nie zamierzała wspominać o tym jej ojcu. I tak miał za mało nadziei. – Przyjedzie pan jutrzejszej nocy?

Andreas pokręcił przecząco głową.

– Wyjeżdżam do Japonii na rozmowy handlowe. Moja nieobecność potrwa prawie dwa tygodnie, ale żona będzie do pani codziennie dzwoniła. Wie pani, jak się ze mną skontaktować.

Jessica patrzyła, jak prezydencki samochód powoli sunie po podjeździe, a następnie przeniosła spojrzenie na stróżówkę. W sypialni na tyłach domku paliło się światło. Najwyraźniej niezrównoważony pan Travis jeszcze nie spał.

Jego pojawienie się było interesującą odmianą. Interesującą i potencjalnie... obiecującą. Może uda się jej wykorzystać Michaela Travisa.

Bóg wie, że zrobiłaby wszystko, by powstrzymać Cassie przed dalszym pogrążaniem się w ciemnościach.

– Jestem! – Melissa wbiegła po dwa schodki naraz i zamknęła Jessicę w niedźwiedzim uścisku. – Rozłóżcie czerwony dywan. Niech gra orkiestra!

– To chyba fragment *Hello, Dolly,* ale ty nie jesteś Barbrą Streisand. – Mocno odwzajemniła uścisk siostry. – I tak się cieszę, że cię widzę. Jak podróż?

– W porządku, dopóki nie dotarłam do bramy. – Melissa cofnęła się i popatrzyła na Jessicę. – Skurczyłaś się? Ja już jestem za stara, żeby rosnąć.

– Jesteś tak nieobliczalna, że mogłabyś to zrobić. Dlaczego ja nie odziedziczyłam wzrostu po tacie?

– Przydaje się na boisku do koszykówki. Ty raczej przypominasz piękność z Południa... A to kto? – Zauważyła jakąś sylwetkę po drugiej stronie podjazdu.

– Nasz gość. Mieszka w stróżówce. Biega każdego ranka.

– Poważnie? – Melissa gwizdnęła cicho. – Nic mi o nim nie wspominałaś. Seksowny?

Czy rzeczywiście seksowny? Jessica przyjrzała mu się uważnie. Michael Travis właściwie nie był przystojny. Miał wspaniałe ciało – szczupłe i muskularne – ale nieregularne rysy. Za duży nos, za szerokie usta, za głęboko osadzone oczy. Wiedziała jednak, czemu Melissa zadała jej to pytanie. Emanował niemal namacalną energią, trudno było oderwać od niego wzrok. Kiedy Jessica ujrzała go po raz pierwszy dwa dni wcześniej, poczuła... no właśnie, co? Zdumienie?

– Też tak uważasz – uśmiechnęła się szeroko Melissa.

– Za stary dla ciebie. Musi mieć ze trzydzieści pięć lat.

– Na litość boską, ja mam dwadzieścia sześć. Ciągle uważasz mnie za dziecko. Chętnie złożę mu wizytę w stróżówce. – Popatrzyła łobuzersko na Jessicę. – Chyba że ty masz na niego ochotę.

– Nie zamieniłam z nim nawet dwóch słów.

– Za dużo zadajesz się z tymi dziećmi.

– Prezydent twierdzi, że facet jest nieobliczalny.

– Świetnie. Zakazany owoc smakuje najlepiej.

– Nie spytałaś, dlaczego mieszka w stróżówce.

– Uznałam, że nie chcesz trzymać kochasia w domu, razem z dzieckiem. W stróżówce jest więcej prywatności.

– Mellie!

– Rozchmurz się – zachichotała Melissa. Podniosła walizkę i zawlokła ją do domu. – Zaniosę ją do tego okropnego błękitnego pokoju. Nastaw kawę, dobrze? Potrzebuję trochę kofeiny po tej przykrej przygodzie przy bramie. Czekałam tylko, aż mi zrobią rewizję osobistą. Chociaż gdyby to był ten twój facet ze stróżówki... – Zanim Jessica zdążyła odpowiedzieć, Melissa już biegła po schodach.

W drodze do kuchni Jessica poczuła ulgę. Melissa wydawała się najzupełniej normalna. Żadnego widocznego napięcia. Jak zwykle łobuzerski, trochę złośliwy sposób bycia. Jeśli już, to wydawała się nieco bardziej ożywiona niż zwykle. Wręcz promieniała.

– Chcesz, żebym zrobiła kanapki? – Melissa wpadła do kuchni. – Umieram z głodu.

– W lodówce jest szynka i ser. – Jessica nalała kawę do dwóch filiżanek. – Ja się tym zajmę.

– Nie, muszę się ruszać. Jestem podminowana.

Jessica pomyślała, że Melissa zawsze jest podminowana. Ciągle się ruszała, mówiła, śmiała. Stwierdziła kiedyś, że musi nadrobić wszystkie stracone lata, a Jessica jej wierzyła. Nigdy nie znała nikogo równie pełnego energii.

Poza mężczyzną w stróżówce.

Dziwne, że przyszło jej do głowy to porównanie. W ogóle nie byli do siebie podobni. Melissa odziedziczyła po matce uderzającą urodę. Miała wystające kości policzkowe, lśniące kasztanowe włosy i niebieskie, lekko skośne oczy. Jedyne, co ją łączyło z Travisem, to smukłe, wysportowane ciało i gorączkowa energia.

Gorączkowa.

Tyle że Michael Travis się nie gorączkował; jego ruchy wydawały się opanowane i wyważone. To określenie także zazwyczaj nie pasowało do Melissy. Dziś jednak było w niej coś gorączkowego, niespokojnego.

– Na co patrzysz? – Melissa zerknęła na nią przez ramię. – Mam gdzieś plamę?

– Nie wiem. Masz?

– O, jesteś w nastroju do psychoanalizy. – Położyła kanapkę przed Jessicą i usiadła naprzeciwko niej. – Nic mi nie jest. Po prostu chciałam się z tobą zobaczyć. Czy to takie dziwne?

– Nie, jeśli to prawda.

– Dlaczego nie miałaby to być prawda? Jak tam dzieciak?

– Niezbyt dobrze. Koszmary się nasilają. – Najwyraźniej Melissa nie zamierzała się jej zwierzać. Będą musiały spróbować później. – Martwię się o nią.

– Masz prawo.

Jessica zesztywniała.

– Dlaczego to powiedziałaś?

– Dobrze wiesz, dlaczego. Ja tam byłam. Mówiłam ci już, jak niewiele brakowało, żebym nie wróciła. Koszmary wciągały mnie coraz głębiej, aż...

– Ale wróciłaś.

– Ty mnie stamtąd wyciągnęłaś. Trzymałaś mnie, aż zrobiłam pierwszy krok. Czasami nienawidziłam cię za to, że zmuszasz mnie do powrotu. Nigdy nie zdawałam sobie sprawy, ile poświęciłaś i jak ciężko pracowałaś, żeby mnie uratować. – Uśmiechnęła się promiennie. – Czy kiedykolwiek ci mówiłam, jak bardzo cię kocham?

– Przymknij się. Zrobiłabyś dla mnie to samo.

– Zrobiłabym dla ciebie wszystko – odparła cicho Melissa. – Tylko daj mi szansę.

– Nie ma sprawy. – Jessica wstała. – Pozmywaj, a ja tymczasem sprawdzę, co u Cassie.

– Zawstydziłam cię. – Melissa pospiesznie dokończyła kawę. – Przepraszam. Musiałam to powiedzieć. Wielu ludzi przechodzi przez życie, nie mówiąc tego, co trzeba. Kiedy wróciłam, chciałam biegać, informować wszystkich, żeby nie traktowali życia jak czegoś oczywistego, żeby mieli świadomość, że w każdej chwili mogą odejść i nigdy nie powrócić.

– Ale nie pobiegłaś.

– Nie pozwoliłabyś mi. Ty mogłaś być tą, która kocha i służy, ale nie chciałaś, żebym ja... – Wzruszyła ramionami. – Nie ma sprawy. Rozgryzienie cię zajęło mi trochę czasu.

– Ale w końcu ci się udało?

– Mam nadzieję. – Wzięła talerz i podeszła do zlewu. – Idź zobaczyć, co u małej.

– Skąd te nagłe zwierzenia?

– Najwyższy czas. – Zaczęła wkładać naczynia do zlewu. – Myślisz, że prezydencki szlaban na tego przystojniaka w stróżówce dotyczy także mnie?

– Tak właśnie myślę.

– Szkoda.

Jessica z uśmiechem ruszyła na górę. Trudno się było nie uśmiechać w towarzystwie Mellie. Jej radość życia wydawała się niemal zaraźliwa. Przyjemnie było przebywać z nią w tym samym pokoju, na tej samej planecie.

Jej uśmiech zbladł, gdy dotarła do drzwi pokoju Cassie. Wróć, skarbie. Zobacz, jaką radość może przynieść życie.

Krzyk rozdarł noc niczym ostrze noża.

Jessica się tego spodziewała. Koszmary występowały już trzecią noc z rzędu.

– Wszystko w porządku, Cassie. – Przytuliła do siebie dziewczynkę. – Jestem tutaj. Jesteś bezpieczna.

Dziecko wciąż krzyczało.

– Obudź się, maleńka.

Nadal krzyczała.

– Cassie!

Krzyk nie ustawał.

– Przygotować środek uspokajający? – zapytała Teresa.

Jessica nie chciała robić zastrzyku. Próbowała tego z Mellie, która powiedziała jej później, że środek powodował trwanie w koszmarze, zupełne szaleństwo. Gdyby trauma się zintensyfikowała, Cassie mogłaby wycofać się jeszcze bardziej.

– Na razie nie. Cassie? – Nie przestawała kołysać dziecka. – Obudź się, Cassie.

Pięć minut później Cassie nadal krzyczała. Nagle jej ciało zwisło bezwładnie. To przeraziło Jessicę jeszcze bardziej.

Dziewczynka leżała nieruchomo, z otwartymi oczami.

– Cassie?

Sprawdziła odruchy i serce. Puls był przyspieszony, ale nie na granicy niebezpieczeństwa: nie tym razem. O czym myślała?

– Myślałam, że ją straciłyśmy – wyszeptała Teresa.

Chodziło jej o umysł czy o życie? Jessica obawiała się jednego i drugiego.

– Musisz coś zrobić – stwierdziła Teresa.

– Wiem.

Minęło pół godziny, Cassie stopniowo nabierała rumieńców.

– Idź się przewietrzyć – zaproponowała Teresa. – Jesteś bledsza od małej. Przypilnuję jej.

– Tylko na kilka minut. – Jessica wstała i się przeciągnęła, żeby trochę rozluźnić mięśnie. – Zawołaj mnie, gdyby coś się działo.

Przystanęła w korytarzu i oparła się o drzwi.
– Nic jej nie jest? – spytał Larry Fike. – Śmiertelnie mnie wystraszyła.
– Mnie też. Ale teraz odpoczywa.
– Te krzyki i szlochy...
Pokiwała głową i ruszyła korytarzem. Szlochy? Cassie nie szlochała. Ale rzeczywiście słychać było szloch, urywany, ledwie słyszalny. Nie dobiegał z pokoju Cassie.
Z błękitnego pokoju.
Powoli podeszła do drzwi.
– Mellie?
Nie było odpowiedzi.
Zapukała i otworzyła drzwi.
– Mellie, czy...
– Nic mi nie jest. Odejdź.
– Wypchaj się. – W ciemnościach widziała Melissę na wielkim łóżku. – O co chodzi?
– A jak myślisz? Wściekam się, że nie pozwalasz mi poderwać tego przystojniaka w stróżówce.
– Jeśli on tyle dla ciebie znaczy, podam ci go na srebrnym talerzu. – Przeszła przez pokój i usiadła na łóżku. – Teraz już nie masz żadnej wymówki, więc mów prawdę.
– Nienawidzę tego błękitnego pokoju.
– Mellie...
Melissa rzuciła się w ramiona Jessiki.
– Jesteśmy ranne – wyszeptała. – Bliskie śmierci, Jessica.
– Co?
– Tropią nas, a my nie możemy uciec. Wszędzie tyle krwi... Wchodzimy coraz głębiej do tunelu, ale wciąż nie możemy uciec. Istnieje tylko jedna droga ucieczki.
– Mellie. – Jessica zesztywniała. – O czym ty mówisz?
– O tym, czego nie chcesz usłyszeć. Umrzemy, Jessico. Nie możemy tam wejść i nie możemy uciec żadną inną...

– Mellie, zamknij się, śmiertelnie mnie wystraszyłaś. – Zapaliła lampę. – Gadasz głupstwa.

Melissa nie podniosła głowy.

– Miałaś sen, tak?

– Tak... Miałyśmy sen.

– Dlaczego ciągle mówisz w liczbie mnogiej?

– Myślę, że wiesz. – Usiadła i odgarnęła włosy z oczu. Próbowała się uśmiechnąć drżącymi ustami. – W końcu już tak było.

– Cassie? – Jessica zwilżyła wargi.

– To silna dziewczynka. Bez trudu zdołała wciągnąć mnie w ten swój tunel. Nie tak jak Donny Benjamin. On próbował, ale nie dałam się wciągnąć do tej jego jaskini, chociaż był rozpaczliwie samotny i pragnął towarzystwa. – Odetchnęła głęboko. – Gdybym tam weszła, być może nigdy by nie wyszedł. A jednak wyszedł. Ty go sprowadziłaś. Tak jak mnie. – Urwała. – Tylko wraz ze mną sprowadziłaś coś jeszcze, prawda?

– Myślisz, że nastąpiło sprzężenie umysłów, twojego i Cassie?

– Wiem, że tak. – Wierzchem dłoni wytarła mokre policzki. – Nie chcesz w to wierzyć, tak jak nie chciałaś wierzyć w Donny'ego. To cię przeraża.

– Tak, do diabła. A ciebie nie?

– Nie zawsze, ale dzisiaj tak. Chcę żyć.

– A Cassie nie chce?

– Kiedy pojawiają się koszmary, jest przerażona i zagubiona, pragnie jedynie uciec. Istnieje tylko jedno miejsce bezpieczniejsze i jeszcze bardziej oddalone niż jej tunel.

– Mellie!

– Przepraszam. Wiem, że to cię przygnębia. – Wstała z łóżka i ruszyła do łazienki. – Umyję twarz. Potem zejdziemy na dół wypić lemoniadę, usiądziemy na werandzie i o wszystkim zapomnimy. Zgoda?

Jak mogłabym o tym zapomnieć, pomyślała Jessica. Kiedy leczyła Donny'ego Benjamina, potrafiła odsunąć od siebie koncepcję, że umysł Melissy połączył się z umysłem małego chłopca. Złożyła to na karb wyobraźni siostry i na fakt, że Melissa dopiero niedawno doszła do siebie. W końcu rozmawiała z nią o Donnym i jego postępach. Podobnie jak o Cassie.

Tyle że sny Donny'ego nie były pełne przerażenia i smutku. Melissa rozmawiała spokojnie i ze współczuciem o chłopcu, ale się wycofała, gdy zauważyła zdumienie i przygnębienie Jessiki.

– Przestań się trząść ze strachu – powiedziała Melissa po wyjściu z łazienki. – Nie po to wróciłam do domu. Gdybyś nie włamała się do mojego prywatnego sanktuarium i nie przyłapała mnie w chwili słabości, nigdy nie musiałabyś stawić czoło moim halucynacjom.

– Ty nie uważasz ich za halucynacje.

– Ależ uważam. Gdyby to było coś innego, zamartwiłabyś się na śmierć. Po sześciu latach w Nibylandii byłoby dziwne, gdybym nie miewała halucynacji.

– Kłamiesz.

– Może. – Ruszyła do drzwi. – Ale naprawdę mam ochotę na lemoniadę. Idziesz?

– Ładna noc. Jest tak miło. Pamiętam, jak siadywałyśmy tak w dzieciństwie. – Huśtawka poruszyła się lekko. – Często tu przychodzisz, Jessico?

– Nie mam czasu. – Jessica powoli sączyła lemoniadę. – Jeśli nie pracuję z pacjentem, siedzę w ośrodku rozwoju dla autystycznych dzieci.

– Tak, wspominałaś. To cholernie przygnębiające. W porównaniu z pracą z autykami, sześć lat ze mną musiało być samą radością.

– Leczenie jest nieco podobne. Poczyniliśmy pewne postępy.

– Całe życie się nimi zajmujesz. – Melissa milczała przez chwilę. – Czy to przeze mnie? Czy ja za to odpowiadam?

– Odpowiadasz? Nie wiem, o czym mówisz.

– Pamiętam, jaka byłaś przed śmiercią rodziców – uśmiechnęła się Melissa. – Dusza towarzystwa, cheerleaderka. Najlepsza kumpelka wszystkich. No i egoistka.

– Byłam młoda.

– Nadal jesteś młoda, a w egoizmie nie ma nic złego. Najwyraźniej o tym zapomniałaś. – Napiła się lemoniady. – Chyba ja za to odpowiadam. Obarczono cię opieką nad zombie i zamieniłaś się w świętą Jessicę.

– Nie bądź niemądra. Czy to twoja wina, że kiedy rodzice zginęli, znajdowałaś się w tym samochodzie? To się zdarza, trzeba stawić temu czoło i iść dalej swoją drogą.

– Jak powiedziałam, święta Jessica. – Melissa uniosła szklankę. – Na twoim miejscu zaprotestowałabym i oddałabym mnie do szpitala.

– Nieprawda. Tylko tak gadasz. Zrobiłabyś to samo.

– Mój Boże, chcesz powiedzieć, że zamieniłabym się w świętą Melissę? – Pokręciła głową. – Nie, to już nie brzmi tak dobrze.

– Cóż, w końcu zdecydowałaś się studiować medycynę. To chyba nie jest najbardziej egoistyczny kierunek studiów.

– Myślisz, że idę w twoje ślady?

– Myślę, że jesteś bardziej ofiarna i troskliwa, niż chcesz przyznać.

– Przyszło ci kiedyś do głowy, że poszłam na te studia, aby znaleźć odpowiedzi?

– Wszyscy po to studiujemy.

– Nie. Ja chcę odpowiedzi dla siebie. Chcę wiedzieć, dlaczego na sześć lat wycofałam się ze świata. – Popatrzyła z zadumą na szklankę. – I chcę dowiedzieć się czegoś o Donnym Benjaminie.

– Mellie, byłaś bardzo przewrażliwiona, twoja wyobraźnia też na tym ucierpiała.

– Nie chcesz przyjąć do wiadomości, że twoja mała siostrzyczka jest stuknięta.

– Nie jesteś stuknięta. Gdybyś naprawdę uznała, że zyskałaś parapsychiczną moc, zapisałabyś się na jakieś zajęcia z psychotroniki.

– Czytałam książki o percepcji pozazmysłowej... w ramach lektur. Ale nie tam chciałam szukać odpowiedzi. Wierz mi, wolałabym znaleźć proste i racjonalne wyjaśnienie tego, co się ze mną działo.

– Masz rację. Donny Benjamin to odosobniony przypadek i całkowicie wytłumaczalny.

– A Cassie?

– To samo. Omawiałam z tobą oba przypadki, a jesteś wyjątkowo wrażliwa na sugestie na ten temat.

– Na temat Nibylandii?

– Nazywaj to, jak chcesz. To całkiem sensowne, że...

– Przestań. – Melissa wybuchnęła śmiechem. – Uświadomiłam sobie tylko, że to, co się ze mną stało, nie ma nic wspólnego z sensem. To miło, że ciągle znajdujesz wymówki, żebym nie trafiła do czubków, ale jestem, kim jestem.

– Czyli?

– Dziwadłem. – Wyciągnęła rękę, żeby powstrzymać protesty Jessiki. – Miłym dziwadłem, inteligentnym i pociągającym, ale jednak dziwadłem. Przestań tak patrzeć, jakbyś chciała zapakować mnie do łóżka i otrzeć mi spocone czoło. Wiem, że napisałaś wspaniałą książkę o mnie i o naszej walce o powrót do normalności, ale w jednym punkcie dałaś plamę. Nie jestem normalna.

– Z całą pewnością jesteś.

– Nawet nie wiem, co to jest normalność. Zresztą niewielu znanych mi ludzi jest normalnych. Ty nie jesteś normalna, jesteś świętą Jessicą. – Wstała. – Idę spać. Wystarczająco cię przygnębiłam jak na jedną noc.

– Żebyś wiedziała.

– Ale próbujesz znaleźć rozwiązanie. Może powinnam nazwać to lekarstwem?

– Dlaczego wcześniej nie rozmawiałaś ze mną w taki sposób? Dlaczego właśnie dzisiaj?

– Zamierzałam tego uniknąć, bo cię kocham i chcę, żebyś mnie szanowała. Siedząc tu, pomyślałam jednak o Cassie. Może to egoizm, ale nie mogę ukrywać, kim jestem, gdyby to miało oznaczać śmierć Cassie. – Z powagą popatrzyła na siostrę. – Znajdź sposób, aby zmienić sytuację. Musisz dorzucić coś nowego do mieszanki. Cokolwiek, by wyciągnąć ją z tego snu.

– Jak, do cholery, mogłabym...

– Nie wiem. To ty jesteś psychiatrą. – Ruszyła ku drzwiom wejściowym. – Po prostu to zrób.

– Mellie?

Melissa zerknęła na siostrę przez ramię.

– Dlatego wróciłaś do domu? Śni ci się Cassie?

– Nie. – Odwróciła wzrok i otworzyła drzwi. – Nie miałam żadnych snów o... z Cassie, aż do dzisiaj.

– Powinnaś dłużej odpocząć – stwierdziła Teresa, gdy Jessica weszła do pokoju. – Potrzeba ci tego.

– Co z nią?

– Bez zmian. – Teresa wstała. – Zejdę na dół, zrobię sobie kawy, a potem wrócę i wyślę cię do łóżka. Zaczynasz wyglądać jak własna pacjentka.

– Nic mi nie jest. – Kłamała. Zdecydowanie coś jej dolegało. Czuła się wyczerpana i przestraszona, mdliło ją. Nie była pewna, czy bardziej boi się o Cassie, czy o Melissę. Dziecko było zagubione, lecz jej siostra, którą uważała za uleczoną, mogła znowu się pogrążyć.

Jednak Melissa była idealnie zrównoważona. No tak, ale ilu pacjentów Jessiki wyglądało na zupełnie zdrowych, poza pojedynczymi epizodami?

Melissa była zdrowa. Tylko...

Tylko co?

Z westchnieniem odchyliła się na oparcie fotela. Nie potrzebowała dodatkowych zmartwień. Coś takiego jak sprzężenie umysłów było całkowicie nie do przyjęcia. Uwłaczało zdrowemu rozsądkowi.

Cokolwiek się stało dzisiaj, było równie proste jak argumenty, którymi posłużyła się w rozmowie z Melissą.

Nakryła dłonią rękę Cassie.

– Musisz wkrótce wrócić. Te koszmary cię niszczą. Myślałam, że poczekamy, ale... Wyjdź z tunelu, maleńka. Tu będziesz o wiele szczęśliwsza, daję ci słowo. Zobaczysz mamę, tatę, będą...

Tunel? Skąd się to wzięło?

Zesztywniała. To Melissa stwierdziła, że Cassie znajduje się w tunelu. Rozsądniej by było, gdyby ujrzała Cassie w umysłowej dżungli, w której sama spędziła sześć lat. Ale nie to chciała powiedzieć.

To silna dziewczynka. Bez trudu zdołała wciągnąć mnie w swój tunel.

Przeszył ją dreszcz. Czy to wyobraźnia Melissy, czy może...

Nie uwierzyłaby w nic równie dziwacznego. Musiała kierować się rozumem w postępowaniu z Cassie... i z Melissą. Nie wiedziała, czy kruche ciało Cassie wytrzyma kolejną taką noc.

Następnym razem będzie gorzej. Pomyślała, że musi zmienić tę sytuację.

Jezu.

Rozdział piąty

– Karlstadt nie chce mieć do czynienia z nikim oprócz ciebie – odezwał się van der Beck, gdy tylko Travis odebrał telefon. – Chce zobaczyć towar.

– Pokazałeś mu próbkę?

– Twierdzi, że jedna kropla nie czyni oceanu.

– Bardzo poetyckie jak na Karlstadta.

– Chce, żebyś się tu pojawił.

– Powiedz mu, że szanuję jego życzenia, ale w oceanie można utonąć, a ja nie zaryzykuję, jeśli nie dostanę atrakcyjnej oferty.

– Co uważasz za atrakcyjną ofertę?

– Dwadzieścia pięć milionów nie brzmi najgorzej.

– Marzyciel z ciebie, Michael.

– Nie. Zapłacą. To okazja jak na tę cenę. Wchodź w to. – Zmienił temat. – Skontaktowałeś się z kimś, kto ma jakieś informacje na temat ataku na Vasaro?

– Zamierzam złożyć wizytę Henriemu Claronowi w Lyonie. Słyszałem, że może coś wiedzieć. Jest jednak dziwnie małomówny, a wiesz, że Henri rzadko kiedy bywa dyskretny.

– Wręcz przeciwnie.

– Odkryłem coś interesującego. Żona Henriego, Danielle, dorastała w tej samej wiosce co Jeanne Beaujolis, opiekunka Cassie Andreas.

– Interesujące.

– Ale jak już mówiłem, Henri nie jest szczególnie rozmowny.

– Boi się?

– Zaproponowałem niezłą sumkę. Trzeba by czegoś wyjątkowego, żeby nie wziął tylu pieniędzy. Dam ci znać. – Rozłączył się.

Cholera. Travis wsunął telefon do kieszeni i niespokojnie podszedł do okna. Nie takiego rozwoju wypadków się spodziewał. Przebywał tu ponad tydzień, lecz nadal tkwił w punkcie wyjścia.

Cóż, punkt wyjścia był lepszy niż drewniana trumna dwa metry pod ziemią. Nie był przyzwyczajony do klatek. Przecież nie mógł przez cały czas czytać i pracować na komputerze. Jedyną książką, która go zainteresowała, była ta napisana przez Jessicę Riley. Intrygowała go wędrówka w przeszłość i umysły Jessiki Riley i jej siostry Melissy. Ich widok na terenie posiadłości tym bardziej go interesował. Wielu ludzi nie odkrywa swoich myśli ani uczuć nawet przed bliskimi przyjaciółmi, ale Jessica napisała książkę ze wzruszającą szczerością. W historii walki o przeprowadzenie siostry przez traumę – po tym, jak rodzice dziewczyny spłonęli na jej oczach – nie było ani odrobiny próżności, z każdego słowa przebijała troska.

Poprzez deszcz widział światła na górze w sypialni. Już trzecią noc w tym tygodniu. Najwyraźniej Cassie nie radziła sobie najlepiej. Biedne dziecko.

Biedna Jessica Riley. Jeśli dobrze czytał między wierszami, pewnie cierpiała równie mocno jak jej pacjentka.

To nie jego sprawa. Ile razy powtarzał to sobie od przybycia do Juniper? Z nudów snuł spekulacje, a spekulacje zazwyczaj mu nie wystarczały. Lubił wszystko kontrolować. Jeśli nie będzie uważał, porzuci wygodną i bezpieczną pozycję obserwatora i spróbuje rozwiązać ten problem. Było jasne, że musi zająć się własnym życiem i zapomnieć o Cassie Andreas oraz o ludziach, którzy ją otaczali.

Cassie znowu krzyknęła.

– Kochanie, nie. – Jessica kołysała dziewczynkę. – Proszę. Obudź się. Nie możesz tak...

Cassie wykrzywiła usta i krzyczała. Nie mogła przestać.

Szybki puls. Lepka skóra.

– Strzykawkę? – spytała Teresa.

– Poprzednim razem robiłam jej zastrzyk, prawie nic nie dał. Jeśli podam jej teraz za dużo, może ją to zabić.

Zastanawiała się gorączkowo, co robić. Napad ciągnął się już od dwudziestu minut. Był to najgorszy jak dotąd atak, a ona nie mogła dopuścić do tego, żeby…

– Zajmij się nią – nakazała Teresie. Zerwała się na równe nogi i wybiegła z pokoju. Minęła ochroniarza Cassie i ruszyła korytarzem. Otworzyła szeroko drzwi pokoju Melissy.

– Źle z Cassie. Nie wiem, co mogłabyś zrobić, ale jeśli istnieje jakaś szansa…

Melissa nie odpowiedziała.

Jessica włączyła lampę.

Siostra leżała na łóżku z otwartymi oczami.

– Mellie?

Szybki puls. Lepka skóra.

Cholera.

Łzy spływały po policzkach Jessiki, gdy wybiegała z pokoju. Co mogła zrobić, do diabła? Wszystko było nienormalne. Nic nie miało sensu. Nie było powodu, żeby to słodkie dziecko umarło.

I Melissa. O Boże, Melissa.

Jezu Chryste, co robić? Nic nie mogła pomóc.

Znajdź sposób, aby zmienić sytuację. Musisz dorzucić coś nowego do mieszanki.

Zbiegła po schodach i wypadła na deszcz.

Zmienić sytuację.

Coś nowego.

Wiedziała, skąd weźmie nowy element. Wiedziała to od tamtej nocy, kiedy Andreas zabronił jej zbliżać się do Michaela Travisa.

Pieprzyć to. Nie mogła stać z boku i patrzeć na ten horror.

Zadudniła w drzwi do stróżówki.

– Otwierać drzwi, cholera!

Travis otworzył.

– Co do...

– Za mną. – Złapała go za ramię. – Jesteś mi potrzebny. Teraz.

– Co się stało?

– Żadnych pytań. Za mną. – Wyciągnęła go. – Jestem Jessica Riley i...

– Wiem, kim jesteś. Nie wiem tylko, co tu robisz.

– Później wyjaśnię. Chodź ze mną.

– Jasne. – Biegł obok niej po podjeździe. – Dziecko?

– Tak. Myślę, że może umrzeć. – Usiłowała uspokoić głos. – Ma koszmar, a ja nie mogę jej dobudzić. – Dotarli do domu, Jessica wciągnęła Travisa do holu. – Potrzebuję twojej pomocy.

– Nie jestem lekarzem.

– Bez protestów. Rób, co każę. – Słyszała krzyki, gdy biegła po schodach. Poczuła ulgę. Skoro Cassie krzyczy, to nadal żyje.

U szczytu schodów wpadła na Larry'ego Fike'a, który wbił wzrok w Travisa.

– On nie wejdzie, pani doktor. Mam rozkazy.

– Wejdzie ze mną – powiedziała stanowczo. – Może go pan przeszukać. Proszę towarzyszyć nam do sypialni i stanąć za nim. Ale wejdzie. Jest mi potrzebny.

– Mam rozkazy.

– I wyjaśni pan prezydentowi, dlaczego powstrzymał mnie pan przed użyciem środków, które mogłyby ocalić życie jego córki?

– Mam... – Urwał i popatrzył na drzwi pokoju Cassie. – Twarzą do ściany i rozłożyć ręce, Travis.

Patrzyła, jak agent przeszukuje Travisa.

– Szybciej. Proszę, na...

Fike machnął ręką, żeby Travis wszedł do pokoju, ale sam podążył za nim.

Jessica podbiegła do łóżka.

– Co z nią, Tereso?

– Chyba trochę gorzej. – Pielęgniarka spojrzała na Travisa. – Co on tu robi?

– Zadaję sobie to samo pytanie – odezwał się Travis. – Co ja tu robię?

– Nie wiem. Muszę coś...

Znowu krzyk.

Travis aż podskoczył i zrobił krok do przodu.

– Nie możesz tego przerwać? Chyba nie powinna....

– Gdybym umiała, nie potrzebowałabym ciebie. – Odetchnęła głęboko, usiłując się skoncentrować. – Ma koszmar, a ja nie potrafię jej z niego wyrwać. Myślę, że śni o Vasaro i usiłuje od czegoś uciec. Ale nie może, więc koszmar trwa. Musisz coś zrobić, żeby to przerwać.

– Ja?

– Uratowałeś jej życie w Vasaro. Może powinieneś to powtórzyć.

– Aż tak źle?

– Nie wiem. Ten koszmar musi się skończyć.

– Masz cholerną rację. – Travis usiadł na łóżku. Ujął dłonie Cassie w swoje ręce. Przez chwilę milczał, a potem powiedział: – Jesteś bezpieczna, Cassie. Jesteś tutaj. To już minęło. Pamiętasz, idziemy do kuchni i tam poczekamy na twoich rodziców.

Cassie krzyknęła.

– Jesteś bezpieczna. Jestem tutaj. On już poszedł. Wszyscy poszli.

Nadal krzyczała.

– Posłuchaj mnie, Cassie. – Mówił cicho, z naciskiem. Wpatrywał się w twarz dziecka. Jessica niemal wyczuwała, jak bardzo stara się poradzić sobie z przerażeniem dziewczynki. – Już minęło. Jesteś bezpieczna. Poszedł sobie.

Krzyk Cassie się urwał.

– Nikt cię nie skrzywdzi. On już nie może nikogo skrzywdzić. Jesteś bezpieczna.

Cassie wpatrywała się w niego.

– Poszedł sobie. Wszyscy poszli. Jesteś bezpieczna.

Odetchnęła głęboko.

Mijały minuty. W końcu dziewczynka zamknęła oczy.

Bogu dzięki. Jessica podeszła do łóżka i zmierzyła puls Cassie. Uspokajał się.

– Lepiej z nią? – spytał Travis.

– Na razie. Śpi głęboko.

– Będzie miała kolejny koszmar?

– Raczej nie. Nigdy nie miała dwóch z rzędu. – Odwróciła się do Teresy. – Popilnuj jej, proszę.

– Dobrze. – Teresa wpatrywała się w Travisa. – Nim też się zajmę.

Jessica ze zmęczeniem pokiwała głową.

– Zaraz wrócę. – Mellie. Musiała sprawdzić, co z Mellie. Wyszła i przebiegła korytarzem do błękitnego pokoju.

– Mellie?

Brak odpowiedzi.

Podeszła do łóżka. Melissa wydawała się pogrążona w głębokim śnie. Jessica zmierzyła jej puls, był prawie normalny.

– Nie... za... dobrze. – Melissa powoli otworzyła powieki. – Prawie... nas straciłaś.

– Jak się czujesz?

– Jakby nas przejechała... ciężarówka. – Patrzyła nad ramieniem Jessiki. – Dziękuję.

Jessica odwróciła głowę i kilka metrów dalej ujrzała Michaela Travisa.

– Za co? – spytał.

– Później... spać... – Jej powieki znowu zatrzepotały. – Dzię...

– Dobry pomysł. Śpij. – Jessica nakryła siostrę kołdrą. – Przyjdę za kilka godzin.

– Nie... musisz. Nic... nam... nie jest.

– I tak przyjdę. – Jessica machnęła ręką na Travisa, żeby za nią poszedł. – Dobranoc, Mellie.

Melissa nie odpowiedziała. Już zasnęła.

W korytarzu Jessica odwróciła się do Travisa.

– Dlaczego za mną poszedłeś?

– A co miałem robić? Najwyraźniej dziewczynce już nie mogłem pomóc, a ten agent nie spuszczał ze mnie wzroku.

– Nie miałeś prawa wdzierać się do sypialni mojej siostry.

Wzruszył ramionami.

– Zostawiłaś otwarte drzwi, a kiedy zobaczyłem, że mierzysz jej puls, pomyślałem, że mogę się na coś przydać.

– Nie byłeś mi potrzebny. Mellie... poczuła się wyczerpana.

– Czyżby?

– Dziękuję, wszystko jest w porządku. Możesz już iść.

Travis pokręcił głową.

– Jestem zupełnie mokry i nie wyjdę na tę burzę, dopóki nie wyschnę i nie wypiję gorącej kawy. – Ruszył po schodach. – Pokażesz mi kuchnię? Nie musisz mi towarzyszyć. Potrafię zatroszczyć się o siebie.

Wiedziała, że to prawda. Zachowywał się tak swobodnie, jakby dom należał do niego. Ale naprawdę całkiem przemókł. Była tak zmartwiona, że w ogóle tego nie zauważyła.

– Przepraszam. – Pospieszyła po schodach. – Zimno ci? Pewnie powinnam była poczekać, aż weźmiesz parasol, ale myślałam o czymś innym.

– Chyba nawet nie zauważyłaś, że pada. – Wszedł za nią do kuchni. – Jesteś równie mokra jak ja. Też nie zdawałaś sobie z tego sprawy?

Nie mylił się.

– Nastawię czajnik i przyniosę nam ręczniki.

– Ja po nie pójdę. Powiedz mi tylko, gdzie są.

– W szafce w łazience na dole, po lewej.

– W porządku.

Jessica zaparzyła kawę, a kiedy Travis wrócił, filiżanki już stały na stole.

– Ładny dom. – Rzucił jej duży biały ręcznik, a sam zaczął wycierać włosy drugim. – Nieczęsto widuje się antyczne szafki w łazience. Pewnie czujesz się tu jak w innej epoce.

– Czasami. – Wytarła twarz i szyję, a potem włosy. – Zwłaszcza kiedy brakuje prądu. – Odrzuciła ręcznik. – Śmietanka czy cukier?

Travis przecząco pokręcił głową.

– Często brakuje prądu? – zapytał.

– Nie, rodzice wymienili instalację, kiedy byłam dzieckiem, ale się zdarza. – Nalała kawy. – Prezydent mówił, że mieszkasz w Europie, więc pewnie przywykłeś do starych domów.

– Tylko w slumsach. – Usiadł i otoczył filiżankę dłońmi. – Domy, w których dorastałem, zazwyczaj się zawalały, zanim miały szanse zasłużyć na miano zabytku. Kiedy dorosłem, wolałem nowoczesne domy z wygodami, bo często się przemieszczam. – Oczy mu zalśniły. – I nie mam czasu naprawiać świata.

– A kto ma? Ale w życiu trzeba się na coś zdecydować. – Usiadła naprzeciwko niego. – Chciałabym ci podziękować za pomoc przy Cassie. Wiem, że musiałam ci się wydać wariatką, kiedy zadudniłam w drzwi.

– Z pewnością się tego nie spodziewałem.

– Ale i tak ze mną wyszedłeś. Jestem ci bardzo wdzięczna. Okropnie się bałam.

– Widziałem. – Popijał kawę. – Opowiedz mi o Cassie.

– Przecież wszyscy wiedzą, że Cassie cierpi na zespół urazu posttraumatycznego.

– Ale nie wszyscy wiedzą o tych koszmarach. Czy ona o nich mówi?

– Ona nie mówi, kropka.

– No to skąd wiesz, że śni się jej Vasaro?

– To logiczne, prawda? – Zerknęła na swoją filiżankę.

– Tak.

– Wyciągnąłeś ją z tego, bo byłeś w Vasaro.

– To też logiczne. Dlaczego uznałaś, że na mnie zareaguje?

– Bo byłeś nowym elementem. Zatrząsłeś konstrukcją jej snu. Kiedy prezydent opowiadał mi o tobie, doszłam do wniosku, że mógłbyś się okazać użyteczny.

– Cieszę się, że się na coś przydałem. – Uśmiechnął się drwiąco. – Wątpię jednak, by Andreas uznał mnie za odpowiedniego kandydata.

– Jesteś jedynym kandydatem, którego zaakceptuje Cassie. Andreas zrobi wszystko, by pomóc córce.

– Zatem jeśli chcesz mnie ponownie wykorzystać, lepiej mu o tym od razu donieś. Założę się, że agenci sporządzili już raport.

– Co?

– Zadzwoń do niego i powiedz, że jestem ci potrzebny. Nie może okazać się bardziej uparty niż ten agent, którego byłaś gotowa pobić, żeby mnie wpuścił do pokoju Cassie.

Była tak zmęczona i obolała, że nawet nie zaczęła myśleć o przyszłości. Michael Travis najwyraźniej jednak planował już następny ruch.

– Być może nie będę cię więcej potrzebowała.

– Zaryzykujesz?

Nie, nie mogła sobie na to pozwolić.

– Za drugim razem może nie wypalić.

– Ale może też wypalić.

Zmrużyła oczy i popatrzyła na niego uważnie.

– Dlaczego tak bardzo chcesz mi pomóc?

– Jak sądzisz? Z dobroci serca?

– W ogóle cię nie znam, wiem o tobie tylko to, co Andreas mi powiedział.

– I to powinno wystarczyć. Chociaż to trochę niesprawiedliwe, bo spróbowałem cię analizować, odkąd pojawiłem się w Juniper.

– Co takiego?

– Nie obawiaj się – zachichotał. – Nie jestem podglądaczem. Czytałem twoją książkę. Bardzo odkrywcza.

– Och.

– Nie miałem nic innego do roboty. To był bardzo nudny tydzień. Dzisiejszy dzień jest najbardziej ekscytujący od mojego przyjazdu z Amsterdamu.

– Wydajesz się uradowany. Cieszę się, że to, co się stało z Cassie, to dla ciebie rozrywka.

– Rozrywka? Nie, ale muszę przyznać, że pomaganie temu dziecku wyzwoliło trochę adrenaliny. Przykro mi, jeśli czujesz się urażona, ale taka jest natura bestii. Pewnie uważasz, że powinienem być równie głęboki i altruistyczny jak ty, jednak tego we mnie nie znajdziesz. Nie angażuję się.

– To dlaczego proponujesz mi pomoc?

– Pasjami lubię zmieniać istniejący stan rzeczy. Interesują mnie zmiany w tym, co ludzie uważają za monolit.

– Jesteś bardzo... chłodny.

– Chciałaś powiedzieć zimny. – Uśmiechnął się. – Nie jestem zimny, pani doktor. A zmiana istniejącego stanu rzeczy niekoniecznie musi być zła. Nie mam nic przeciwko temu, żeby zrobić to z Cassie.

Nie był przecież zimny, gdy rozmawiał z Cassie. Jego pasja i siła wyrwały dziewczynkę ze śmiertelnego koszmaru.

– Nie wszystko jest czarne albo białe. – Domyślił się, co jej chodzi po głowie. – Obiecuję, że nie zrobię krzywdy twojej Cassie.

– Nie jest moja.

– Nie?

Za dużo widział.

– Chcę, żeby wyzdrowiała.

– I w przeciwieństwie do mnie ty się angażujesz.

– Jak większość ludzi. – Jessica wpatrywała się w niego. Siła. Inteligencja. Trochę nonszalancji. Co jeszcze kryło się w tej twarzy? – Dlaczego chcesz pomóc Cassie? Przecież nie chodzi tylko o to, by zabić czas.

– Zrobiłaś ze mnie pionka w tej grze – powiedział ze śmiechem. – Zapomniałem powiedzieć, że namiętnie lubię kontrole.

– To ja kontroluję Cassie. Nikt więcej.

– Cassie kontroluje Cassie. – Jego uśmiech zniknął. – Potrzebujesz mnie, ale nie zamierzam być pionkiem w twojej grze.

– Nie mógłbyś stać z boku i przyglądać się, jak ta mała dziewczynka umiera.

– Tego nie wiesz. Jestem dla ciebie czystą kartą. Mogę się zachować w dowolny sposób. Zaryzykujesz?

Wiedział, że nie mogła tego zniszczyć, do cholery.

– Nie zamierzam się spieszyć – dodał Travis. – Zaczniemy od tego, że będę na twoje zawołanie. Chcę tylko zrozumienia.

Przemyślała to i energicznie pokiwała głową.

– To dobrze. – Dokończył kawę i wstał. – Teraz wrócę do stróżówki, a ty zadzwoń do Andreasa. Dobrze?

– Pomyślę o tym.

– Jak chcesz. Będzie trudniej, jeśli to on do ciebie zadzwoni, kiedy się już wszystkiego dowie od swojej straży. – Pomachał Jessice i ruszył ku drzwiom. – Do zobaczenia.

Przez dłuższą chwilę siedziała nieruchomo. Nie przywykła do słuchania poleceń, a sugestia Travisa niebezpiecznie przypominała polecenie. Najwyraźniej nie kłamał, gdy twierdził, że lubi sprawować kontrolę.

Nie będzie jej miał. Nie zamierzała zrezygnować z nadzoru nad leczeniem Cassie. Od chwili, w której Travis usiadł na łóżku dziewczynki, Jessica dostrzegła w nim zmianę. To nowe wyzwanie najwyraźniej go zelektryzowało, każda komórka w jego ciele była naładowana energią. Jessica mogła potrzebować jego determinacji, ale z pewnością nie dominacji.

Niestety, Travis miał rację w sprawie telefonu do Andreasa. Kusiło ją, żeby odrzucić tę sugestię tylko dlatego, że on ją jej podsunął, ale to byłoby nierozsądne. Zadzwoń do Andreasa, pomyślała, i miej to z głowy, a potem usiądź i zastanów się, jak wykorzystać Michaela Travisa.

Nadal padało, ale Travis ledwie czuł na skórze krople deszczu, gdy biegł do stróżówki. Cały czas buzowała w nim energia po batalii z Cassie... i z Jessicą Riley.

Fascynujące.

Walka z Cassie i ta interesująca wymiana zdań pomiędzy Jessicą a jej siostrą Melissą. Kawałki układanki zaczynały wreszcie tworzyć całość, bardzo interesującą.

I niebezpieczną.

Może jeszcze nie dość naspacerował się po linie.

Rozdział szósty

Jessica skończyła mówić. Andreas milczał. Kiedy się wreszcie odezwał, miał zachrypnięty głos.

– Myśli pani, że mogła umrzeć?

– Nie przyprowadziłabym Travisa do domu, gdybym nie sądziła, że istnieje takie niebezpieczeństwo.

– Chryste. – Znowu zamilkł. – Co, do cholery, się z nią dzieje?

– Właśnie tego usiłuję się dowiedzieć.

– Chcę z nią być. To straszne, że jestem wiele tysięcy kilometrów stamtąd.

– Nie mógłby pan jej pomóc, panie prezydencie.

– Ale Travis pomógł.

– Nie ma wątpliwości, że ocalił jej życie. – Umilkła. – Być może znów będę musiała go wykorzystać.

– Nie chciałem, żeby się koło niej kręcił. Myślałem, że to pogorszy koszmary.

– Nie mogłyby być gorsze.

Znowu cisza.

– Wobec tego proszę go wykorzystać. Proszę wykorzystać każdego i wszystko, co trzeba. Dam mu znać, żeby był do pani dyspozycji. Travis będzie zachwycony.

– Dziękuję, panie prezydencie. To z pewnością pomoże.

– Coraz z nią gorzej. – Głos mu drżał. – Dlaczego nie można nic zrobić? Dlaczego tylko kręcimy się w kółko, podczas gdy ona…

Nie mogła znieść bólu w jego głosie.

– Wiem, jak pan się czuje. Zastanawiam się... czy rozważał pan zawiezienie jej do Vasaro.

– Nie! Wykluczone. Mogę być zrozpaczony, ale nie zwariowałem.

– Myślę jednak...

– Nie.

Westchnęła ciężko. Nie spodziewała się, że Andreas zaakceptuje ten pomysł, ale musiała zaryzykować. Było to radykalne, wręcz niebezpieczne, ale Jessica czuła się równie zdesperowana jak prezydent.

– Chciałabym, żeby się pan nad tym zastanowił.

– Najpierw zastanowiłbym się nad zmianą lekarza córki. – Powiedział coś komuś w tle, a potem znowu odezwał się do słuchawki. – Muszę kończyć. W pałacu królewskim odbywa się jakieś cholerne przyjęcie. Następnym razem chcę usłyszeć od pani lepsze wiadomości albo po powrocie do domu poszukam kogoś, kto pomoże Cassie.

Rozłączył się bez pożegnania. Groźby Andreasa nie zrobiły wrażenia na Jessice. Wiedziała, że rozpaczał nad sytuacją, która wydawała się beznadziejna. Gdyby uważała, że ktoś lepiej od niej poradzi sobie z Cassie, sama by go zatrudniła.

Ale prezydent miał rację: ostatnio kręcili się w kółko, usiłując przynajmniej nie pogorszyć sytuacji.

Pasjami lubię zmieniać istniejący stan rzeczy.

Może głębsze zaangażowanie Travisa nie byłoby takie głupie.

A może by było. Tak czy owak, należało coś zmienić. Cassie nie mogła dłużej tkwić w tym stanie. Jessica musi wykorzystać każdą okoliczność, by sprowadzić ją z powrotem.

Z wysiłkiem ruszyła po schodach. Czas sprawdzić, co u Cassie, a potem trochę pospać.

Zatrzymała się w drzwiach błękitnego pokoju.

Wykorzystać każdą okoliczność.

Melissa.

Melissa była równie wyczerpana jak Cassie. Czyżby jednak się połączyły?

Ten pomysł był dziki, niedorzeczny, przerażający, zaprzeczał jakiejkolwiek logice.

Każdą okoliczność.

Nie teraz. Musiała dać sobie czas na oswojenie się z tą myślą. Jutro...

– Co to za wspaniały zapach? – zainteresowała się Melissa, wchodząc do kuchni. – Boże, ależ jestem głodna.

– Jajecznica z kiełbasą. – Jessica zerknęła na nią przez ramię. – Oj, wszystko zepsułaś. Chciałam ci podać śniadanie do łóżka.

– Wiesz, że nie cierpię wylegiwać się w łóżku. – Podeszła do lodówki i wyjęła z niej karton soku pomarańczowego. – Jak tam Cassie?

– Ty mi powiedz. – Jessica przełożyła jajecznicę na talerz.

Uśmiech Melissy zniknął.

– Nie mam pojęcia. Gdybym zaczęła zgadywać, nie uwierzyłabyś mi.

– Sama już nie wiem, w co wierzyć. – Nalała soku i usiadła przy stole. – Jedz.

– Nie musisz tego powtarzać. – Melissa z zapałem zabrała się do jedzenia. – Cudowne. Jutro ja robię śniadanie.

– Przecież nie umiesz gotować.

– Pewnie, że umiem. Odkąd wyjechałam na studia, nauczyłam się wielu rzeczy. Życie z dala od domu jest bardzo stymulujące. – Upiła trochę soku. – Nauczyłabym się prędzej, ale ty chyba lubiłaś tu dowodzić i wyręczać mnie we wszystkim.

– Po prostu do tego przywykłam...

– Wiem – uśmiechnęła się Melissa. – Zawsze będę tą młodszą siostrą, która nic nie potrafi. Nie ma sprawy. Skoro to ci sprawia przyjemność...

Jessica się zdumiała. Melissa mówiła niemal pobłażliwym tonem.

– Nigdy nie chciałam cię traktować...

– Świetnie mnie traktujesz – przerwała jej siostra. – I przyrządzasz cudowne śniadania. Powiedz, co z Cassie?

– W porządku. Nie tak dobrze jak z tobą, ale na tyle normalnie, jak można by obecnie oczekiwać. – Odchyliła się na krześle i popatrzyła na Melissę. – Myślałam, że ubiegłej nocy obie umrzecie.

– Wiem. – Sięgnęła po sok. – Wiedziałam, że się boisz, kiedy po raz pierwszy przyszłaś do mojego pokoju, ale nie mogłam nic zrobić, żeby ci pomóc. Byłam zupełnie wyczerpana.

– Pomóc mi? Więc potrzebowałaś... – Odetchnęła głęboko. – Co się z tobą działo w nocy?

Melissa wbiła wzrok w szklankę.

– Czego się spodziewasz? Jeśli chcesz kłamstw, powiem ci kłamstwa. Nie mam pewności, czy jesteś gotowa na prawdę.

– Muszę być gotowa na to, co zechcesz mi powiedzieć. Nie wiem, czy pamiętasz, ale przyszłam do ciebie prosić o pomoc.

– Pamiętam tylko, że bardzo się bałaś. Ja byłam wtedy trochę zajęta. – Przeniosła spojrzenie na twarz siostry. – Skoro do mnie przyszłaś, to chyba do pewnego stopnia mi uwierzyłaś.

– Sama nie wiem, w co wierzyć. Andreas powiedział mi kiedyś, że poprosiłby o pomoc wirującego derwisza, gdyby to miało pomóc jego córce. Ja zrobiłabym to samo, żeby utrzymać ją przy życiu.

– Nie jestem wirującym derwiszem i nawet nie wiem, co mogłabym zrobić. Liczyłam na to, że będę miała więcej kontroli, ale czuję się jak wciągnięta przez tornado. Po prostu porwała mnie ze sobą. – Zadrżała. – Gdyby Travis nie przyszedł...

– Wiedziałaś, że tam jest?

– Jak mogłabym nie wiedzieć? Jest równie silny jak Cassie. Odgrodził ją od potworów.

– Potworów?

– Ona ich widzi jako potwory. Mają oczy, ale nie mają twarzy.

– Napastnicy w Vasaro nosili kominiarki.

– To by się zgadzało. – Melissa pokiwała głową.

– Powiedz mi, jak tam jest.

– Strach. Smutek. Przebywamy w długim, ciemnym tunelu; byłyśmy tam szczęśliwe, ale potwory zdołały się przedostać. Gonią nas i wiemy, że nas dopadną, jeśli nie znajdziemy...

– Czego?

– Nie wiem. Jej umysł jest wypełniony strachem. Nie może odnaleźć tego, czego szuka. Istnieje tylko jedno wyjście, by przed nimi uciec.

– Bzdura. Może do nas wrócić.

– Nie widzimy takiego wyjścia.

– Czasem mówisz „ona", a czasem „my". Już nie jesteście ze sobą sprzężone, tak?

Melissa pokręciła głową.

– Jednak ta więź była bardzo mocna, podobnie jak pamięć. Spróbuję nie... Patrzysz na mnie, jakbym była stuknięta.

– Dlaczego miałabym cię o to oskarżać? Jestem lekarką i przyjmuję to jak coś zupełnie naturalnego.

– Nieprawda. Na wszystko patrzysz sceptycznie i usiłujesz znaleźć jakieś rozsądne wytłumaczenie. Inne zachowanie nie leży w twojej naturze. – Uśmiechnęła się. – Prawda?

– Zależy mi na tobie. – Jessica wyciągnęła rękę i nakryła nią dłoń Melissy. – Boję się, że mogłabyś...

– Jedyne, czego powinnaś się bać, to że nie przerwiemy tego, co się dzieje z Cassie.. i ze mną. Nie jestem wariatką. Po prostu znalazłam się w środku zawieruchy i liczę na to, że ktoś to pokona. – Odwzajemniła uścisk Jessiki. – Pod koniec, po przyjściu Travisa, poczułam się silniejsza, zaczęłam myśleć zamiast tylko czuć. Może jeśli zyskam trochę kontroli, zdołam powstrzymać tornado.

– Boże, mam nadzieję.

– Muszę jednak mieć Michaela Travisa, Jessico. Nie jestem na tyle silna, żeby samotnie walczyć o Cassie. On musi stać między nami.

– Mówisz o nim jak o jakimś medium.

– Nie mam pojęcia, dlaczego potrafi pomóc Cassie. Przyprowadziłaś go do niej, bo kazałam ci znaleźć coś, co zmieni sytuację. Zadziałało. On zadziałał. Może później damy sobie bez niego radę, ale nie teraz. Namów go, Jessico.

– Och, przekonałam go. Nie było to trudne. Bardzo interesuje go ta sytuacja, a teraz się nudzi. – Skrzywiła się. – Niełatwo z nim będzie pracować.

– Domyślam się. – Wstała. – Muszę się przebiec, zanim usiądę nad książkami. – Musnęła wargami czoło siostry. – Biedna Jessica. Wiem, że ci ciężko. Wszystko będzie dobrze.

Melissa odnosiła się do niej jak do dziecka. Ale Jessica czuła się zagubiona jak dziecko. Wszystko, co mówiła Melissa, wydawało się jej zupełnie nieprawdopodobne, ale nie miała wyjścia, musiała wierzyć siostrze.

– Jeszcze jedno pytanie. Co by się stało z tobą, gdybym wczoraj nie sprowadziła Travisa?

Przez chwilę Melissa milczała.

– Nie wiem. Nie jestem pewna, jak to działa. Ale wątpię, żeby zdołała się w końcu wyrwać.

– W końcu?

Jej siostra ruszyła pospiesznie do drzwi.

– Gdyby Cassie umarła, zabrałaby mnie ze sobą.

Melissa zastukała do drzwi stróżówki.

– Słońce świeci, nic złego się nie dzieje. Zapraszam do zabawy, Michaelu Travisie.

Travis szeroko otworzył drzwi.

– Słucham?

– Na wypadek, gdybyś nie rozpoznał mnie w tej ofierze losu, którą widziałeś wczoraj w nocy, jestem Melissa Riley.

– O, poznaję.

– No to się przebierz i pobiegaj ze mną. Chyba biegasz właśnie o tej porze, prawda?

– Tak.

– Poczekam. – Weszła do domku i klapnęła na sofę. – Ładne mieszkanie. Jessica i ja bawiłyśmy się tu w dzieciństwie. Pospiesz się, dobra? Muszę wracać do książek.

– Postaram się nie trzymać pani zbyt długo. – Uśmiechnął się i zniknął w sypialni.

Melissa rozejrzała się wokół. Włączony laptop na stole, książki na stoliku do kawy. Poza tym bardzo schludnie. Tego się właśnie spodziewała. Wszystko zorganizowane.

Wyciągnęła szyję i sprawdziła tytuły książek. Uśmiechnęła się. Mądre. Bardzo mądre.

Podeszła do okna i spojrzała na dom. Ile razy stał tu i wpatrywał się w światła w oknie Cassie?

– Gotowy. – Wyłonił się z sypialni w szortach i podkoszulku z logo uniwersytetu w Oksfordzie. – Chyba nie zmieniła pani zdania?

Nie wiedział, co o niej myśleć. I dobrze. Dzięki temu miała przewagę.

– Mowy nie ma. Mów mi Melissa albo Mellie, jak Jessica. – Zerwała się na równe nogi i wyszła. Słońce świeciło mocno; zatrzymała się i zamknęła oczy. – Czy to nie piękny ranek? Powąchaj tę trawę. Uwielbiam poranki po deszczu. To mnie tak... wypełnia, aż się przelewa.

– Kielich się przepełnia?

– Tak. – Błysnęła oczami i zbiegła ze schodków. – Ścigamy się do stawu za domem.

Pokonała go o ponad trzy metry. Oparła się o wierzbę i usiłowała złapać oddech.

– Pozwoliłeś mi wygrać?

– Dlaczego tak uważasz?

– Jesteś w dobrej formie, widziałam, jak biegasz.

– Ty też jesteś w dobrej formie.

Roześmiała się.

– W wypadku innego mężczyzny potraktowałabym to jako flirt.
– A dlaczego nie w moim?
– Bo chwilowo nie interesuje cię seks. Zastanawiasz się, o co mi chodzi, do diabła.
– Dowiem się?
Skinęła głową.
– Kiedy złapię oddech. – Usiadła na ziemi. – A jak myślisz?
– Mam mówić, dopóki nie złapiesz oddechu?
– Trafiony, zatopiony.
– Zastanówmy się. – Usiadł nieco dalej. – Trudno mi ocenić twoje motywy, dopiero cię poznałem. Z tego, co zdążyłem zaobserwować, ty i siostra jesteście sobie bardzo bliskie. Przysłała cię z wiadomością?
– Jessica sama przekazuje swoje wiadomości, a ja swoje.
– I jak brzmi twoja wiadomość?
Popatrzyła mu prosto w oczy.
– Nie waż się zrobić nic złego mojej siostrze.
Uniósł brwi.
– Nie miałem takiego zamiaru.
– Wierzę ci. Chociaż... dobrymi chęciami piekło brukowane. Czasem się o nich zapomina, gdy w grę wchodzi własny interes. Tobie nie zależy na Jessice. Wątpię też, żeby zależało ci na Cassie. Więc trudno coś powiedzieć.
– Naprawdę? Musisz wiedzieć, że wczoraj jej pomogłem.
– Nikt nie wie lepiej ode mnie. – Umilkła. – Myślę, że jesteś wtajemniczony.
Popatrzył na nią pytająco.
– Na twoim stoliku leżą trzy książki o parapsychologii. Jedną zostawiłam ja, kiedy przyjechałam tu z wizytą. Czytałam w stróżówce, bo nie chciałam, żeby Jessica znalazła ją w domu. Dwóch pozostałych nie znam. Skąd je wziąłeś w środku nocy?
– Wysłałem jednego z agentów przy bramie do całodobowej księgarni w DC. Są bardzo usłużni, jeśli nie opuszczam terenu.

Przeglądałem je przez kilka godzin. – Uśmiechnął się. – A że się nie wyspałem, nie zamierzałem dzisiaj biegać.

– Mam cię żałować?

– Niech Bóg broni. Masz wystarczająco dużo problemów.

Wpatrywała się w niego spod przymrużonych powiek.

– Rozumiem, że znalazłeś to, czego szukałeś w tych książkach?

– Podsłuchałem, co wczoraj w nocy mówiłaś siostrze. To mnie zainteresowało. Wszedłem do Internetu i wybrałem kilka pozycji.

– I odkryłeś, że jestem dziwadłem.

– Nie ty jedna. Nawet nie jesteś pierwsza.

– Co?

– Myślisz, że tylko ty powróciłaś z dodatkowym bagażem? Profesor Hans Dedrick odkrył cztery podobne przypadki. Jeden w Grecji, jeden w Szwajcarii, dwa w Chinach.

– Dedrick?

– *Trauma, pamięć i powrót.* Napisał to w 1999 roku. Nie czytałaś?

Ze zdumieniem pokręciła głową.

– Przecież chodziłam po bibliotekach i usiłowałam znaleźć coś, cokolwiek...

– Wydało to angielskie wydawnictwo uniwersyteckie. Jak pewnie zauważyłaś, jestem specjalistą od zdobywania informacji. Pożyczę ci, jeśli chcesz.

– Sama sobie kupię, gdy tylko wrócę do szkoły. Czy Jessica mówiła ci coś o mnie?

– Ani słówka. To naturalne, że bardzo cię chroni. Tyle lat się tobą zajmowała. Masz dość niezwykły dar, więc pewnie nie chciałaby, żebyś została źle zrozumiana.

Jezu, ale był bystry. Obserwował, słuchał i dopasowywał fragmenty układanki tworzącej ich życie.

– A ty rozumiesz?

– Chodzi ci o to, czy wierzę? Może. W dzieciństwie wiele lat spędziłem na Wschodzie, tam widywałem dziwniejsze rzeczy. Z pewnością mnie to nie niepokoi.

Melissa wpatrywała się w niego uważnie.

– Nie, to cię interesuje. Jessica mówiła mi, że zajmujesz się informacjami, widzę, że jesteś w tym bardzo dobry. Zbierasz, dokopujesz się i analizujesz. Uważasz, że to ekscytujące, prawda?

– Tak. Dotknęła mnie klątwa nieskończonej ciekawości... i przeszło mi to w nałóg.

– A zajmowanie się Cassie to odtrutka na kilka tygodni nudy?

– Nie jestem aż tak bezduszny, żeby wykorzystywać to miłe dziecko i zabijać w ten sposób nudę. Pomagam jej, a ona pomaga mnie. – Zachichotał. – Choć zanim się zjawiłaś, nie zdawałem sobie sprawy z tego, że następne tygodnie mogą się okazać naprawdę intrygujące. Kiedy przekonałaś się o swoim dziwacznym talencie? Twoja siostra w ogóle o tym nie wspomina w książce.

– Nic nie wiedziała. Była tak szczęśliwa z wyprowadzenia mnie, że nie chciałam niczego psuć. Nie powiedziałabym jej o tym, gdyby nie ten problem z Cassie. Jessica jest inna niż ty. To ją bardzo niepokoi.

– Rozumiem dlaczego. Zrobiła na mnie wrażenie poważnej i pragmatycznej osoby.

– Musi być pragmatyczna. Co nie oznacza, że nie ma wielkiego poczucia humoru. Po prostu nie było okazji...

– Dobrze, dobrze. Nie zamierzałem jej obrażać. Wydaje się bardzo troskliwą kobietą. – Zmienił temat. – Nie odpowiedziałaś na moje pytanie. Kiedy zdałaś sobie sprawę z tego, że nadajesz na innych falach?

– Mniej więcej pięć miesięcy po powrocie. Przeraziło mnie to jak diabli. – Wstała. – A teraz wsadź sobie gdzieś swoją ciekawość. Więcej niczego ze mnie nie wyciągniesz.

– Nigdy nie wiadomo. Nawet jeszcze nie zacząłem. – On także wstał. – Wyjaśnijmy coś sobie. Ostrzegasz mnie, żebym trzymał się z dala od twojej siostry i Cassie?

– Skąd ci to przyszło do głowy? Cassie cię potrzebuje.

– A czy ty mnie potrzebujesz, Melisso? – spytał łagodnie.

– Tak, ale pracuję nad tym. – Przykucnęła, żeby zawiązać sznurowadło. – Więc nie przyzwyczajaj się za bardzo do tej myśli. Zostaniesz zastąpiony. – Wyprostowała się. – Jessica jest najprzyzwoitszym człowiekiem na świecie. Nie pozwolę jej skrzywdzić. – Wyciągnęła rękę, kiedy usiłował coś powiedzieć. – Nie obchodzi mnie, że nie zamierzasz tego robić. Teraz najważniejsze w jej życiu jest wyleczenie Cassie. Jeśli Cassie umrze, Jessica się załamie. Musisz zrobić wszystko, żeby nie umarła. Nie wolno ci odjechać, jeśli zobaczysz na horyzoncie coś bardziej interesującego. Musisz zostać, dopóki stan Cassie nie zacznie się poprawiać, nawet jeśli to potrwa lata.

– Skończyłaś już dyktować mi, co mam robić?

– Nie. Musisz jeszcze obiecać, że będziesz strzegł Jessiki. Prezydent umieścił cię tu, bo masz być bezpieczny. Nie chcę, żeby dotknęło ją coś, co mogło się za tobą przywlec.

– Czy to już wszystko?

– Na razie.

– To dobrze. Ścigamy się do stróżówki. – Zerknął na nią przez ramię. – Tym razem nie wygrasz, Melisso.

Niczego nie obiecał, ale i tak na to nie liczyła. Wystarczyło, że wiedział, czego od niego oczekuje.

– Nieważne. – Ruszyła za nim. – Popracuję nad tym.

Popracuję nad tym.

Travis stał w progu i patrzył, jak Melissa biegnie po podjeździe. To jedno zdanie znakomicie podsumowywało Melissę Riley. Odwaga i determinacja, żeby przeforsować własne zdanie niezależnie od kosztów. Z drugiej strony... nie określało jej pełnej osobowości. Nigdy nie widział kogoś równie żywotnego. W swojej książce Jessica opowiadała o pierwszych miesiącach po powrocie Melissy. Jej siostra nie tylko przejawiała wybitną inteligencję, demonstrowała też nienasycony apetyt na życie, co Jessica przypisała pragnieniu, by nadrobić stracony czas. Jej zdaniem ten efekt miał minąć po kilku latach.

Cóż, kilka lat upłynęło. Jessica chyba się jednak myliła. Melissa Riley nadal była istnym fajerwerkiem i niewyobrażalnie skomplikowaną istotą. Usiłowała się targować, przeanalizowała jego charakter, a następnie rzuciła mu wyzwanie... i zagroziła.

Jak dobrze go rozgryzła w tak krótkim czasie.

Interesujące...

– Co robiłaś przy stawie z Travisem? – W głosie Jessiki dało się słyszeć dezaprobatę. – To nie najlepszy pomysł, Mellie.

– Nie jest już zakazany. – Melissa uśmiechnęła się do niej przez ramię i ruszyła po schodach. – Poza tym okazał się bardziej interesujący, niż początkowo myślałam. Bardzo bystry, inteligentny i niebotycznie seksowny.

– Prezydent może mówić, że nie jest już zakazany, ale na Boga, to przestępca.

– A ty chcesz, żebym poszukała sobie prawnika, lekarza albo dyrektora firmy komputerowej. Co powiesz na bankiera?

– Brzmi nieźle.

– Dobrze, poszukam go sobie od razu po powrocie – uśmiechnęła się.

– Nie żartuję, Mellie.

– Wiem, wiem. Myślisz, że potrzebuję czyjegoś stabilizującego wpływu, i pewnie masz rację. Przestań się martwić, nie zaprosiłam go do łóżka. Trochę razem pobiegaliśmy.

Jessica zwilżyła wargi.

– Nie myślałam, że... Nie poprosiłabym, żebyś mi się zwierzała...

– Ale i tak ci powiem. – Uśmiech Melissy zniknął. – Nie zrobiłabym niczego, co mogłoby cię zmartwić. Jeśli nie chcesz, żebym biegała z Travisem, więcej tego nie zrobię.

– Pewnie uważasz mnie za wścibską sukę.

– Uważam, że mnie kochasz i się o mnie martwisz. A bieganie bez Travisa nie jest specjalną stratą. Nasza przebieżka nie mogłaby być bardziej niezobowiązująca.

– Nie wyglądała na niezobowiązującą. Wydawała się bardzo... intensywna.

Taka właśnie była. Przez te kilka minut biegu Melissa miała świadomość dziwnej, łączącej ich intymności. Kiedy rozmawiali nad stawem, niemal czuła elektryczność, która kryła się w każdym słowie. To było... ekscytujące. Travis był ekscytujący.

Cóż, niebezpieczeństwo jest zawsze ekscytujące, a Travis w mgnieniu oka mógł się przeistoczyć we wroga.

No i co? Gra z wrogiem też bywa stymulująca.

To jednak nie wydawało się najlepszą opcją w obecnych okolicznościach. Podjęła wędrówkę po schodach.

– Tak, zdecydowanie wybiorę bankiera, Jessico.

Amsterdam

– Dzieje się coś bardzo interesującego – powiedział Deschampsowi Provlif.

– Znalazłeś Cassie Andreas?

– Nie, ale kiedy mój kontakt z CIA węszył i próbował ją zlokalizować, natrafił na inną informację. Kilka tygodni temu Andreas wysłał w tajną misję do Amsterdamu Air Force One.

– Z córką na pokładzie?

– Nie, po to, żeby odebrać Michaela Travisa. Przewieźli go do bazy sił lotniczych w Andrews.

– Travisa? – Deschamps był zaskoczony. To nie pasowało do informacji, którymi dysponował. – CIA go przechwyciła?

– Zabrali go na pokład i zawieźli do prezydenta. Razem wyjechali w nieznanym kierunku.

– Na pewno?

– Moje źródło w CIA jest nieomylne.

– To dlaczego ci nie powiedzieli, gdzie jest dziewczynka?

– CIA i Secret Service raczej się sobie nie zwierzają.

– Znajdź ich.

– Jak sobie życzysz. Jak wiesz, koncentrowałem się na odnalezieniu Cassie Andreas, od kiedy mi powiedziałeś, co mam robić.

– Masz robić to, co trzeba. Znajdź dzieciaka. Znajdź Travisa.

Cisza.

– Zabić go?

– Nie, sam chcę to zrobić. Zresztą, przez jakiś czas będzie więcej wart żywy. – Deschamps przerwał połączenie.

Travis i Andreas? Travisa z pewnością nie przetrzymywano wbrew jego woli. Co się dzieje, u diabła? Odkąd się tu znalazł, trafiał na intrygujące i lukratywne okazje, których się nie spodziewał. Teraz jednak sytuacja stała się bardziej zagadkowa.

I bardziej obiecująca?

Zawsze uważał, że inteligentny człowiek powinien dać innym wygrać nagrodę, a następnie ją zabrać. Travis manipulował i najwyraźniej sterował Andreasem.

Prezent dla mnie, Travis?

Rozdział siódmy

– Przyjdź tutaj – powiedziała Jessica, kiedy dwa dni później Travis odebrał telefon. – Teraz.

– Zaraz będę.

Czekała na ganku. Zjawił się wkrótce.

– Jak długo to trwa? – zapytał.

– Piętnaście minut.

– Dlaczego nie zawołałaś mnie wcześniej?

– Chciałam jej dać szansę, chciałam, żeby sama z tego wyszła.

Travis wszedł do domu.

– I wyeliminować potrzebę moich usług.

– Jasne.

– Rozumiem. Jednak taka piętnastominutowa zwłoka może się okazać niezdrowa dla Cassie.

– A ty jesteś dla niej zdrowy?

– Jestem najlepszą partią w mieście. – Weszli po schodach, a Travis skinął głową Fike'owi, gdy dotarli do pokoju dziewczynki. – Dobry wieczór. Ta sama procedura?

– Przykro mi.

– Nie spodziewałem się niczego innego. – Oparł ręce o ścianę, a Fike go przeszukał. – W takich okolicznościach wkrótce zostaniemy bardzo bliskimi przyjaciółmi. – Otworzył drzwi. – Czy krzyczy tak od samego początku?

Fike skinął głową.

– Biedny dzieciak. Nigdy wcześniej czegoś takiego nie słyszałem. Czasem śmiertelnie mnie przeraża.

– Przestań gadać i idź jej pomóc – przerwała Jessica. – Jeśli potrafisz.

– Zrobię, co w mojej mocy. – Travis usiadł na łóżku i ujął dłonie Cassie. – Posłuchaj, Cassie. To ja, Michael. Jestem tutaj i nikt ci już nie zrobi krzywdy. Nie musisz uciekać.

Cassie nadal krzyczała.

– Wcześniej je powstrzymałem. Znowu to zrobię. Pozwól sobie pomóc, znajdziemy jakieś wyjście...

Dzięki Bogu.

Michael był tutaj, w ciemnym tunelu. Melissa go nie widziała, ale wyczuwała jego obecność. To oznaczało, że Cassie również zdaje sobie z niej sprawę.

Może go nawet widziała. Melissa była tak przerażona, że nie potrafiła tego odgadnąć.

Potwory. Chryste, potwory. Złapią nas i rozwalą nam głowy.

Uciekaj.

Uciekaj.

Uciekaj.

Znajdź to.

Uciekaj.

Znajdź to, zanim zbliżą się, żeby...

Uciekaj.

Trudno się oddycha. Zaraz pękną im serca.

Nie, zwolnij.

Michael tu był. Potwory nie mogły ich dotknąć, odkąd stanął pomiędzy nimi.

Co mówił?

To nie miało znaczenia.

Był tutaj.

Uścisk Cassie zelżał. Odlatywała.

Melissa czuła jej rozpacz.

– Wracaj. Brak mi ciebie – powiedziała dziewczynka.

Te słowa zwodziły jak śpiew syren. Nie poddawaj się. Trzymaj się z dala od niej.

– Jesteś częścią mnie – dodała Cassie.

– Nie.

– Czuję się samotna.

– To wracaj ze mną.

Poczuła strach Cassie.

– Źle.

– Już nie.

– Samotna. Teraz bezpieczna. Żadnych potworów. Razem to znajdziemy. Wracaj.

Melissa też czuła się samotna. Dlaczego by nie zostać i nie... Zbliżała się do Cassie. Zdobyła się na olbrzymi wysiłek i wyrwała stamtąd.

– Nie. Wracam. Do widzenia, Cassie.

– Samotna...

– Melisso?

Otworzyła oczy i ujrzała nad sobą twarz Jessiki. Była tak zmęczona, że ledwie mogła mówić.

– Cześć. W porządku, prawda?

Jessica skinęła głową.

– Cassie śpi?

– Jeszcze nie. Ale wkrótce zaśnie. Koszmar minął. – Ujęła dłoń siostry.

– Nie bądź taka przestraszona. Nic nam nie jest. Gdzie Travis?

– Na korytarzu. – Umilkła. – Pomógł?

– Wiem, że wolałabyś usłyszeć zaprzeczenie, ale nie dałybyśmy sobie bez niego rady. – Zamknęła oczy. – Nie musisz go trzymać na korytarzu. Wie o mnie.

Jessica zesztywniała.
– Co wie?
– Że jestem dziwadłem.
– Powiedziałaś mu?
– Sam się domyślił. Nie ma nic przeciwko temu. W przeciwieństwie do ciebie. Biedna Jessica...
– Biedna Mellie.
– Nie, ja się uczę. Nie jest tak, jak myślałam. W Cassie dzieje się o wiele więcej. Mam dziwne uczucie, że coś ukrywa.
– Co?
– Nie wiem, ale sytuacja może wyglądać inaczej, niż się na początku wydawało. Ona jest taka samotna. Czuję ból, kiedy o tym myślę.
– Mówiłaś, że Donny też był samotny.
– Ale nie aż tak.
– Ty nie czułaś się samotna w swoim lesie.
– Nie, miałam ciebie, wiedziałam, że tam jesteś. Może niewidoczna, ale nigdy mnie nie zostawiłaś.
– Cassie też ma wokół siebie ludzi, którzy ją kochają.
– Ale ona boi się ich wpuścić. Boi się, że wraz z nimi do tunelu wejdą potwory. – Ścisnęła mocniej dłoń siostry. – Te potwory są naprawdę straszne. Nie możemy ich wpuścić.
– To Cassie nie może ich wpuścić.
– Znowu to zrobiłam? – Melissa usiłowała się uśmiechnąć. – Potwory przerażają mnie równie mocno jak ją, i to mnie jakby... odrzuca.
– Musimy skłonić Cassie, żeby nas wpuściła i żebyśmy mogły sprowadzić ją z powrotem.
Melissa skinęła głową.
– Chodzi o to, że...
– Potwory?
– Pomyśl o swoim najgorszym koszmarze z dzieciństwa, pomnóż go przez sto, a przekonasz się, co czuje Cassie. – Zamknęła oczy. – Dobranoc, Jessico. Już nie chcę rozmawiać. Pogadaj z Travisem.

Pewnie podsłuchuje pod drzwiami. Do zobaczenia rano. – Usłyszała chichot po drugiej stronie drzwi i zawołała: – Dobranoc, Travis! Dobrze się dzisiaj spisałeś.

– Podsłuchiwanie jest wyjątkowo nieeleganckie – poinformowała Travisa Jessica.

– Ona nie miała nic przeciwko temu.

– Ale ja mam. Gdybym chciała, żebyś słyszał, zaprosiłabym cię.

– Gdybym w swojej pracy czekał na zaproszenia, byłbym nędzarzem. Nie zbiera się informacji, stojąc grzecznie z boku. Chciałem wiedzieć, co się działo z Melissą, więc podsłuchałem. – Wziął ją pod łokieć. – Chodźmy, zrobię ci kawy.

– Nie chcę kawy. – Przygryzła wargę. – Chcę pogadać o Mellie. Jestem pewna, że to tylko przejściowe. Tak naprawdę ona nie...

– Chcesz, żebym obiecał, że nie zadzwonię do najbliższego psychiatryka z prośbą o kaftan bezpieczeństwa dla twojej siostry?

– Nic jej nie jest.

– Wierzę w to. – Popatrzył na nią. – A ty?

– Jasne, że tak. – Potarła skroń. – Nie najlepiej to wszystko przyjmuję. Te parapsychiczne sprawy to nie moja specjalność.

– No to ja się tym zajmę.

– Jeszcze czego. Mellie to moja siostra. Nie chcę tylko, żebyś zrobił jej krzywdę.

– Brzmi znajomo – mruknął. – Nie jesteście aż tak różne, jak początkowo sądziłem. Nie bój się. Niczego, co usłyszę w tym domu, nie wykorzystam przeciwko Melissie.

Popatrzyła na niego podejrzliwie.

– Dlaczego miałbym to robić? To dla mnie nic nie znaczy.

Powoli pokiwała głową.

– Masz rację, żadna z nas nie jest dla ciebie ważna.

– Nie mógłbym sobie na to pozwolić. – Uśmiechnął się. – Co nie oznacza, że was nie podziwiam. Chyba nawet zaczynam was lubić.

– Zdumiewające.

– I owszem. To co, zaparzyć ci kawę? Obojgu nam się przyda, a skoro będę się tu kręcił, równie dobrze możemy zawrzeć rozejm.

Wpatrywała się w niego bez słowa. Jego zasady budziły w niej wątpliwości; różnił się od znanych jej ludzi. Była w nim jakaś szorstka uczciwość, która, o dziwo, przynosiła jej pociechę.

– Rozejm zawiera się podczas wojny. Jeśli nadal będziesz pomagał Cassie, nie ma mowy o wojnie. – Ruszyła po schodach. – Poproszę kawę.

Idź spać, powiedziała do siebie Melissa. Już wszystko dobrze. Cassie zasnęła.

Było lepiej niż ostatnio. Po przyjściu Travisa zdołała wyzwolić się od Cassie i obserwować ją z pewnym dystansem. To niewiele, ale musiało na razie wystarczyć.

Cassie została zmuszona, by ujrzeć Melissę jako odrębny byt, a to już oznaczało prawdziwy postęp. Melissę nadal jednak dręczyło wrażenie, że coś jest nie tak, że coś się pod tym wszystkim kryje.

Czego szukała Cassie?

Razem to znajdziemy.

Powinna spytać Cassie, co usiłowała znaleźć. Ta okazja przemknęła jej koło nosa, bo tak bardzo usiłowała się wyrwać.

Następnym razem...

– Mogę wejść? – spytał od progu Travis. – Jeśli jesteś zbyt zmęczona, pójdę sobie.

– Jestem zmęczona. – Zapaliła lampkę. – Ale jestem też chyba zbyt naładowana, żeby zasnąć, więc właściwie nie mam nic przeciwko twojej wizycie. Siadaj, Travis, i mów, czego ode mnie chcesz.

– Może niczego nie chcę. – Uśmiechnął się do niej. – Może to wyłącznie wizyta towarzyska. – Usiadł na krześle obok łóżka. – W końcu dzisiaj dzieliliśmy dosyć niezwykłe doświadczenie.

– Nie wchodziłbyś tu cichaczem po wyjściu Jessiki, gdybyś miał ochotę na zwykłą wizytę.

– Robisz ze mnie włamywacza.

– Nigdy nim nie byłeś?

Nie odpowiedział na to pytanie.

– To prawda, Jessica nie wie, że tu jestem. Nie chciałem jej denerwować. Jest bardzo opiekuńcza w stosunku do ciebie.

– To dlaczego przyszedłeś?

– Pomyślałem, że powinniśmy lepiej się poznać. – Zachichotał na widok jej uniesionych brwi. – Nie, nie w sensie cielesnym. Nie mam zamiaru wykorzystywać cię, kiedy...

– ... przypominam wyżętą ścierkę?

– Mój Boże, co za okropne porównanie.

– Tak się właśnie czuję. Z Cassie nie jest łatwo. – Włożyła pod głowę drugą poduszkę. – No dobra, nie chcesz mnie przelecieć. Wątpię, żebyś powiedział mi cokolwiek o sobie, więc to poznawanie się lepiej ma dotyczyć mnie. Zgadza się?

– Zgadza.

– Dlaczego?

– Już ustaliliśmy, że jestem bardzo ciekawskim facetem.

Widziała zainteresowanie na jego twarzy. Patrzył na nią czujnie, pytająco.

– Dowiedziałeś się o mnie wystarczająco dużo z książki Jessiki?

– Z jej punktu widzenia, tak. Ale to subiektywna ocena.

– Jessica jest zastraszająco uczciwa.

– Nie zawsze postrzegamy pewne sprawy w taki sam sposób. Nigdy nie masz ochoty przedstawić własnego punktu widzenia?

Pewnie powinna kazać mu odejść. To nie była jego sprawa. Nagle jednak uświadomiła sobie, że wcale nie ma ochoty go wyganiać.

– Co chciałbyś wiedzieć?

– A co chcesz mi powiedzieć?

– Słuchaj, nie baw się ze mną w takie gierki. Studiuję psychologię.

– Przepraszam – roześmiał się. – Dorastałaś tutaj, w Juniper?

Pokiwała głową.

– To świetne miejsce dla dziecka. Byłam najmłodsza w rodzinie, rodzice i Jessica rozpieszczali mnie do szpiku kości. Ubóstwiałam Jessie i właziłam jej na głowę. – Popatrzyła w bok. – A po wypadku stałam się kulą u jej nogi.

– Nie prosiłem cię, żebyś mówiła o wypadku.

– Ale ten wypadek to linia graniczna. To tak, jakbyśmy mówili o czasie przed i po obejrzeniu filmu. Mogę rozmawiać o wypadku, naprawdę. Jessica twierdzi, że to jest dobre dla mnie. Pewnie się obawia, że jeśli będę to w sobie dusić, w końcu wybuchnę albo coś w tym rodzaju.

– Ile miałaś lat?

– Czternaście. Wracałam z rodzicami do domu z jednej z ulubionych restauracji ojca w Georgetown. Siedziałam z tyłu. – Zwilżyła wargi. – Jakiś samochód zepchnął nas z drogi i stoczyliśmy się ze zbocza. Nastąpił wybuch. Nie mogłam otworzyć drzwi. Wiedziałam, że ojciec nie żyje, ale matka krzyczała na siedzeniu z przodu. Płonęła. Ten swąd palonego ciała...

– Dosyć.

– W końcu zdołałam się wydostać. Otworzyłam drzwi, wyciągnęłam mamę i zaczęłam gasić ogień. Nie udało mi się, ona tak krzyczała... – Przełknęła ślinę. – A potem przestała krzyczeć.

– Wtedy uciekłaś do swojego lasu.

– Tak, wtedy wydawało mi się to rozsądne. – Odetchnęła głęboko. – Byłam samolubną idiotką. Powinnam pomagać Jessice, a nie stać się dla niej obciążeniem.

– Powiedziałbym, że miałaś powód. – Ścisnął mocniej jej rękę. – Jessica na pewno się ze mną zgadza.

Melissa dotąd nie zdawała sobie sprawy, że Travis trzyma ją za rękę. Pomyślała, że powinna ją zabrać.

A, co tam. Wcale tego nie chciała. Jego uścisk był ciepły i silny, dawał jej poczucie bezpieczeństwa.

– Tak czy owak, kiedy wróciłam, usiłowałam przejąć po Jessice obowiązki altruistki. Poszłam do liceum, wzięłam dodatkowe zajęcia, a potem zdałam na uniwersytet.

– Myślałem, że podróżowałaś albo przez pewien czas po prostu dobrze się bawiłaś.

– Bo faktycznie dobrze się bawiłam. Biegałam, grałam w tenisa, nauczyłam się pilotować samolot. Zaprzyjaźniałam się z ludźmi. – Uśmiechnęła się. – Zawsze się dobrze bawiłam. Takie życie na powierzchni. Radość z każdej chwili. Ale Jessica potrzebowała pewności, że jestem odpowiedzialną, solidną obywatelką. Nie masz pojęcia, jak jest rozczarowana tą sytuacją z Cassie. – Spojrzała mu w oczy. – Myślisz, że znasz mnie już wystarczająco dobrze, Travis?

Pokręcił przecząco głową.

– Mam wrażenie, że ledwie dotknąłem naskórka. – Puścił jej dłoń i wstał. – Ale to było interesujące. Nie sądziłem, że będziesz ze mną aż tak szczera.

– Tajemniczość jest dla mnie zbyt skomplikowana. Zostawiam ją tobie. – Położyła się na wznak. – A teraz zgaś światło i pozwól mi spać.

– Idę. – Wyłączył lampkę i ruszył ku drzwiom. – Dobranoc, Melisso.

– Travis?

– Tak?

– Dlaczego tu przyszedłeś?

– A jak sądzisz?

– Uznałeś, że rola ojca spowiednika przybliży mnie do ciebie i sprawi, że ci zaufam?

– Myślisz, że mam aż tak makiaweliczny charakter?

– Jeśli będziesz ze mną równie szczery jak ja z tobą, dowiem się i tego.

– Cóż, pominęłaś jeden z najbardziej interesujących powodów.

– Czyli?

– Nigdy nie twierdziłem, że nie chcę cię przelecieć. Powiedziałem tylko, że nie mam takiego zamiaru.

Melissa wybuchnęła śmiechem.

– Pochlebisz damie i unikniesz w ten sposób pytania. Jezu, naprawdę jesteś podstępny. Wynocha, Travis.

Kiedy wyszedł, nadal się uśmiechała. Był zupełnie nieznośny... i bardzo podniecający. Czuła, jak krew krąży po ciele; w głowie jej szumiało, była całkowicie rozbudzona. Bardzo możliwe, że przyszedł tu po to, by z jakiegoś powodu rozproszyć jej podejrzenia.

Może też chciał uczynić jakiś wstęp do zbliżenia seksualnego. Jego ostatnia uwaga była nie tylko zabawna, ale i prowokująca; gdyby inaczej na nią zareagowała, mógłby zmienić zdanie i wrócić.

Ten pomysł był intrygujący. Jakim okazałby się kochankiem? Odsunęła od siebie tę myśl, chociaż poczuła, że jej ciało jest gotowe na zbliżenie. Obiecała sobie wcześniej, że nie będzie martwiła Jessiki, a nie zamierzała spiskować za jej plecami.

Wolała sobie przypomnieć, jak bezpieczna się czuła, gdy Travis trzymał ją za rękę. To była miła, platoniczna myśl. Jeśli on chce się z nią zaprzyjaźnić, proszę bardzo. To seks mąci umysł, podobnie jak zmysły, a ona miała już dość zamętu w swoim życiu.

Travis cicho opuścił dom i zszedł z werandy. Był to fascynujący wieczór, a jego mocnym punktem okazały się chwile spędzone z Melissą Riley. Dziewczyna myślała, że zaplanował tę wizytę, ale się myliła. Działał pod wpływem impulsu, a przecież nie był impulsywnym człowiekiem.

Ciekawość?

Tak, odczuwał ciekawość, Melissa zaś nagrodziła go hojniej, niż się spodziewał. Była chyba najbardziej szczerą i otwartą osobą, jaką w życiu spotkał.

A jej śmiech był zmysłowy jak pieszczota.

Jan powiedział kiedyś, że mężczyzna powinien słuchać śmiechu kobiety, by się przekonać, jak dobra jest w łóżku.

Cóż, pewnie nigdy się nie dowie, jaka jest w łóżku Melissa Riley. Jej siostra przejawiała tak silny intynkt opiekuńczy, że napytałby sobie biedy, robiąc coś w tej sprawie.

Jednak pewne sprawy warte były zachodu.

Zapomnij o tym, pomyślał. Już kiedyś porównał Melissę Riley do fajerwerku; nie musiał odpalać kolejnych rakiet. I tak wyczuwał w powietrzu bliskość eksplozji.

Rozdział ósmy

– Karlstadt mówi, że da ci dwadzieścia milionów – oznajmił Jan van der Beck. – Ani grosza więcej.

– Jeśli da dwadzieścia, da i dwadzieścia pięć. Nalegaj.

– Możesz sobie gadać, ale Karlstadt nie jest łatwy w negocjacjach.

– Zarób na swoje trzydzieści procent.

– Jego ludzie mogą spróbować wywieźć mnie z kraju i wycisnąć ze mnie informacje o miejscu twojego pobytu.

– To chyba dobrze, że go nie znasz?

– Dobrze dla ciebie.

– Czego się dowiedziałeś od Henriego Clarona?

– Niczego konkretnego. Nadal nad nim pracuję.

– Wie coś?

– O tak. Henri to kiepski aktor, no i się boi. Tak samo jak jego żona. Patrzyła na mnie, jakbym go torturował.

– Skoro jest taki nerwowy, dziwne, że go nie zlikwidowano.

– Mógł się jakoś zabezpieczyć. – Jan zmienił temat. – Karlstadt robi się rozdrażniony. Dowiedział się o Rosjanach, myśli, że może i z nimi się układasz.

– Odrobina niepewności nigdy nikomu nie zaszkodziła.

– Owszem, czasem szkodzi, może tym razem mnie.

– Obiecuję, że cię nie postawię w niezręcznej sytuacji.

– Jeśli zgodzi się na dwadzieścia pięć milionów, bądź przygotowany na pośpiech.

– Popracuj nad Henrim Claronem.

– Co ma piernik do wiatraka?

– Wszystko. To musi się ułożyć, jeżeli mam wrócić do Amsterdamu. No, dalej, Jan, poradzisz sobie.

– Załatwiam interesy z Karlstadtem. Nie mam czasu. Może znajdę kogoś, żeby przycisnął Henriego. – Westchnął. – Robię, co w mojej mocy, Michael.

– Jeszcze jedno. Możesz się czegoś dowiedzieć o Tancerzu Wiatru?

– Co takiego? Nie pomogę ci ukraść rzeźby.

– Nie chcę jej kraść. Chcę tylko wiedzieć coś o zabezpieczeniach i czy niedługo trafi na jakąś wystawę.

– To się wydaje podejrzane. Zapomnij. I tak mam zbyt wiele na głowie.

– No to może później. – Travis się rozłączył i podszedł do okna. Nie tylko Karlstadt się denerwował. Dotąd nigdy nie widział Jana tak przejętego, a Holender nie miał zwyczaju zamartwiać się bez powodu. Pomyślał, że chyba nie powinien wspominać o Tancerzu Wiatru. Właśnie sobie uświadomił, że skoro znalazł Cassie u stóp rzeźby, może warto by było pójść tym tropem. W innej sytuacji Jan zgodziłby się bez problemów, najwyżej by trochę ponarzekał, ale jego obecna odmowa była bardzo stanowcza. Z pewnością Jan się tym przejmował.

Nadal jednak mieli czas. Dopóki dobijali targu, Jan był bezpieczny. Karlstadt mógł się zrobić groźny dopiero po zawarciu umowy. Wtedy Travis będzie musiał działać z szybkością błyskawicy, żeby Karlstadt nie podejrzewał pułapki.

Dziś w pokoju Cassie nie paliły się światła. W tym tygodniu był już tam trzykrotnie. Jessica wołała go na samym początku ataków, ostatni udało się im przerwać w niecały kwadrans.

Co się stanie z Cassie Andreas po jego wyjeździe?

I jak, na Boga, on się zdoła stąd wydostać, jeśli nie wydobędzie od Henriego Clarona informacji o Vasaro? Andreas na pewno nie pozwoli mu odejść. Travis poczynił pewne plany przed przybyciem do tego domu, ale nadszedł czas, by je zmodyfikować.

Nie chciał odjeżdżać, mając Cassie na sumieniu. Czy jednak nie będzie musiał tego zrobić?

Pomyślał, że niekoniecznie. Znajdzie sposób, by dzieciak powrócił do normalności, i po problemie. Andreas może być tak wdzięczny, że zapomni się dowiedzieć, kto przeprowadził atak na Vasaro. Najlepiej, gdyby...

Zadzwonił telefon.

– Przychodź natychmiast – poleciła Jessica. – Zaczęło się.

Zerknął na dom. Tak się zamyślił, że nie zauważył zapalonych świateł.

– Natychmiast.

– Nie idź – błagała Cassie. – Potwory teraz szybko odchodzą, Melisso.

– W ogóle by nie przychodziły, gdybyś wróciła i zdała się na Jessicę.

– Boję się. Tu jest przyjemniej.

– Nieprawda. Na zewnątrz jest wspaniale. Już zapomniałaś? Pokażę ci mnóstwo pięknych rzeczy.

– Boję się. Tu jest pięknie. Pokazałabym ci... ale nie mogę tego znaleźć.

– Czego nie możesz znaleźć?

– Nie mogę znaleźć. – Cassie denerwowała się coraz bardziej. – To jest tutaj, ale nie mogę tego znaleźć.

– Czego?

– To miało tu być.

Melissa obawiała się, że jeśli zacznie nalegać, z powrotem wciągnie Cassie w koszmar. Czy zdołałaby wejść w dziecko i dowiedzieć się, o czym myślało? Było to ryzykowne. Ostatnio łatwiej się od niej oddzielała, ale nie wiedziała, co by się stało, gdyby dała Cassie to, czego chciała dziewczynka.

A, co tam!

Zbliżała się powoli. Podekscytowanie Cassie uderzało w nią niczym fale.

Bliżej.

Znajdź.

– Co?

Błyskawica myśli wyskoczyła i dotknęła Melissy.

– O Boże.

– Nie! – Odskoczyła w panice i podążyła w ciemność. Odejdź. Odejdź. Odejdź.

– Wróć! Samotna...

Serce omal nie wyskoczyło Melissie z piersi. Obudź się, pomyślała. Weź się w garść. Jessica i Travis wkrótce się tu pojawią, aby usłyszeć coś nowego o epizodzie.

Musiała skłamać. Nie mogła im opowiedzieć o tym koszmarze. Oddychaj głęboko i uspokój się, nakazała sobie. Powiedz im, jak dobrze poszło. Cassie i ona zbliżały się do siebie mimo oddzielenia. Miała nadzieję, że z czasem nakłoni Cassie do powrotu. Ucieszą się na tę wieść tak bardzo, że może wezmą jej udrękę za zwykłe zmęczenie.

Jeśli nie, będzie musiała skłamać.

Travis pojawił się w drzwiach domu o czwartej następnego popołudnia.

– Musimy pogadać – oznajmił Jessice. – Gdzie Melissa?

– W swoim pokoju, uczy się. Co się stało?

– Marnujemy czas. Musimy jakoś pomóc Cassie.

– A niby co robimy?

– Za wolno to idzie. – Podszedł do stóp schodów i wrzasnął: – Melissa!

– Wiesz, jak rzadko miała okazję się pouczyć, odkąd tu przyjechała?

– Jest bystra, wszystko nadrobi. Do diabła, jest tak bystra, że mogłaby wszystkich nas wystrychnąć na dudka. – Ruszył po schodach. – Nie słyszała mnie. Zapomniałem o tych grubych dębowych drzwiach. Chodźmy. Musimy się z nią zobaczyć.

– Po co? – Ruszyła za nim. – Robimy postępy. Słyszałeś wczoraj Mellie.

– Tak, tryskała entuzjazmem. – Zapukał do drzwi błękitnego pokoju. – Widzisz, jaki jestem uprzejmy?

Melissa otworzyła drzwi.

– Uczę się – burknęła.

– Później. – Wszedł do środka i usiadł na krześle. – Jessica, pójdziesz po te wszystkie rzeczy, które Andreas przywiózł razem z Cassie?

– Zdumiewające, że przedstawiłeś to w formie prośby. Zapomniałeś jednak dodać „proszę". – Jessica wyszła z pokoju.

– Jessica nie lubi rozkazów. – Melissa usiadła na łóżku i skrzyżowała nogi. – Masz szczęście, że cię posłuchała. Co knujesz, Travis?

– Chodzi mi o Cassie. Musimy zorganizować burzę mózgów. Za wolno nam idzie.

Popatrzyła na niego uważnie.

– Co się dzieje? – powtórzyła.

– Nie chcesz, żeby Cassie jak najszybciej wyzdrowiała?

– Co się dzieje?

– Powiedzmy tylko, że nie mogę czekać latami, aż Cassie do nas powróci, a mówiłyście, że muszę tu siedzieć, dopóki mała nie wyzdrowieje. – Uśmiechnął się.

– Coś się z tobą dzieje.

– Z tobą też. Wczoraj było jasne, że coś ukrywasz.

Melissa zesztywniała.

– Jessica tego nie zauważyła.

– Bo ona chce ci wierzyć. Porozmawiasz ze mną o tym?

Nie odpowiedziała.

– Wobec tego nie zasypuj mnie pytaniami, Melisso.
– Proszę bardzo. – Jessica wniosła do pokoju cztery albumy ze zdjęciami i kilka notatników. – Ale już je wszystkie przeglądałam.
– Nie mam zamiaru tym się zajmować. – Wziął jeden z albumów. – Powiedz, co z tym zrobiłaś.
– Niewiele. Wybrałam pewne fotografie, żeby jej pokazać i zaobserwować reakcje.
– Jakie wyniki?
– Nic na widok członków rodziny. Jedno zdjęcie... – Przewracała strony, aż znalazła właściwą fotografię. – Cassie z rzeźbą Tancerza Wiatru. Wydawało mi się, że jest jakiś... błysk.
– Znalazłem ją z Tancerzem Wiatru w Vasaro. Czy to jedyna fotografia, którą rozpoznaje?
– Nie wiem. Jedyna, na którą wyczułam reakcję... – Wzruszyła bezradnie ramionami. – Trudno powiedzieć.
– Może się mylisz – stwierdziła Melissa. – Jak ktokolwiek może powiedzieć, co czuje Cassie? Czy to była reakcja mięśni, czy zmiana wyrazu twarzy?
– Może. Trochę. To tylko... wrażenie.
– Mogłaś się pomylić. – Sięgnęła po album i przewróciła stronę. – Jakie inne zdjęcia jej pokazywałaś?
Travis odwrócił stronę.
– Zostańmy przez chwilę przy Tancerzu Wiatru, dobrze?
– Po co? – Melissa zacisnęła wargi. – To tylko rzeźba.
– Również niezwykłe dzieło sztuki. Uważa się je za jedno z najcenniejszych na świecie. Rodzina Andreasów twierdzi, że istnieją przesłanki, by sądzić, iż rzeźba znajdowała się w rękach Aleksandra Wielkiego podczas jego pierwszej kampanii w Persji, że kiedyś należała do Karola Wielkiego, w następnych latach zaś trafiała do znanych postaci historycznych. Według legendy ludzie i narody powstawały i upadały w obecności tej rzeźby.
– Idiotyzm.

– Jak większość legend. – Uśmiechnął się. – Mimo to nie przestają być fascynujące, a jestem pewien, że takie opowieści podniosły wartość tego dzieła sztuki. Naszą kulturę intrygują bajki.

– Mnie nie. O co ci chodzi?

– Właściwie nie wiem. Wiem jedynie, że Cassie musiała tamtej nocy pobiec ze swojej sypialni wprost do Tancerza Wiatru.

– To idiotyczne. – Melissa podniosła się z łóżka. – Wszyscy wiedzą, że biegła do opiekunki, żeby się schronić. – Skrzyżowała ręce i popatrzyła na Travisa. – Głupio zakładać, że w takiej chwili biegła do martwego posągu.

– Nie jestem pewna. – Jessica zmarszczyła brwi. – Jej ojciec mówił, że uwielbiała tę rzeźbę. Wymyślała rozmaite historyjki i bawiła się w bibliotece, gdzie stał Tancerz.

– Głupoty – stwierdziła stanowczo Melissa. – Rzeźba nie ma z tym nic wspólnego.

– Skąd wiesz? – Travis popatrzył na nią pytająco. – Zwierzała ci się podczas któregoś z koszmarów?

– Po prostu logicznie myślę. Żadne z was nie rozumie znaczenia... – Ruszyła w kierunku łazienki. – Przepraszam.

Jessica zamrugała, kiedy za Melissą zatrzasnęły się drzwi.

– No cóż, nie można powiedzieć, że moja siostra nie ma zdecydowanych opinii.

– Rozmawiałaś z nią kiedykolwiek o Tancerzu Wiatru?

– Tylko mimochodem. Rzecz jasna, opisałam jej okoliczności traumy Cassie. – Pokręciła głową. – Na pewno nie chciała wybuchnąć. Ostatnio jest bardzo zestresowana, zdenerwowała się, że przeszkodziliśmy jej w nauce.

– Nie obraziła mnie. – Wyciągnął się na krześle. – Myślałaś kiedyś o powrocie do Vasaro i odtworzeniu tej sytuacji?

– Nie, jeśli istnieje jakieś inne wyjście. To zbyt traumatyczne. Lekarstwo może się okazać gorsze niż choroba.

– Ale zastanawiałaś się nad tym?

– Zastanawiałam się nad wszystkim. Nawet gdybym chciała wywieźć Cassie do Vasaro, jej ojciec nigdy się na to nie zgodzi.

– No tak, z tym może być problem. – Zamilkł na chwilę. – A co z Tancerzem Wiatru? To część układanki.

– Andreas wypożyczył go muzeum rodziny Andreasów w Paryżu.

– Sprawdzam, czy nie zamierzają wysłać rzeźby na jakąś wystawę.

– Poważnie? – Popatrzyła na niego ze zdumieniem. – A więc wierzysz, że istnieje jakiś związek...?

– Nie wiem nic pewnego. Chwytam się tego, ale gdybyśmy mogli zabrać małą do Paryża i załatwić...

– Prezydent nigdzie jej nie puści, dopóki nie znajdą ludzi, którzy włamali się do Vasaro. – Spojrzała na niego wymownie. – Czy to przypadkiem nie twoje zadanie?

– Pracuję nad tym. – Z uśmiechem uświadomił sobie, że Melissa posłużyła się identycznym zwrotem. – Może poprosimy Melissę, żeby podczas następnego ataku poruszyła temat Tancerza Wiatru.

– Po jej dzisiejszej reakcji?

– Przekonaj ją. – Wstał. – Zegar tyka. Jeśli wkrótce nie nastąpi jakiś przełom, będziemy musieli podjąć radykalniejsze kroki.

– Radykalniejsze? Wszystko się dobrze układa. Nie zamierzam pogarszać sytuacji, niepotrzebnie ryzykując.

– Lepiej to zrób, Jessico. – Popatrzył na nią z powagą w oczach.

Chciało się jej wymiotować.

Musisz przestać, nakazała sobie Melissa. Przecież już tak bywało. Po prostu o tym nie myśl i zachowuj się normalnie. Pochyliła się nad umywalką i ochlapała twarz zimną wodą.

Jednak wcześniej tak nie było. Nie tak. Sny były snami. To była rzeczywistość. Niech go diabli. Mogła się domyślić, że Travis będzie tak długo szukał, aż w końcu znajdzie jakąś wskazówkę... co i tak mu nic nie da. Ona go powstrzyma i niczego już nie znajdzie.

Szmaragdowe oczy, wpatrzone...

Słodki Jezu...

Podbiegła do muszli klozetowej i zwymiotowała.

– Wydajesz się bardzo blada – przejęła się Jessica, patrząc na idącą po schodach siostrę. – Nic ci nie jest?

– Wszystko w porządku – uśmiechnęła się. – Chyba trochę za długo ślęczałam nad książkami. Cały dzień siedziałam w pokoju. Jeśli mnie żałujesz, zrób lemoniadę i przyjdź na werandę. Muszę się trochę przewietrzyć, zanim znowu zabiorę się do roboty.

– Sama też się chętnie napiję. – Jessica ruszyła do kuchni. – Wyjdź, za moment do ciebie dołączę.

Melissa usiadła na huśtawce i rozkołysała ją delikatnie. Była parna, gorąca noc, słyszała żaby skrzeczące w stawie za domem. Letnie dźwięki. Odgłosy życia. Cudowne...

– Śnisz na jawie? – Jessica wręczyła jej szklankę i usiadła obok. – Wyglądasz o wiele lepiej.

– Nie jestem pewna, czy to komplement. – Melissa się roześmiała. – Tu jest ciemno.

– Księżyc świeci.

– Faktycznie. – Popatrzyła na niebo.

Zapadło milczenie.

– Mellie, dlaczego tak się wściekłaś dziś po południu? – zapytała z wahaniem Jessica.

– Czekałam na to pytanie. Zmartwiłam cię, prawda? Myślałaś, że zachowuję się irracjonalnie, i biorąc pod uwagę fakt, że nie masz pewności co do mojej równowagi...

– To nieprawda. Wiem, że nic ci nie jest. Po prostu zastanawiałam się, dlaczego tak się zdenerwowałaś.

– Jestem pewna, że usprawiedliwiłaś mnie przed Travisem.

– Jasne. Ze dwie twoje wymówki może nawet miały sens. – Powoli sączyła napój. – Nigdy niczego przed sobą nie ukrywałyśmy. Porozmawiaj ze mną, Mellie.

Nie była to prawda. Bardzo wiele ukrywała przed Jessicą, odkąd powróciła z tamtego miejsca, ale cieszyła się, że jej siostra nie zdaje sobie sprawy z tego braku zaufania.

– Nie uwierzyłabyś, gdybym ci powiedziała, że byłam naprawdę... – Potrząsnęła głową. – No dobrze, nie chcę, żeby Travis interesował się Tancerzem Wiatru.

– Czemu?

– Bo on jest jak walec. Kiedy się na czymś skoncentruje, nic go nie powstrzyma.

– To nie zawsze jest wada.

– Czasem jednak tak. Czasem ludzie pchają się w miejsca, w których nie powinno ich być. A potem wystarczy jeden ruch i wszystko się wali, jak kostki domina.

– Co to ma wspólnego z Tancerzem Wiatru?

– To jego Cassie szuka w tunelu.

Jessica znieruchomiała.

– Jesteś pewna?

– O, tak.

– Ale to dobrze, że wiemy. Możemy potraktować to jako punkt wyjścia. Może pomysł Travisa, żeby się posłużyć Tancerzem Wiatru, nie jest taki zły, jeśli uda się nam...

– Nie. – Melissa usiłowała złagodzić ostry ton. – Nie rozumiesz. To nie... to jest złe uczucie. Zagłębianie się w to może skrzywdzić Cassie.

– Ona się tego boi?

Melissa nie odpowiedziała wprost.

– Lepiej nie otwierać puszki Pandory – stwierdziła tylko.

– Wiem, że przejmujesz się Cassie, ale nie rozumiesz wszystkich psychologicznych implikacji jej stanu. Musisz mi zaufać i pozwolić nad tym popracować.

– Zapomnij o rzeźbie.

– Nie wolno mi zapomnieć o niczym, co może pomóc Cassie. Tobie też nie, Mellie. Musimy popracować nad tym razem.

– Jeszcze niedawno w ogóle nie wierzyłaś w to, co ci mówiłam o koszmarach Cassie.

– Mam z tym pewien problem. Wierzę jednak w to, że Cassie szuka Tancerza Wiatru, bo kiedy pokazałam jej fotografię...

– Mówiłaś, że właściwie nie zauważyłaś żadnej reakcji. – Melissa uśmiechnęła się sardonicznie. – Kim ty jesteś? Jakimś dziwadłem, jak ja?

– Nie bądź niesprawiedliwa. Nigdy nie nazwałam cię dziwadłem. – Umilkła na chwilę. – Tancerz Wiatru to jedyna wskazówka, jaką mamy. Musimy pójść tym tropem, Mellie. Obiecaj mi, że nie odepchniesz Cassie, kiedy poruszy ten temat.

Melissa milczała.

– Proszę cię – westchnęła Jessica. – Musimy pomóc Cassie, a nie wiem, w którą stronę się udać.

Co za różnica, pomyślała ze znużeniem Melissa. Kostki domina już upadały, nie mogła ich powstrzymać, ignorując ich istnienie.

– Nie będę jej zachęcała, ale i nie odepchnę. Wystarczy ci?

– Wystarczy. – Jessica wychyliła się i ucałowała siostrę w policzek. – Dziękuję ci. – Wstała. – Teraz muszę sprawdzić, co z Cassie, a potem pójdę spać. Idziesz do domu?

– Za chwilę.

– Nie siedź za długo nad książkami.

– Nie będę. – Odchyliła się na huśtawce. – Dobrej nocy.

– Dla nas wszystkich. – Jessica weszła do domu.

Ta rozmowa była do niczego, pomyślała z rozpaczą Melissa. Miała nadzieję, że jeśli zasygnalizuje, iż Cassie może grozić jakiekolwiek niebezpieczeństwo, Jessica zrezygnuje z Tancerza Wiatru. Nie wzięła pod uwagę determinacji siostry, która za wszelką cenę postanowiła sprowadzić Cassie z powrotem. Może gdyby Melissa nie drążyła tego tematu, Jessica straciłaby zainteresowanie.

A może nie miało to znaczenia.

Przeznaczenie?

Do diabła z przeznaczeniem. Co za defetystyczne myślenie. Travis z pewnością nie dopuściłby to tego, aby jakiś kaprys decydował o jego losach. Już szukał sposobu, żeby zjeść ciastko i zostawić je na później. A teraz, z powodu niezręczności Melissy, może nawet Jessica stanęła po jego stronie. W głębi duszy ciągle uważała Melissę za niezaradne dziecko, którym jej siostra przestała być wiele lat temu.

W stróżówce paliły się światła. Często było tak przez większą część nocy. W ciągu ostatnich kilku dni zauważyła, że Travis rzadko sypia więcej niż cztery godziny dziennie i że bez przerwy czyta. Czy teraz też zajmował się tym stosem książek, które dostarczono mu poprzedniego popołudnia? Nienasycona ciekawość i głód wiedzy mogą się okazać niebezpieczne u wroga.

Po raz pierwszy przyznała sama przed sobą, że Travis może być przeciwnikiem. Obawiała się go, ale nie wierzyła, że mógłby rzucić jej wyzwanie, któremu by nie sprostała. W dziwny sposób czuła się z nim związana. Idiotyczne. Pewnie wynikało to z zaufania Cassie, która widziała w Travisie zbawiciela. Melissa jednak lubiła pojedynkować się z nim na słowa; zazwyczaj podziwiała jego stanowczość i intuicję.

Teraz jednak nie. Jego intuicja była zbyt... przerażająca. Wyciągnął Tancerza Wiatru z ciemności na światło.

Da sobie radę. Stłumi panikę. Jeśli zabraknie jej siły, skoncentruje się, nauczy i rozwinie.

Liczyła jedynie na to, że wystarczy jej czasu.

Rozdział dziewiąty

Lyon

– Nie otwieraj – powiedziała Danielle Claron.

Dzwonek odezwał się ponownie. Henri ruszył ku drzwiom.

– Nie bądź głupcem! – zawołała.

– Jeśli to van der Beck, byłbym idiotą, nie otwierając. Już o tym rozmawialiśmy, Danielle. Musimy opuścić Lyon, a nie mam zamiaru wyjeżdżać bez grosza.

– Wolisz wyjechać karawanem?

– Czy kiedykolwiek o ciebie nie dbałem? Przez ostatnich dziesięć lat nie brakowało ci jedzenia na stole, ale nareszcie mamy okazję żyć tak, jak na to zasłużyliśmy.

– To ja ci dałam tę szansę. A teraz mówię, żebyś nie...

Dzwonek zabrzęczał raz jeszcze.

– No dobrze, otwórz. Ale bądź ostrożny. – Danielle zwilżyła wargi. – Nie powinieneś się w to wplątywać. Niepotrzebne nam te dodatkowe pieniądze.

– Dotąd się nie uskarżałaś. Teraz jest tak samo, tyle że gramy o większą stawkę. Ja się zajmę negocjacjami.

Ruszyła w stronę sypialni.

– Wierz mi, wcale nie odczuwam potrzeby, aby przy tym być.

– I dobrze. Jesteś zbyt przejrzysta. Widziałem, jak van der Beck patrzy na ciebie, kiedy... – Nagle zesztywniał, gdy zerknął przez judasz. Mężczyzna za drzwiami to nie van der Beck. Ten był wysoki, jasnowłosy, mocno zbudowany i jeszcze przed czterdziestką.

– Tak?

– Pan Claron? – Mężczyzna się uśmiechnął. – Nazywam się Jacques Lebrett. Wysyła mnie van der Beck. Mam coś dla pana.

– Dlaczego sam nie przyszedł?

– Jest zajęty. Chyba mówił panu, że może kogoś przysłać?

Van der Beck wspominał o takiej możliwości, ale to wcale nie uspokoiło Clarona.

– Proszę powtórzyć van der Beckowi, że jeśli chce dostać...

– Zajmuje się obecnie bardzo delikatnymi negocjacjami. – Lebrett otworzył walizkę i podniósł ją tak, że jej zawartość była widoczna przez judasz. – Nie jest jednak tak zajęty, żeby nie przekazać panu odpowiednich środków za informacje.

Pieniądze. Stosy franków. Claron nigdy nie widział aż tyle gotówki.

– Możemy porozmawiać, panie Claron?

Tyle pieniędzy...

Henri otworzył szeroko drzwi.

– Proszę.

– Dziękuję. – Nieznajomy ponownie się uśmiechnął. – Na pewno się dogadamy.

Żona uciekła.

Nieważne. Edward Deschamps uszkodził samochód na podjeździe, a dom znajdował się wiele kilometrów od drogi. Henri Claron umarł wręcz zbyt łatwo, ale wyśledzenie żony to dopiero będzie wyzwanie. Musiał go zabić. Za długo tropił Travisa i to go rozdrażniło. Kiedy potrzeba usunięcia Claronów stała się aż nazbyt oczywista, gorliwie uczepił się tej możliwości.

Deschamps starannie umył zakrwawiony nóż, ostrożnie wytarł odciski palców ze zlewu, a następnie obszedł dom. Wiedział, że te środki ostrożności na niewiele się zdadzą. Udoskonalona technika utrudniała człowiekowi pracę. Mimo to nadal postępował tak, jak uczono go w dzieciństwie. Trudno mu było pozbyć się starych nawyków.

Wyszedł z domu i uważnie przyjrzał się podwórzu i pobliskim lasom. Którędy pobiegła? Czy przez pola można trafić na autostradę? Nie, na pewno wybrała las. Uznała, że ukryje się pośród drzew.

Znajdzie ją. W tej grze był mistrzem. Wiedział, że Claron otworzy drzwi. Pieniądze zawsze ułatwiały zadanie. Kilka autentycznych banknotów na wierzchu, pod spodem papier, a facet już myślał, że będzie bogaty. Głupiec.

Zszedł po schodach na podwórze, zapalił zapalniczką świecę, którą ze sobą przyniósł, a następnie rzucił ją na zalaną benzyną werandę.

Dom natychmiast zajął się ogniem.

– Henri Claron nie żyje – powiedział van der Beck.

– Co? – Travis mocniej ścisnął słuchawkę. – Jak?

– Jego dom się spalił, ale policja uważa, że Henri zginął jeszcze przed pożarem. Na razie nie odnaleźli żony.

– Uciekła?

– Może. Jednak jeśli nawet się jej udało, na pewno się ukryła i nie zamierza ujawnić.

– Jeśli żyje, muszę wiedzieć, gdzie jest. Mówiłeś, że była równie nerwowa jak jej mąż. Istnieje szansa, że wiedziała to samo co on, a może nawet więcej.

– Myślisz, że zaryzykuje poderżnięcie gardła po tym, co się stało z Henrim?

– Czasem strach albo pragnienie zemsty to silniejszy bodziec niż pieniądze. Postaraj się ją odnaleźć.

– Już zacząłem się rozglądać. – Umilkł na chwilę. – Wczoraj w swoim mieszkaniu znalazłem dwie pluskwy. Trzy dni wcześniej, kiedy szukałem po raz ostatni, niczego nie było.

– Karlstadt? – Travis zesztywniał.

– Być może. Albo CIA. To były chińskie pluskwy. Nie sądzę, żeby CIA takich używała.

Travis pomyślał, że wcale mu się to nie podoba. Sprawy przybierały kiepski obrót, napięcie rosło.

– Jak tam negocjacje z Karlstadtem?

– Zgadza się na dwadzieścia trzy miliony. Nie sądzisz, że powinieneś na tym poprzestać?

– Przemyślę to.

– To dobrze. Mam złe przeczucia co do tej sprawy Clarona. Dziwne, że zamordowano go przed sfinalizowaniem naszej transakcji. Zaczynam podejrzewać, że czeka nas jakaś niespodzianka, i wcale mnie to nie cieszy. – Przez chwilę się nie odzywał. – Mam wrażenie, że ktoś mnie śledzi.

– CIA?

– Oni też. Dwaj faceci w zielonym porsche. Zauważyłem ich trzy dni po twoim wylocie z Amsterdamu. Czuję jednak, że także ktoś inny.

– Widziałeś go?

– Nie, ale czuję mrowienie na karku.

– To niezbity dowód.

– Mnie wystarczy. Jak wiesz, wiele razy ocaliło mi życie. Robi się nieciekawie. Myślę, że załatwię swoje sprawy i udam się w długi rejs. Zadzwoń, kiedy się zdecydujesz. Do widzenia, Michael.

– Zaczekaj. – Dwadzieścia trzy miliony były sporą sumą, a poza tym nie podobała mu się ta sytuacja. – Przyjmij ofertę.

– Dobrze. – Jan westchnął z ulgą. – Karlstadt żąda natychmiastowej dostawy.

– Zbywaj go.

– Równie dobrze mógłbym zbywać gotową do ataku kobrę. Nienawidzi się targować z...

– Nie mam wyboru. Tu też jest parę problemów.

– Góra cztery dni. Ostrzegam cię, Karlstadt wybuchnie.

– Zadzwonię do ciebie.

Jan nagle się roześmiał.

– Nie sądziłem, że ustąpisz Karlstadtowi. Miękniesz, Michael?

– Może. Ciągle mi powtarzasz, jaki to twardy gość z tego Karlstadta.

– Nie sądzę, żebyś się obawiał Karlstadta. Raczej martwisz się o mnie. Doceniam to.

– Dlaczego miałbym się martwić o ciebie? Przecież masz ten czarodziejski kark, dzięki któremu jesteś bezpieczny. – Odłożył słuchawkę.

Cztery dni.

Jak, do cholery, miał znaleźć sposób, by odejść stąd w ciągu czterech dni? Przeciwności były trudne do pokonania. Cassie Andreas. Tajni agenci.

Jessica i Melissa Riley. One mogły stanowić największą trudność.

Tak, ale trudności należy przezwyciężać. Już mu przyszło do głowy, jak mógłby się stąd wymknąć, ale usiłował wymyślić jakiś inny sposób.

To było paskudne. Naprawdę paskudne.

Podobnie jak sytuacja w Amsterdamie, ale właśnie tam było jego prawdziwe życie, nie tu, w Juniper. Jan nie był głupcem, a jeśli uważał, że gdzieś czai się niebezpieczeństwo, zagrożenie naprawdę istniało. W grę mogło wchodzić jego życie. Travis musiał odebrać pieniądze i wydostać ich obu z łap Rosjan i Karlstadta; takie miał zadanie.

Co za ironia, że Jan oskarżył go o mięknięcie. Zmieniłby zdanie, gdyby wiedział, w jaki sposób Travis planuje się stąd wydostać.

Paskudne...

Słońce już zachodziło, kiedy Jessica otworzyła drzwi Travisowi.

– Mogę z tobą porozmawiać? – spytał.

– Wejdź – powiedziała zdziwiona. – Coś się stało?

– Nic, czego nie dałoby się rozwiązać. Wolałbym nie wchodzić do domu. Może przejdziemy się do stawu?

– Muszę wracać do Cassie. Zrobiłam sobie tylko przerwę na kolację.

– Postaram się streszczać.

Zawahała się.

– Piętnaście minut. – Zeszła za nim po schodach... – Zresztą też chciałam z tobą porozmawiać. Wczoraj pogadałam sobie z Mellie. Powiedziała mi, że Cassie szuka w tunelu Tancerza Wiatru. Mellie uważa, że pójście tym tropem może zaszkodzić Cassie.

– A co ty o tym myślisz?

– Myślę, że musimy chwytać się wszystkiego, co nam wpadnie w rękę. Zmusiłam Mellie, aby mi obiecała, że nie będzie odciągać Cassie od rzeźby.

– Rozumiem, że ma z tym kłopoty – mruknął.

– Zgodziła się. – Popatrzyła na niego. – Nie wydajesz się zdumiony.

– Chyba oboje wiemy, że reakcja twojej siostry była nieco przesadzona.

– Wobec tego, czemu nie drążyłeś tematu?

– A po co? Wiedziałem, że ty się tym zajmiesz, poza tym byłabyś zła, gdybym ją o cokolwiek oskarżył.

– Tak, byłabym. – Przystanęła, kiedy dotarli do stawu. – Nie chciała zrobić Cassie nic złego. Przejmowała się nią.

– Ty też się przejmujesz.

– Jasne.

– Bardzo kochasz siostrę, prawda?

– To nie tajemnica.

– I nie chciałabyś, żeby stało się jej coś złego?

Jessica znieruchomiała.

– Mój Boże, czyżbyś groził Mellie?

– Tak, chyba tak. – Odwrócił się i popatrzył na nią. – Wkrótce będę musiał wyjechać. Wracam do Amsterdamu. Chcę zabrać ze sobą ciebie, Melissę i Cassie. Tylko tak mogę uspokoić swoje sumienie. – Wykrzywił wargi. – Przyznaję, że ten bagaż pozwoli mi się łatwiej stąd wydostać.

Nagle poczuła przypływ paniki.

– Nie możesz odjechać.

– Nie mogę nie odjechać.

– Akurat. Andreas cię nie puści.

– Jadę, Jessico.

– Cassie umrze.

– Nie, jeśli pojedziecie ze mną.

– I Mellie.

– Jest coraz silniejsza. Być może przeżyje, nawet jeśli Cassie się to nie uda.

– Ty sukinsynu. – Uniosła drżącą dłoń do ust. – To chore. Na litość boską, mówisz o porwaniu Cassie. Znajdą cię, zamkną i wyrzucą klucz.

– Nie, jeśli uda się nam ją uzdrowić.

– Nam? Myślisz, że dam się wciągnąć w twoje kryminalne afery?

– A masz jakiś wybór? Szalejesz za Cassie i Melissą. Nie chciałabyś, żeby cokolwiek im się stało.

– Nic im się nie stanie. – Popatrzyła na niego. – Zostaniesz i wszystko będzie tak jak dotychczas.

– Niezupełnie.

– Jak to?

– Jeśli Cassie będzie miała koszmar, nie przyjdę jej pomóc.

– Co? – Popatrzyła na niego z niedowierzaniem. – Musisz przyjść.

Pokręcił przecząco głową.

– Możesz być sukinsynem, ale nie odmówiłbyś pomocy Cassie, gdyby cierpiała.

– To twój obowiązek i zadanie. Mówiłem ci, że chętnie jej pomogę... na swoich warunkach.

– Blefujesz. Nie jesteś aż takim zimnym draniem.

– Kiedy muszę, jestem zimniejszy, niż sobie wyobrażasz. – Wpatrywał się w jej oczy. – Blefuję, Jessico?

O Boże, obawiała się, że nie. Twarz miał bez wyrazu, ale oczy... Dobrze go poznała przez ostatnie tygodnie; nie zostawiłby Cassie bez pomocy.

– Tak, blefujesz.

– Przykro mi. Miałem nadzieję, że nam to ułatwię. Nie chciałem o tym wspominać Melissie. Tylko się zmartwi. W końcu zależy ci również na jej dobrym samopoczuciu.

– Zrobię, co zechcę.

– Nie, zrobisz to, co najlepsze dla ludzi, którzy cię otaczają. Na to właśnie liczę.

Zacisnęła dłonie, gdy odchodził. Niech go diabli. Niech go diabli. Blefował. Na pewno blefował.

Następnej nocy w oknie Cassie zapaliły się światła.

Zadzwonił telefon w stróżówce.

– Przyjdź tu – odezwała się Jessica. – No, już.

– Koszmar?

– Tak.

Odłożył słuchawkę.

Nie oddzwaniaj.

Nie idź do domu.

Nie myśl o małej.

Wrócił do okna i czekał.

Pół godziny później ujrzał Jessicę biegnącą po podjeździe. Otworzył drzwi i na nią zaczekał.

– Ty skurwielu. – Łzy spływały po jej policzkach. – Sukinsynu. – Złapała go za ramię. – Chodź ze mną.

– Nie.

– Musisz iść...

– Niczego nie muszę. Robię to, co sam postanowię.

– Każę Fike'owi cię tam zaciągnąć.

– Wobec tego usiądę na fotelu i nie powiem ani słowa.

– Nie możesz... – Wpatrywała się w niego z niedowierzaniem. – Zrobiłbyś to. Mój Boże, zamierzasz dopuścić do tego, żeby Mellie i Cassie... – Odwróciła się i pobiegła do domu.

Jezu, było mu niedobrze.

Nie ustępuj. Zaszedłeś tak daleko. Jeśli poddasz się teraz, będziesz musiał to powtórzyć jutro i pojutrze.

Pięć minut.

Dziesięć minut.

Telefon zadzwonił.

– Zgoda, sukinsynu. – Głos Jessiki drżał. – Zrobię, co zechcesz. Tylko tu przyjdź.

– Zaraz tam będę. – Puścił się pędem po podjeździe.

Boże, to było nawet gorsze, niż sobie wyobrażał.

– Co się stało, Jessico? – Głos Melissy był słaby. – To trwało tak długo...

Jessica nie odpowiedziała. Mierzyła puls siostry.

– Jak się czujesz? – spytała.

– Beznadziejnie. Nie przychodził... Tak długo...

– Serce nadal bije nieco nierówno, ale już się uspokaja. – Przykryła ramiona siostry. – Cassie też.

– Źle z nią było. Uzależniła się od niego. Usiłowałam się wyrwać i z nią porozmawiać, ale nie chciała... mnie przyjąć. Kiedy jestem częścią niej, jestem częścią koszmaru... nie ocaleniem. – Zwilżyła wargi. – To jego traktuje jak wybawiciela.

– Niezły wybawiciel. – Odgarnęła włosy z czoła Melissy. – Nic ci nie będzie, jeśli cię zostawię i wrócę do Cassie?

– Nic. Gdzie on był, Jessico?

– Trochę się spóźnił.

– Niedobrze... – Przymknęła powieki. – Bardzo niedobrze. Tak się bałyśmy. Powinien przyjść wcześniej.

– Było niedobrze. – Jessica ruszyła ku drzwiom. – Ale to się nie powtórzy. Następnym razem zjawi się na czas.

– To dobrze. Nie mogłyśmy oddychać, bolało nas serce...

– To się więcej nie powtórzy – powtórzyła Jessica i zamknęła za sobą drzwi.

Sukinsyn. Zamrugała i ruszyła przez hol do pokoju Cassie.

Fike oderwał się od ściany.

– O rany, miałem nadzieję, że małej się poprawia. Takiego ataku jeszcze nie widziałem.

– Teraz jest jej lepiej.

– Pan Travis cały czas z nią siedzi. Zazwyczaj pomaga, prawda?

– Zazwyczaj.

– Powiedział mi, że tym razem niemal ją straciliście. Trzymam kciuki, żeby się jej poprawiło.

– Dziękuję, Larry. Na pewno się poprawi. – Otworzyła drzwi i weszła do sypialni.

Travis siedział obok łóżka Cassie. Zerknął na Jessicę.

– Jak tam Melissa?

– A jak myślisz?

– Dobranoc, skarbie. – Travis uścisnął dłoń dziewczynki. – Wkrótce się zobaczymy. – Wstał i odszedł na tyle daleko, żeby Cassie go nie słyszała. – Melissa jest zmęczona i bardzo słaba. Prawda?

– Nie powinieneś się spodziewać niczego innego. – Jej dłonie zacisnęły się w pięści. – Mogłeś je zabić.

– Nie dopuściłabyś do tego.

– Na to liczyłeś. Zaryzykowałeś, naraziłeś je na cierpienie, może nawet śmierć. Jak mogłeś to zrobić?

– To było konieczne.

– Diabła tam.

– Myśl sobie, co chcesz. Każde z nas ma własne sprawy.

– To po co wpakowałeś się w nasze?

– Zaprosiłaś mnie. Możesz uczciwie powiedzieć, że nie cieszyła cię moja pomoc? Kiedy dziś nie przyszedłem, po prostu powróciłem do poprzedniej sytuacji.

– Żeby coś wymusić.

– Żeby coś wymusić. – Patrzył jej prosto w oczy. – Mam nadzieję, że więcej mnie do tego nie zmusisz. Bo ja to zrobię, Jessico.

– Wiem. – Skrzyżowała ręce, żeby przestały drżeć. – Gdy tylko znajdę sposób, by poradzić sobie bez twojej pomocy, pozbędę się ciebie jak najszybciej. Mam nadzieję, że wsadzą cię do więzienia na następnych sto lat.

– Lepiej niech Cassie najpierw wyzdrowieje. Nie chciałabyś chyba, żebym stał się dla niej nieosiągalny. Mówiłaś coś Melissie?

– Nie, tylko tyle, że to się więcej nie powtórzy. Nie wystarczy jej ta odpowiedź, kiedy poczuje się trochę lepiej.

– Więc musisz ją zbyć. Melissa mogłaby łatwo pokrzyżować moje plany, a tego byśmy nie chcieli.

– Nie zamierzam jej kłamać.

– Wobec tego wolisz ją tu zostawić i spuścić z oka? Nie wiem, czy z takiej odległości zdoła komunikować się z Cassie, ale raczej nie pozbawiałbym się szansy na obserwowanie jej. – Umilkł. – Skoro jednak tak chcesz...

– Ty draniu.

– Tak myślałem. – Ruszył do drzwi. – Załatw to tak, jak uważasz za stosowne.

– Zaczekaj.

Odwrócił się przez ramię.

– Nie zrobię tego za darmo. Będę z tobą współpracowała, ale musisz obiecać, że kiedy się stąd wydostaniemy, nie zostawisz nas w Amsterdamie.

– Mówiłem ci, że tego bym nie zrobił.

– Chcę jeszcze jednej obietnicy. Chcę, żebyś zabrał Cassie do Tancerza Wiatru i dopilnował, żeby spędziła z nim trochę czasu.

– To nie będzie łatwe. Niby dlaczego miałbym to zrobić? Już wygrałem, Jessico.

– Bo jesteś nam to winien, sukinsynu.

Przez chwilę milczał.

– Słuszna uwaga. Dobrze, obiecuję ci to. Miej jednak świadomość, że jeśli złapią nas w muzeum, zastrzelą mnie albo wyślą do więzienia. Tak czy owak, to się źle skończy dla nas wszystkich.

– Choćby dlatego warto zaryzykować.

– Wcale tak nie myślisz. – Potrząsnął głową.

Miał rację. Wcale tak nie myślała. Nie mogłaby poświęcić Cassie i Melissy tylko po to, żeby ukarać Travisa. Popatrzyła na niego z rozpaczą.

– To nienormalne. Zmień zdanie. Nie zdołasz się stąd wydostać.

– Owszem, zdołam. Ale nie spodoba ci się sposób, w jaki to zrobię.

– Co masz na myśli? – zesztywniała.

– Jeśli ci powiem, zaczniesz się kłócić, a potem martwić, dopóki to nie nastąpi.

– Zamierzasz kogoś zabić?

– Podzielę się z tobą moim planem tuż przed startem. – Z tymi słowami opuścił pokój.

Boże drogi, w co się pakowała? Jeśli nawet ich nie zastrzelą, będą ścigani niczym przestępcy. Bo będą przestępcami. Jakoś nie sądziła, że może liczyć na pobłażliwość Jonathana Andreasa, skoro w grę wchodziło bezpieczeństwo jego córki.

Jeśli zaś ucieczka się nie powiedzie, wszystko na nic. Ona wyląduje w więzieniu, a Cassie i Melissa być może będą stracone. Ucieczka musiała się udać. Stawka była zbyt wysoka. Czy Travis dotrzyma obietnicy i pomoże uzdrowić Cassie? O tym pomyśli później. Teraz musiała skoncentrować się na jego planach ucieczki z Juniper.

Jezu, miała tylko nadzieję, że nikomu nic się nie stanie.

Rozdział dziesiąty

Telefon w stróżówce zadzwonił siedemnaście minut po północy, dwa dni później.

– Przychodź natychmiast. Znowu ma atak – powiedziała Jessica, kiedy Travis odebrał. – Żadnych gierek, Travis.

– Gierki się skończyły. Zaraz tam będę.

Larry Fike zmarszczył brwi, gdy parę minut później Travis biegł korytarzem.

– Chyba jest kiepsko. Powodzenia.

– Przyda się. – Travis skinął głową.

Krzyk Cassie przeszył ciszę, gdy Travis otwierał drzwi.

– Jak długo? – spytał, podchodząc do łóżka dziewczynki.

– Dziesięć minut – odparła Jessica. – Dzięki Bogu, przyszedłeś od razu.

Wziął Cassie za rękę.

– Podejdź tu, Jessico.

Jessica podeszła bliżej.

– Co? – zapytała.

Nie patrząc na nią, powiedział półgłosem:

– Wymyśl jakiś pretekst, żeby odesłać Teresę.

Spojrzała na niego ze zdumieniem.

– Zrób to.

Odwróciła się do Teresy, która stała przy drzwiach.

– Przynieś mi strzykawkę z szafki z lekarstwami na dole.

– Myślisz, że będziesz potrzebowała...

– Mam nadzieję, że nie. Po prostu chcę być przygotowana. Idź po nią.

Teresa pospiesznie wyszła z pokoju.

– Ile to jej zajmie? – spytał Travis.

– Nie wiem. Ostatnio nie było tam żadnych strzykawek. Będzie musiała się rozejrzeć, a potem iść na drugie piętro.

Cassie krzyknęła.

– Zrób coś. Porozmawiaj z nią.

Travis złapał Cassie za ręce i wstał.

– Co robisz? Porozmawiaj z nią.

– Wyjeżdżamy, Jessico.

Zamarła.

– Najpierw musisz się nią zająć.

Travis rozpiął kurtkę, wyjął spod niej swojego laptopa i wrzucił go do torby lekarskiej Jessiki.

Cassie krzyknęła raz jeszcze.

– Porozmawiaj z nią. Nie widzisz, że cierpi? Strasznie krzyczy, do cholery.

Odwrócił się do niej i powiedział cicho:

– Musi krzyczeć, Jessico.

– Co takiego?

– Nie mogę jej pomóc. Musi krzyczeć.

– Czy to jakaś gra o władzę? Mówiłam ci, że już wygrałeś.

– To nie jest żadna gra. – Zamknął torbę.

– Ona cierpi. Mellie też cierpi.

– Biegnij na korytarz i powiedz Fike'owi że to nagły wypadek. Cassie ma atak, potrzebujesz karetki, żeby zawieźć ją do szpitala. Daj mu to – wręczył jej kartkę. – To numer izby przyjęć w szpitalu Shenandoah, do którego stąd najbliżej.

– Nie rób tego Cassie.

– Każ Fike'owi zawiadomić prezydenta.

– Porozmawiaj z nią.

– Jeszcze nie. Im szybciej załatwisz jej karetkę, tym szybciej będę mógł jej pomóc. – Trącił ją w bok. – Idź do Fike'a.

– Niech cię szlag. – Płakała, biegnąc przez korytarz.

Cassie krzyczała. W tym krzyku krył się cały ból i strach, jaki odczuwa dziecko.

Mogę to powstrzymać, pomyślał. Boże, jak bardzo pragnął to powstrzymać.

Podszedł do okna i wpatrywał się tępo w żelazną bramę, przez którą miała wjechać karetka.

Owijał Cassie kocem, kiedy Jessica wróciła do pokoju.

– Fike? – spytał.

– Zadzwonił do szpitala. Teraz rozmawia z Andreasem. Karetka będzie za dziesięć minut.

– Idź po siostrę i zaprowadź ją do karetki.

– Jak mam ją dobudzić? Pewnie znajduje się w takim samym stanie jak Cassie.

– To już twoja sprawa. – Podniósł Cassie. – Ja mam wystarczająco dużo na głowie.

– Nic z tego nie wyjdzie. Może i wydostaniesz się za bramę, ale w szpitalu będzie czekała ciężarówka pełna agentów.

– Wyjdzie – stwierdził, mijając Jessicę. – Sprowadź na dół Melissę.

Fike czekał w korytarzu.

– Mogę jakoś pomóc? – Skrzywił się, gdy Cassie znowu krzyknęła. – Boże, biedne dziecko.

Travis skinął głową.

– Może się pan upewnić, że w szpitalu jest ochrona. – Ruszył korytarzem. – I niech wasz samochód jedzie za karetką.

– Już się zajęliśmy szpitalem. – Fike zbiegał po schodach przed Travisem. – Może pan być pewny, że wyślemy samochód za małą.

– W porządku.

– O co ci chodzi? – wyszeptała zaskoczona Jessica.

– W ten sposób będą traktowali nas jak sprzymierzeńców. – Usłyszał w oddali wycie syreny. – Jedzie karetka. Idź po Melissę.

Cassie leżała już w karetce, gdy Jessica na wpół wlokła, na wpół niosła Melissę po schodach.

– Boże – mruknął Fike, kiedy ujrzał oszołomioną, zalaną łzami twarz Melissy. – Co się jej...

– Wie pan, jak bliskie stały się sobie z Cassie. – Jessica wepchnęła Melissę do karetki. – Chce z nią jechać do szpitala. – Odwróciła się do Teresy, która wchodziła do karetki tuż za Melissą. – Zadzwonię do ciebie z izby przyjęć.

Sanitariusz zamknął drzwi i usiadł na fotelu dla pasażera. Syrena zawyła, gdy karetka przedarła się przez podjazd; tuż za nią ruszył samochód pełen agentów.

Jessica odwróciła się do Travisa.

– Teraz jej pomóż – zażądała.

– Mam szczery zamiar to zrobić. – Travis ukląkł obok Cassie, ujął jej ręce i zaczął do niej przemawiać.

Po pięciu minutach dziewczynka się uspokoiła, a Jessica poczuła, jak powoli opada z niej napięcie. Nieważne, co się działo, Cassie i Melissa czuły się lepiej.

Travis spojrzał na zegarek. Przerwał w pół zdania, wstał i wyjrzał przez tylne okno na samochód agentów.

– Za blisko – mruknął.

Jeszcze nie skończył, gdy karetka przyspieszyła. Jessicą zarzuciło na bok pojazdu, gdy mijali zakręt.

Urwisko po jednej stronie. Strome wzgórze po drugiej.

Travis znowu wyjrzał. Teraz od samochodu dzieliło ich niespełna dwieście metrów. Karetka wjechała na wzgórze. Łagodny pagórek kończył się rzędem drzew.

– No, już. Już – mruknął. – Teraz.

Autostrada za nimi eksplodowała. Pięćdziesiąt metrów betonu wyleciało w powietrze. Eskortujący ich samochód gwałtownie ominął olbrzymią dziurę w asfalcie, a potem zjechał z drogi i teraz powoli staczał się ze stromego wzgórza.

Karetka zjechała z niższego wzniesienia prosto w drzewa.

– Zajmij się siostrą. – Travis przytrzymywał Cassie, kiedy pojazd podskakiwał na nierównej drodze.

Jessica mocno chwyciła Melissę.

Karetka zatrzymała się z piskiem opon, drzwi z tyłu się otworzyły.

– Już się martwiłem. – Travis wyprostował się nad Cassie. – Zrobiłeś to w ostatniej chwili, Galen.

– Jestem urażony. Niełatwo było podłożyć ładunki i puścić inne auta objazdem. Nie przywykłem do martwienia się o niewinnych przechodniów. – Mężczyzna w dżinsach i podkoszulku zaczął wyciągać wózek z karetki. – To ta mała dziewczynka, dla której ryzykuję głowę?

– Możesz być pewien, że ją stracisz, jeśli za moment nie zabierzesz stąd dziecka. – Travis wyskoczył z auta i pomógł sprowadzić Melissę. – Ci agenci się nie lenią. Zakładam, że mamy cztery minuty przewagi.

– Co jej jest? – Galen wpatrywał się w Melissę.

– To długa historia. Bierz Cassie. – Dźwignął dziewczynę, żeby zanieść ją do helikoptera. – Chodź, Jessico.

Jessica wyskoczyła z karetki i pobiegła za nim. Kierowca karetki i sanitariusze już się tam wspięli. Mężczyzna, którego Travis nazywał Galenem, delikatnie ułożył Cassie w maszynie, a następnie pomógł wejść Jessice.

– Leć. – Machnął ręką do pilota.

Helikopter oderwał się od ziemi i zakołysał nad karetką w momencie, gdy na horyzoncie pojawili się agenci. Jessica zesztywniała na widok Fike'a, który wyskoczył z auta i wyciągnął broń.

– Spokojnie – mruknął Travis. – Nikt nie pociągnie za spust, wiedzą, że na pokładzie znajduje się córka prezydenta.

Miał rację. Nikt nie strzelił, a chwilę później znaleźli się poza zasięgiem kul.

Cassie krzyknęła, a Galen aż podskoczył.

– Jasna cholera! – zaklął.

– Znowu jest w koszmarze. Nie zdążyłem całkiem jej z niego wydobyć. – Travis podczołgał się do Cassie. – Ile mamy czasu?

– Dziesięć minut do lądowania i zmiany maszyny. – Galen się skrzywił, gdy Cassie ponownie krzyknęła. – Zrób coś, dobra? To brzmi strasznie.

– Robię. Mam nadzieję, że dziesięć minut wystarczy. – Zaczął przemawiać do Cassie.

Jessica tuliła Melissę w ramionach i wpatrywała się w niego. Łagodność. Siła. Determinacja. Jak mógł się tak zmieniać z minuty na minutę? Dziś w sypialni Cassie miała ochotę go zabić i wcale jej ta chęć nie minęła. Robił tylko to, co musiał zrobić, i to dla własnej wygody.

– Cuda się zdarzają, nie? – Galen też wpatrywał się w Travisa. – On naprawdę ma z nią kontakt. W czym tkwi jego sekret?

– Dostał fory w Vasaro.

– To prawda – skinął głową Galen. – Pamiętam, kiedy wyszedł z nią z tego gabinetu. Powiedziałem mu, że musimy już iść, ale nie chciał zostawić dzieciaka. Miałem bardzo mało czasu, żeby przekonać go do odejścia.

– Byłeś tamtej nocy w Vasaro?

– Jasne – uśmiechnął się. – Pewnie słyszałaś, że Travis to bohater, ale tak naprawdę chodzi o mnie. Jestem zbyt skromny, żeby przypisać sobie wszystkie zasługi. – Jego uśmiech zbladł. – Nie martw się, nic się wam nie stanie. Wszystko jest przygotowane.

– Jak mam się nie martwić? Nawet nie wiem, co się dzisiaj stało. Skąd wiedzieliście, że wzywaliśmy karetkę?

– Kiedy Travis dowiedział się, że Andreas zamierza go gdzieś upchnąć, zadzwonił do mnie i kazał mi przygotować wóz techniczny.

– Żeby przejąć telefon do szpitala? – Zmarszczyła ze zdumieniem brwi.

– Nie, to było o wiele później. Chciał, żebym wyśledził jego miejsce pobytu po sygnale telefonicznym. Nie był pewien, czy tajni agenci dostosują się do rozkazu prezydenta, żeby nie podsłuchiwać rozmów Travisa. Zażądał, żeby moi ludzie co pewien czas przerywali kontrolę sygnału satelitarnego, kiedy mówił słowo-klucz do van der Becka. Rzecz jasna, nie cały czas, inaczej by się domyślili.

– Van der Becka?

– Nieważne, chyba za dużo nakładłem ci do głowy.

– Owszem. Zresztą wszystkie te techniczne kombinacje będą na nic. – Pokręciła głową. – Andreas wyśle za wami całą policję.

– Zgadzam się, że to wyzwanie.

Popatrzyła na niego ze zdumieniem.

– No dobra, może to trochę więcej, niż zazwyczaj biorę na swoje barki. – Wzruszył ramionami. – Travis obiecał, że wszystko wyprostuje.

– Wyprostuje porwanie córki prezydenta Stanów Zjednoczonych?

– Nawet mi nie przypominaj – skrzywił się. – Jeśli przyswajam po jednej wiadomości naraz, jest w porządku. Kiedy po raz pierwszy powiedział mi o swoim planie, miałem ochotę przetrącić mu kark. Ostatnim razem, gdy się widzieliśmy, tłumaczyłem mu, że nie podoba mi się życie na krawędzi.

– Ale robisz to dla niego. Czemu?

– Jestem mu coś winien. – Wzruszył ramionami. – Jednak gdyby to było normalne zadanie, kazałbym mu poszukać sobie kogoś innego. Ale to... wiele dla niego znaczy.

– Chodzi o pieniądze?

– Pewnie, ale nie tylko. Poza tym ja go lubię – dodał po chwili. – Bóg wie dlaczego. Niełatwo go polubić. Trzeba zburzyć wiele murów, żeby do niego dotrzeć.

– Wobec tego nie będę nawet próbowała. – Oderwała spojrzenie od Travisa. – Na które lotnisko jedziemy?

– Prywatne, na północ od Baltimore. Tam się przesiądziemy do prywatnego odrzutowca i rano będziemy w Antwerpii. Stamtąd pojedziemy do Amsterdamu. – Skrzywił się. – Tłumaczyłem mu, że tam przede wszystkim będą go szukać, ale stwierdził, że to konieczne.

Ze zdumieniem pokręciła głową.

– Mówisz tak, jakby latanie dookoła świata było błahostką. Nawet nie mam ze sobą paszportu.

– Nie szkodzi. Przygotowałem dla ciebie wszystkie dokumenty. W ramach obsługi. Rzecz jasna, powinnaś przywyknąć do nowego imienia. Może Mary albo Marilyn, albo coś takiego. Nie będziesz musiała zbyt często się nim posługiwać, bo i tak unikniemy odprawy. Bułka z masłem.

Fałszywe dokumenty. Nielegalne przekroczenie granicy. Bułka z masłem? Swoboda, z jaką mówił Galen, świadczyła o tym, że przestępstwa to dla niego codzienność. Dla Jessiki jednak był to nowy i przerażający świat.

– Trudno mi w to uwierzyć – westchnęła.

– Zobaczysz. – Jego spojrzenie powędrowało do Melissy. – Lepiej wygląda. Już nie jest taka blada. Narkotyki?

– Nie.

– Jest chora?

– Nie. – Zacieśniła uścisk na ramionach siostry. – Nic jej nie będzie.

Melissa obudziła się, gdy wynosili ją z helikoptera.

– Jessica. – Rozejrzała się wokół w oszołomieniu. – Co do diabła...?

– Wszystko w porządku.

– Nie, nieprawda. Nic nie jest w porządku. Potłuczone. Wszystko potłuczone.

– Możesz chodzić?

– Spróbuję. Ale powoli. Jestem śpiąca... i mam kolana jak z gumy.

– Powolny spacer nie wchodzi w rachubę. – Galen zarzucił ją sobie na ramię i pobiegł ku małemu prywatnemu odrzutowcowi. – Trzymaj się, zaraz będziemy na miejscu.

– Kim pan jest? – zmarszczyła brwi.

– Sean Galen.

– Wszystko w porządku, Mellie. – Jessica biegła obok niego. – Później ci wszystko wyjaśnię.

– Będziesz musiała. – Melissa zamknęła oczy. – Teraz jestem zbyt zmęczona, żeby myśleć. Gdzie Travis?

– Z Cassie.

– Dobrze.

Nagle zatrzepotała powiekami i popatrzyła na Galena.

– Nie. Nie rób tego.

Popatrzył na nią.

– Nie... – Ponownie zamknęła oczy. – Nie pozwól mu, Jessico...

Już spała.

Galen wbiegł po schodkach do odrzutowca i rzucił Melissę na skórzaną kanapę. Wskazał głową zasłonkę, która dzieliła samolot na dwie części.

– Travis jest z przodu, z małą. Proszę usiąść i zapiąć pasy. – Ruszył do kokpitu. – Wynosimy się stąd.

– Chwileczkę.

Odwrócił się i popatrzył na Jessicę.

– Dzwonię do Andreasa.

– Na twoim miejscu pogadałbym o tym z Travisem.

– Nie obchodzi mnie, co Travis ma do powiedzenia. Zadzwonię do Andreasa i poinforumję go, że Cassie jest bezpieczna. Nie martw się – dodała sucho. – Nie puszczę pary z ust.

– Nie uwierzysz, ale to pewnie nie zaszkodzi. Tylko skończ przed upływem dwóch minut. Powiem Travisowi. – Zniknął za zasłoną.

Jessica odetchnęła głęboko i wykręciła numer.

– Ty suko – usłyszała.

– Rozumiem, co pan sobie myśli.

– Ile ci zapłacił za porwanie mojej córki?

– Nie chodzi o pieniądze. Nie miałam wyboru. Bałam się o Cassie i nie widziałam żadnego innego wyjścia.

– Mówiłaś, że jej stan się poprawia.

– Bo się poprawiał, ale tylko chwilowo i...

Travis stanął w przejściu i gestem nakazał jej, żeby przestała rozmawiać.

– Muszę już kończyć. Chciałam tylko powiedzieć, że żadne z nas nie zamierza skrzywdzić pańskiej córki.

– Czego ode mnie żądacie?

– Niczego.

– Chcę rozmawiać z Travisem. Dawaj tego sukinsyna.

– Pokazuje mi, żebym się rozłączyła.

– Powiedz mu, że jeśli tylko ją tknie, złapiemy go i ukrzyżujemy. A ciebie razem z nim.

– Pewnie czułabym to samo. Robi pan to, co musi. Ale Cassie jest bezpieczna i postaramy się, żeby nic jej nie zagrażało. – Rozłączyła się i popatrzyła na Travisa. – Musiałam to zrobić. Nie mogłam dopuścić do tego, żeby przechodził piekło.

– Nie zamierzam się z tobą kłócić. Chodziło mi tylko o to, żebyś skończyła rozmowę, zanim nas zlokalizują. – Odwrócił się do niej plecami. – Zapnij pasy.

Tokio

Andreas popatrzył na Kellera.

– Zlokalizował ich pan?

Tajny agent pokręcił przecząco głową.

– Za szybko się rozłączyła. Gdyby to trwało jeszcze pół minuty...

Andreas zacisnął pięści, aż kostki palców mu pobielały.

– Po co nam cała ta technika rodem z Gwiezdnych Wojen, skoro nie potraficie zrobić tak prostej rzeczy? Jeśli nie możecie znaleźć dziecka, które... – Musiał przerwać i zaczekać, aż odzyska głos. – Obiecał pan, że będzie bezpieczna w Juniper. Teraz znajdźcie moją Cassie, cholera jasna.

– Tak, panie prezydencie. Już powiadomiliśmy Danleya.
– Czy odszukał łącznika Travisa w Amsterdamie?
– Niestety. Byli w mieszkaniu van der Becka pięć minut po porwaniu. Już zdołał zniknąć.
– Niech Danley go zlokalizuje.
– Za dwadzieścia minut Danley odlatuje. Mamy powiadomić media o porwaniu?
– Boże drogi, nie. Jeśli cały świat się dowie, że Cassie jest bezbronna, inne grupy wezmą ją sobie na cel. Skąd, do cholery, mamy wiedzieć, czy Travis nie zadzwoni z jakimiś żądaniami? Rozmawiałem tylko z tą dziwką lekarką. Nie mam żadnej pewności, i dopóki jej nie zyskamy, nikt się nie może dowiedzieć, że Cassie zaginęła. Macie ją odnaleźć.
– Jeśli Travis zmierza do Amsterdamu, możemy potrzebować międzynarodowej pomocy.
– Roześlijcie zdjęcia Travisa i Jessiki Riley do wszystkich wydziałów policji w Europie. Powiedzcie im, że rząd Stanów Zjednoczonych będzie niezwykle wdzięczny za współpracę. Niech pan coś wymyśli, nazwie ich... terrorystami albo jakoś tak. Tylko proszę nie wspominać o Cassie.
– Tak, panie prezydencie.
– Wracam do Waszyngtonu. Proszę wymyślić jakiś pretekst i kazać wiceprezydentowi mnie zastąpić. Powiedzcie wszystkim, że mam grypę.
– Tak, panie prezydencie.
– Keller?
– Tak?
– Niech pan dopilnuje, żeby moja żona się nie dowiedziała. – Głos mu się łamał. – Dopóki nie sprowadzicie mojej córki, moja żona nie może wiedzieć, że nasze dziecko nie jest bezpieczne w Juniper.

Rozdział jedenasty

Melissa obudziła się dopiero nad Atlantykiem.

Wibracje. Ryk silników. Samolot...

Samolot?

Jessica. Gdzie jest Jessica? Drgnęła gwałtownie.

– Ciii. Wszystko w porządku. – Jessica nagle zmaterializowała się obok niej. – Wszystko będzie dobrze, Mellie.

– Nie sądzę. – Usiadła powoli. Rzeczywiście znajdowała się w samolocie, leżała na skórzanej kanapie. – Mam przeczucie, że nic nie jest w porządku. Cassie?

– Śpi z przodu. Jest z nią Travis. Chciałam zostać z tobą.

– Nic jej nie jest? – Usiłowała sobie przypomnieć. – Była karetka...

– Travis to zaaranżował.

– A samolot?

– Też Travis, razem ze swoim przyjacielem Seanem Galenem.

– Dokąd lecimy?

– Do Amsterdamu. Przez Antwerpię.

– Amster... – Melissa odetchnęła głęboko i powiedziała powoli: – Chyba musisz mi wyjaśnić kilka spraw. Kładę się spać w Juniper i nagle budzę się w drodze do Amsterdamu?

– Masz ochotę na kawę?

– Nie, ale chcę wiedzieć absolutnie wszystko, o czym dotąd nie miałam pojęcia.

Jessica westchnęła głęboko.

– Zgoda. Pomyślałam, że może przyda ci się kofeina, zanim zacznę mówić.

Przez kilka następnych minut opowiadała jej o dylemacie, przed którym postawił ją Travis. Melissa od razu zaczęła narzekać.

– Nie mogę w to uwierzyć. Pytałam cię wczoraj, o co chodzi, a ty mnie okłamałaś.

– Niezupełnie. Po prostu nie powiedziałam ci wszystkiego. No dobra, okłamałam cię.

– Dlaczego?

– Decyzja, czy ustąpić Travisowi, należała jedynie do mnie, ty byś tylko skomplikowała sytuację.

– Twoja decyzja? Przecież ja też mam w tym swój udział. Wydaje mi się, że powinnam mieć coś do powiedzenia w tej sprawie.

– Cassie to moja pacjentka.

– Mnie też ciągle traktujesz jak pacjentkę. I dlatego możesz wszystkim rządzić, co? Tylko że ja nie jestem pacjentką i nie dam się tak traktować. Nie jestem chora, nie zwariowałam i potrafię o siebie zadbać.

– Dziś wyglądało na to, że nie za bardzo.

– To cios poniżej pasa.

– Należał ci się. Może i nie jesteś moją pacjentką, ale dopóki łączy cię związek z Cassie, znajdujesz się w takim samym niebezpieczeństwie jak ona. Myślisz, że pozwolę, aby stało ci się coś złego, bo będę się bała zranić twoje uczucia?

Melissa wpatrywała się w nią przez moment, a następnie burknęła:

– Do cholery, mogłabyś choć raz przyznać mi rację, święta Jessico. Pałam słusznym gniewem, a ty rzucasz mi kłody pod nogi. – Potrząsnęła głową. – Mimo wszystko powinnaś mi była powiedzieć. Razem jakoś załatwiłybyśmy Travisa. Jego plan to kompletne wariactwo.

– Myślisz, że tego nie wiem? Tyle, że nie widziałam żadnego wyjścia. Potrzebujemy go.

Melissa pomyślała ze złością, że temu nie da się zaprzeczyć.

– Dlaczego Amsterdam? – zapytała.

– Travis ma tam jakąś sprawę. – Zawahała się. – Nie mówiłam ci, ale zmusiłam go, aby przyrzekł, że zdobędzie dla mnie... Tancerza Wiatru.

– Co takiego? – Melissa zamarła.

– Naciskałam i zmusiłam go do obietnicy, że jakoś znajdzie sposób, żeby Cassie mogła zobaczyć rzeźbę.

– Nie.

– Tak. – Popatrzyła na dłonie Melissy, zaciśnięte na narzucie. – Wiedziałam, że to cię przygnębi, ale się mylisz. Wierzę, że to może jej pomóc. Nie jestem pewna, czy Travis dotrzyma obietnicy, jednak spróbuję go do tego skłonić. Nie mogę przechodzić przez całe to szaleństwo i nie mieć nic z tego dla siebie.

Melissa poczuła skurcz mięśni brzucha.

– Boże, jak mam ci udowodnić, że popełniasz wielki błąd? – wyszeptała.

– Nie zdołasz mnie przekonać. To moja pacjentka i moja decyzja. – Jessica uścisnęła rękę siostry i wstała. – Obawiam się, że tym razem po prostu będziesz musiała się dostosować. Chyba zrobię kawę i kanapki. Jeśli chcesz się przebrać, w łazience są ubrania i szczoteczka do zębów. Masz tam walizeczkę podróżną ze swoim nazwiskiem. – Ruszyła przejściem do tylnej części samolotu. – Galen zatroszczył się o wszystko.

Galen. Melissa przypomniała sobie mężczyznę, który niósł ją do odrzutowca. Ciemne włosy, ciemne oczy, szybki, silny...

I niebezpieczny, bardzo niebezpieczny.

To samo wyczuwała w Travisie. Był zapewne jeszcze bardziej niebezpieczny od Galena. A już na pewno dla niej, bowiem to on obiecał Jessice Tancerza Wiatru. Musiała porozmawiać z Travisem, kazać mu zapomnieć o tej przeklętej rzeźbie.

Szmaragdowe oczy...

Nie teraz. Odsuń wspomnienie, nakazała sobie. Była zdenerwowana i roztrzęsiona, a podczas rozmowy z Travisem musiała mieć jasny umysł.

Jezu, Tancerz Wiatru. Jakby sytuacja nie była i bez tego wystarczająco zła...

Wstała i ruszyła do łazienki.

– Chcę z tobą porozmawiać.

Travis oderwał wzrok od notebooka.

– Jak się czujesz, Melisso?

– Jestem wściekła jak diabli. – Zerknęła na Cassie. Oczy dziewczynki były zamknięte, pewnie spała. Lepiej jednak nie ryzykować. – Musimy pogadać. Prywatnie.

– To mnie nie dziwi. – Wstał i ruszył przejściem. – Możemy jej pilnować z tego miejsca.

– Twoja troska jest doprawdy wzruszająca, biorąc pod uwagę to, na co wcześniej naraziłeś Cassie.

– Nie widziałem innego wyjścia. Wiem, że to musiało być trudne dla niej... i dla ciebie.

– Gówno wiesz. – Jej głos drżał. – Zaufałyśmy ci, a ty nas zawiodłeś. Jakby tego nie wystarczyło, wciągnąłeś Jessicę w swoje idiotyczne gierki. Jeśli nie wsadzą jej do więzienia, straci prawo wykonywania zawodu. Mogłabym cię zabić.

– Zrobię wszystko, żeby to nie zaszkodziło Jessice.

– A co z Cassie? Jessica mówiła mi, że obiecałeś jej Tancerza Wiatru. Nie możesz tego zrobić. Tancerz Wiatru zwiastuje złe nowiny.

– Jeśli Cassie boi się rzeźby, może powinna stawić czoło swoim lękom.

– To będą złe nowiny.

Wpatrywał się w nią uważnie.

– Jeśli Cassie szuka rzeźby, to chyba nie może żywić w stosunku do niej złych uczuć, jak myślisz?

Nie odpowiedziała.

– Tancerz Wiatru znajduje się w muzeum rodziny Andreasów, więc jak zamierzasz go zdobyć? Na pewno są tam rozmaite zabezpieczenia. – Wzruszyła ramionami. – Po co ja się przejmuję? Nie dasz rady dotrzymać słowa danego Jessice. Pewnie złapią cię w Amsterdamie.

– Tego byś chciała?

– Tak. Po co w ogóle lecimy do Amsterdamu? Czy nie tam będą cię szukać?

– Tak. Ale mam tam coś do załatwienia. Muszę się spotkać z przyjacielem.

– Masz przyjaciela? Pewnie niezbyt dobrze cię zna.

– Przez całe życie. On i mój ojciec byli wspólnikami. Pomagał mnie wychowywać. – Uśmiechnął się. – Mówi, że mnie lubi, ale pewnie nie chce się przyznać, że kiepsko mu idzie.

– Bardzo prawdopodobne. – Patrzyła mu prosto w oczy. – Nie ujdzie ci to na sucho, Travis. Nie zamierzam polegać na takim sukinsynu jak ty i nie pozwolę na to Cassie. Kiedy znajdę sposób na to, żeby się od ciebie uwolnić, zadzwonię do Andreasa, a on złapie cię tak szybko, że aż zakręci ci się w głowie.

– Może i jestem sukinsynem, ale przynajmniej was nie opuściłem. Mogłem was zostawić i sam odlecieć helikopterem. To by mi oszczędziło cholernie dużo kłopotów.

– Dziwi mnie, że tego nie zrobiłeś.

– Obiecałem coś Jessice. – Skrzywił się. – Może mi nie uwierzysz, ale nie mógłbym spojrzeć sobie w oczy, gdyby przez to wszystko coś się stało małej.

– Masz rację, wcale ci nie wierzę. – Melissa odwróciła się i odeszła.

To by było na tyle, jeśli chodzi o spokój i opanowanie. Nie należało tracić zimnej krwi. Mogła spróbować skłonić go do zmiany zdania. Wobec tego teraz powinna zrobić to, co zapowiedziała. Znaleźć jakiś sposób ucieczki. Cassie była krępującym ich węzłem. Rozetnij węzeł, a każde pójdzie w swoją stronę.

Tylko jak to zrobić?

Poczyniła wprawdzie pewne postępy w oddzieleniu się od Cassie podczas czterech ostatnich koszmarów, ale szło to bardzo wolno. Nie martwiła się tym, bo sądziła, że mają czas.

Czas jednak uciekał. Jak szybko po przyjeździe do Amsterdamu Travis zajmie się Tancerzem Wiatru? Najprawdopodobniej nie zdoła nic załatwić, ale, cholera, w końcu nie powinien również wydostać się z Juniper. Miał bardzo nikłe szanse, ale mu się udało.

– Przestałaś już się znęcać nad moim przyjacielem?

Melissa zerknęła przez ramię i zesztywniała. Był wyższy, niż zapamiętała, ale od razu rozpoznała te oczy.

– Jesteś Sean Galen.

– Mam ten zaszczyt. – Zauważyła w jego głosie ślad brytyjskiego akcentu. – Pochlebia mi, że zwróciłaś uwagę na moją charakterystyczną osobę. Powinienem już wiedzieć, że nie mogą mnie zapomnieć nawet najbardziej naćpane kobiety.

– Kto ci powiedział, że byłam naćpana? Jessica?

– Nie, ale to było widać.

– Nie byłam naćpana. – Usiadła na kanapie. – Co oznacza, że dosyć kiepsko odczytujesz objawy. Skąd wiedziałeś, że kłócę się z Travisem? Ja cię nie widziałam.

– Siedziałem w kabinie pilota, akurat otwierałem drzwi, kiedy naskoczyłaś na niego. Jako że słynę z dyskrecji, nie ujawniałem się, dopóki nie zniknęłaś. Przy okazji, mógłbym dostać kawę?

– Nie, chciałam trochę odpocząć.

– Wyglądasz na bardzo wypoczętą.

– Już ustaliliśmy, że beznadziejnie odczytujesz objawy.

– Hmm. – Skrzywił się. – Ponieważ nie mogę przyznać, że się mylę, chyba muszę uznać, że chcesz się mnie pozbyć.

– Chyba musisz.

– Dlaczego? – Przechylił głowę. – Większość ludzi ustawia się w kolejce po moje towarzystwo.

– Zanim ich zastrzelisz?

– To był cios poniżej pasa. A myślałem, że tak się nam dobrze układa. Dlaczego to powiedziałaś?

– Przyjaźnisz się z Travisem. – Popatrzyła w inną stronę. – Jessica mówiła, że byłeś w Vasaro i pomogłeś mu w ucieczce z Juniper. Potrafię dodawać i odejmować. – Rozłożyła się na kanapie. – Jeśli nie masz nic przeciwko temu, odpocznę sobie.

– Zaraz pójdę. – Rozsiadł się obok niej. – Tylko jedno pytanie.

– Nie powinieneś zadawać żadnych pytań. Jestem pewna, że podsłuchałeś całą moją rozmowę z Travisem, kiedy praktykowałeś swoją legendarną dyskrecję.

– Tak, to było bardzo interesujące. Później zamierzam wypytać Travisa o szczegóły. To pytanie jednak nie ma z nim nic wspólnego. – Zmrużył oczy, wpatrując się w jej twarz. – Kiedy niosłem cię do samolotu, popatrzyłaś na mnie i powiedziałaś: „Nie rób tego. Nie pozwól mu, Jessico". – Co miałaś na myśli?

– Skąd mam wiedzieć? Nie wiem, co się działo w mojej głowie. – Staw mu czoło, pomyślała. – W końcu nie możesz oczekiwać od kogoś naćpanego jasności myśli.

– Trafiony. – Wstał. – Rozumiem. Nigdy nie zadawaj intymnych pytań nieznajomym.

– To nie było intymne pytanie.

– Czyżby? – uśmiechnął się. – A miałem takie wrażenie. Nieważne, wrócimy do tego później.

Przyglądała się, jak odchodzi. Jej pierwsze wrażenie okazało się trafne. Galen był bardzo niebezpiecznym człowiekiem i im mniej miała z nim do czynienia, tym lepiej. Zapomnij o nim, przykazała sobie.

Lepiej myśl o Cassie.

Zerwij więzy.

Jak?

Musiał istnieć jakiś sposób, żeby wydobyć Cassie z tych koszmarów. Dziewczynka miała w sobie siłę, ale jej samotność była tak wzruszająco widoczna, za każdym razem...

Mój Boże!

Dlaczego rozmawiasz z Cassie w najgorszym momencie? Nie czekaj, aż wciągnie cię w koszmary; spróbuj wejść w łagodniejszy sen.

Była chyba stuknięta. Dotąd nigdy czegoś takiego nie próbowała, i ta perspektywa ją przerażała. Nie miała bladego pojęcia, czy to w ogóle możliwe. Skoro jednak Cassie potrafiła wciągnąć Melissę w swój tunel, dlaczego Melissa nie mogłaby sama tam wejść?

Może istniały zasady dotyczące takich zachowań?

Ale zasady były po to, by je łamać.

Spróbuj. Najlepiej od razu, póki Cassie śpi.

Melissa zamknęła oczy. Jak, do cholery, robi się takie rzeczy?

Skup się...

Amsterdam

– Chcę dostawy dzisiaj, van der Beck. – Karlstadt popatrzył na kanał. – I żadnych sztuczek.

– Cieszę się dobrą opinią. Dobrze wiesz, że nigdy nie oskarżono mnie o oszukanie klienta.

– Nie podoba mi się pomysł transakcji w parku. Na litość boską, tu jest plac zabaw. Będzie zbyt dużo ludzi. Przyjdę do twojego mieszkania o dziewiątej rano.

– Travis lubi, kiedy wokół jest dużo ludzi. Łatwiej zgubić się w tłumie. Albo w parku, albo nigdzie. Mówiłem ci, jak to załatwić, i tak to załatwimy.

Karlstadt zacisnął wargi.

– Lepiej nie znikajcie, dopóki nie przyjrzę się towarowi.

– Jestem pewien, że zamierzasz nas śledzić aż do weryfikacji. – Zamilkł na chwilę. – Przy okazji, mówiłem ci, że jutro dostaniesz tylko połowę? Drugą wyślemy ci do Johannesburga.

– Co takiego?

– To tylko środki ostrożności. Oczywiście, ty dziś wieczorem wyślesz połowę należności na szwajcarskie konto, którego numer ci podałem. Poczekamy na drugą połowę w parku.

– A jeśli zadowolicie się pierwszą połową i wystawicie mnie do wiatru?

– No cóż, ryzykujesz. Obaj jednak wiemy, że Travis nigdy nie złamał słowa podczas transakcji i że byłby głupcem, gdyby próbował cię oszukać. Wie, że nie przestałbyś go szukać, a przedkłada cywilizowane rozrywki nad kryjówki w Trzecim Świecie. Musisz tylko zadać sobie jedno pytanie: „Czy Travis ma towar?". – Uśmiechnął się. – Jestem pewien, że sprawdziłeś tę informację.

– Ma. – Głos Karlstadta brzmiał szorstko. – Rosjanie już by go ścigali, gdyby nie miał.

– Czy to nie szczęście, że układasz się z Travisem zamiast z tymi nierozsądnymi Rosjanami? – Odwrócił się. – Do zobaczenia rano, Karlstadt. Sprawdzę dziś stan konta.

– Van der Beck...

– Tak?

– Przed kilkoma godzinami słyszałem jakieś przykre plotki o naszym panu Travisie. Plotki o tajnych agentach i CIA.

Jan także je słyszał, ale miał nadzieję, że Karlstadt nie dysponuje aż tak dobrymi informatorami.

– Jestem absolutnie pewien, że to kłamstwo.

– Nie obchodzi mnie, dlaczego Travis wkurzył Amerykanów. Wiedz tylko, że to nie może przeszkodzić w transakcji. Bardzo by mnie to zirytowało.

– Nie dopuściłby do tego. – Van der Beck umilkł na moment. – Dobrej nocy, Karlstadt. – Zszedł pospiesznie z mostu na ulicę.

Czuł na sobie spojrzenie Karlstadta, ale się nie odwrócił. Facet lubił gierki polegające na zastraszaniu i byłby zachwycony, gdyby wiedział, że van der Beck się niepokoi.

A bez wątpienia tak było. Travis dał mu zbyt wielkie pole manewru w związku z tą transakcją. Mógłby poradzić sobie z Karlstadtem, ale denerwowała go sprawa Henriego Clarona. Robił się za stary, żeby nad wszystkim zapanować.

Popatrzył na niebo. Travis zapewne znajdował się o kilka godzin drogi stąd, wkrótce sam zajmie się wszystkim. Travis był młody i ostry, taki jak van der Beck w czasach, gdy pracował z jego ojcem. Boże, ile to już lat.

Jeszcze tylko kilka godzin.

– Jesteś.

Melissa czuła, jak radość i ożywienie Cassie wciągają ją w gęstą ciemność.

– Najwyraźniej. Chociaż długo trwało, zanim tu dotarłam. Trudno się tego nauczyć.

– Zostaniesz?

– Nie, wpadłam z wizytą.

– Och. – Rozczarowanie. – Samotna.

– Już to przerabiałyśmy. Nie musisz być samotna.

– Nie, jeśli zostaniesz. – Milczenie. – Nie jesteśmy... razem. Musimy być razem.

– Nie, nie musimy. Przyjaźnimy się, możemy istnieć osobno i nadal się przyjaźnić.

– Lepiej razem.

Melissa czuła, jaki wysiłek podejmuje dziecko, usiłując przyciągnąć ją bliżej, wchłonąć. Jezu, Cassie była naprawdę silna.

– Przestań albo będę musiała odejść.

– I tak odejdziesz. – Smutek. – Sama mówiłaś.

– Ale wrócę, jeśli nie będziesz mnie zasmucać.

– Bycie razem nie jest smutne. – Jednak wysiłek związany z przyciąganiem zelżał, a po chwili zniknął.

– Dla mnie jest. Chcę się z tobą przyjaźnić, jak twoja mama i twój tata.

– Nie ma.

– Nie musi ich nie być.

– Ale nie mogą przyjść do tunelu.

– Ty możesz wyjść.

– Nie ma. – Melissa czuła panikę Cassie, niczym trzepotanie schwytanego ptaka. – Nie mogą wejść.

Cassie zaś nie mogła wyjść. Mogła jednak przyzwyczaić się do tej myśli. Jessica uważała, że ciągłe przypominanie pomaga, i stosowała je w swojej terapii.

– Razem. – To było najsilniejsze szarpnięcie Cassie.

Melissa walczyła z nią przez kilka wyczerpujących minut. Kiedy w końcu się od niej oderwała, czuła się zupełnie wykończona.

– Dosyć tego. Ostrzegałam cię. Do widzenia, Cassie,

– Nie. – Smutek. Panika. – Zostań. Już tego nie zrobię.

– Może zostanę jeszcze chwilę. Ale w tym tunelu jest nudno. Żadnych drzew, żadnych jezior. Nic ładnego.

– Bezpiecznie.

– Nudno.

– Nie, jeśli znajdziemy Tancerza Wiatru. On wszystko naprawi... Co się stało? Boisz się. – Panika. – Idą potwory?

– Nie. – Melissa usiłowała ukryć strach. – Nie ma potworów. Niepotrzebny nam Tancerz Wiatru. Opowiedzieć ci o swoim domu w Juniper? Widziałaś tylko jeden pokój, ale tam jest o wiele więcej. Staw, wierzby i altana, gdzie rośnie fioletowy powojnik....

– Mellie. – Melissa zdała sobie sprawę, że Jessica nią potrząsa. – Obudź się. Za kilka minut lądujemy.

To ją natychmiast otrzeźwiło. Usiadła i szeroko otworzyła oczy.

– Amsterdam?

– Nie, Antwerpia. Jakieś małe lotnisko za lasem, które, jak mówi Galen, służy handlarzom narkotyków.

– Cudnie. Właśnie z takimi ludźmi zawsze chciałam się zadawać.

– Załatwił furgonetkę, która zawiezie nas do Amsterdamu. – Jessica zmarszczyła brwi, patrząc na siostrę. – Strasznie mocno spałaś. Nie mogłam cię dobudzić.

To jej nie zdziwiło. Była całkowicie wyczerpana, kiedy w końcu zdołała opuścić Cassie. Nadal czuła się pusta.

– Miałam ciężką noc. – Wstała i ruszyła do łazienki.

Dlaczego nie powiedziała Jessice, że udało się jej dotrzeć do Cassie? Nie cierpiała ukrywać pewnych spraw przed siostrą, ale ostatnio najwyraźniej nie robiła nic innego. Może później. Jak dotąd niczego tak naprawdę nie dokonała, a Jessica miała wystarczająco dużo problemów z udziałem Melissy w koszmarach Cassie. Melissa mogła sobie wyobrazić, jak by jej siostra szalała, gdyby dowiedziała się o tej zwykłej wizycie u Cassie podczas normalnego snu.

Zwykła wizyta? Nad tym trzeba będzie popracować. Na razie kontrolowanie więzów z Cassie wymagało gigantycznego wysiłku.

Travis i Sean Galen czekali na nią pod łazienką.

– Usiądź – powiedział Travis. – Zaraz lądujemy.

– Gdzie Jessica? – Usiadła i zapięła pas.

– Na przodzie, z Cassie. Chciała tam być na wypadek, gdyby mała się obudziła i zaniepokoiła.

Jakby Jessica miała pojęcie, kiedy Cassie czuje się zaniepokojona, pomyślała ze smutkiem. Melissa, miała tylko niejasne przeczucie dotyczące Tancerza Wiatru. Jej siostra, poruszała się całkiem po omacku.

– No dobra, powiedz mi, jak zamierzasz to załatwić, Travis. Rozumiem, że masz jakiś plan, dzięki któremu nie zastrzelą nas tuż po lądowaniu.

– Nie, zostawiłem to Galenowi. Jeśli cię zastrzelą, obwiniaj jego.

– Żebyś wiedział. – Odchyliła się w fotelu. – Galen?

– Udało mi się znaleźć dla waszej trójki miejsce na małej farmie pod Amsterdamem. Skontaktowałem się z paroma ludźmi w Holandii, powitają nas i będą naszą obstawą. Zostaniemy na farmie i będziemy was chronić, kiedy Travis pojedzie zająć się swoimi interesami.

– Ile ci to zajmie, Travis?

– Jeśli więcej niż osiem godzin, wszyscy znajdziemy się w kłopotach. CIA nie zasypia gruszek w popiele. Nie zdziwiłbym się, gdyby obstawili wszystkie lotniska w Holandii.

– Czyli jeszcze więcej kłopotów – stwierdziła Melissa. – I co potem?

– Zobaczę, czy zdołam jakoś wykraść Tancerza Wiatru z muzeum rodziny Andreasów.

– Mowy nie ma.

– Galen? – spytał Travis.

– To trudne – mruknął Galen. – Trzeba pieniędzy. Dużo pieniędzy. Naprawdę chcesz go ukraść?

– Wystarczy pożyczyć. Potrzebuję co najmniej czterech godzin, żeby Cassie miała szansę zareagować na rzeźbę.

– Zapomnij. To nic nie da – powiedziała bezbarwnym głosem Melissa.

– Mam świadomość, jak się czujesz. – Travis patrzył na nią uważnie. – Tylko nie potrafię zrozumieć dlaczego.

– Mówiłam ci dlaczego.

– Jak mówiłem, nie potrafię tego zrozumieć. – Uśmiechnął się. – Jestem jednak pewien, że się domyślę.

Rozdział dwunasty

5.20

Kamienny dom stał kilka kilometrów od drogi, w otoczeniu drzew. Składał się z olbrzymiej kuchni, łazienki oraz dwóch małych sypialni, umeblowanych po spartańsku, jednak wyjątkowo czystych.

– Zanieś Cassie do jednej z sypialni – powiedziała Jessica. – Kiedy już ją ułożę, muszę jej przygotować coś do jedzenia.

– Ja się tym zajmę. – Melissa ruszyła do kuchni.

Travis położył Cassie na łóżku i popatrzył na nią. Jak zwykle nie bardzo wiedział, czy dziewczynka śpi, czy też jest świadoma sytuacji.

– Cześć – odezwał się cicho. – Pewnie to wszystko cię przeraża, ale się ułoży, daję słowo.

– Nie obiecuj niczego, czego nie jesteś w stanie dotrzymać. – Jessica wyszła z łazienki z miską i ręcznikiem. – Zwłaszcza że Cassie znajduje się dość nisko na liście twoich priorytetów.

– Dotrzymam tej obietnicy. – Miał nadzieję, że mówi prawdę.

Kiedy wrócił do kuchni, Galen pojawił się w drzwiach wejściowych.

– Bezpiecznie? – zapytał go.

– Na pierwszy rzut oka tak. Dwóch moich ludzi przeszukuje dla pewności teren, z lotniska nikt nas nie śledził. – Galen usiadł przy stole. – Na twoim miejscu trzymałbym się tego ośmiogodzinnego limitu. Zbyt długie przebywanie w jednym miejscu jest niebezpieczne. Ruszaj się.

– Właśnie to robię.

Idąc w stronę samochodu wypożyczonego przez ludzi Galena, zadzwonił do Jana van der Becka.

– Jadę do parku – oznajmił. – Jakieś kłopoty?

– Nie, wyszedłem z mieszkania w chwili, gdy Galen powiadomił mnie, że twój wyjazd jest pewny, i przeniosłem się do nowego lokalu. To ty masz kłopoty. Nawet Karlstadt o nich słyszał. Podobno wziąłeś coś, co do ciebie nie należy. Co ty kombinujesz, Michael?

– Sprawy się trochę skomplikowały.

– Pamiętam, jak mówiłeś to w dzieciństwie. Zawsze ci powtarzałem, że to ty je skomplikowałeś. Powinieneś wszystko upraszczać.

Z pewnością wszystko pokomplikowałem w Juniper, pomyślał ze smutkiem Travis. Jessica mogła wzywać go do Cassie, ale nikt mu nie kazał skakać na główkę w nieznane odmęty.

– Co z przelewem na szwajcarskie konto?

– Poszedł. Powiedziałem Karlstadtowi, że rano dostanie tylko część towaru, a resztę wyślemy do Johannesburga. Na wypadek, gdyby postanowił poderżnąć nam gardła w parku.

– Niegłupie.

– Jasne. Czekam na swój rejs, a śmierć zdecydowanie by mi w nim przeszkodziła. Nie miałbyś ochoty popłynąć ze mną? Byłoby jak za dawnych dobrych czasów.

– Może przyłączę się później. Przez pewien czas będę trochę zajęty.

– Rozumiem – westchnął van der Beck. – Pamiętaj, upraszczaj.

– Zrobię, co w mojej mocy. – Travis zaśmiał się głośno. – Zacznij się pakować. Spotkamy się w parku najpóźniej o ósmej.

– Co u niej? – spytała Melissa Jessicę wychodzącą z sypialni.

– Nie zauważyłam żadnych zmian. – Jessica usiadła na krześle naprzeciwko Galena. – Nie sądzę, żeby podróż jej zaszkodziła. – Ze znużeniem potarła skroń. – Tylko co ja wiem? Czasem mi się wydaje, że wcale nie pomagam tym dzieciakom. Jak mogłabym pomóc, skoro nie mogę...

– Bzdury. – Melissa postawiła przed siostrą talerz z zupą. – Po prostu jesteś zmęczona. Jasne, że im pomagasz. Sprowadziłaś mnie z powrotem, prawda? A Donny, a Eliza Whitcomb, a Pat Bellings i Darren Jenk...

– Dobrze, dobrze – przerwała jej Jessica i uniosła dłoń. – Zrozumiałam. Jestem cudowna.

– Raczej cholernie dobra. – Melissa się zawahała. – Zastanawiałam się jednak, czy nie jesteś nieco zbyt cierpliwa w stosunku do Cassie.

– Jak to?

– Ona się różni od innych twoich małych pacjentów. Jest bardzo silna. Może powinno się podziałać na nią siłą.

– Ty także byłaś silna. – Jessica zmarszczyła brwi. – Myślisz, że ciebie też traktowałam zbyt łagodnie?

– Nie, jasne, że nie. Wszystko robiłaś tak jak trzeba. Zastanawiałam się tylko... Pamiętasz, mówiłam ci, że moim zdaniem ona coś ukrywa. Myślisz, że wykorzystuje potwory jako pretekst, żeby siedzieć w tym tunelu?

– To dość skomplikowana teoria. Ona ma siedem lat, Mellie.

– Mówiłaś, że ojciec Cassie opowiadał o jej niezwykłej wyobraźni. Dodaj do tego niezłomną wolę, a możesz... Hm, sama nie wiem. Przemyśl to. A teraz jedz tę zupę, zanim wrócisz do Cassie. – Zerknęła na Galena. – Też chcesz?

Pokręcił przecząco głową i wstał.

– Zamierzam się rozejrzeć po terenie i załatwić kilka telefonów. Kiedy tylko Travis skończy ten swój interes z van der Beckiem, przyciśnie mnie, żebym załatwił wam dostęp do Tancerza Wiatru. Zawsze lubię być parę kroków do przodu.

– W porządku. – Jessica zabrała się do jedzenia. – To jedyna dobra rzecz, jaka może wyjść z tego chaosu. Chcę mieć szansę pomóc Cassie, zanim nas złapią i ustawią przed plutonem egzekucyjnym.

– Nie bądź taką pesymistką. – Galen uśmiechnął się do niej. – Gdyby Travis nie dysponował moją bezcenną pomocą, miałabyś się czym przejmować, ale przypisuje mi się reputację cudotwórcy.

– Bóg wie, że potrzeba nam cudu – mruknęła Jessica po jego wyjściu.

– Nie, potrzeba nam umowy z Andreasem, żebyśmy zakończyły to szaleństwo – sprostowała Melissa. – Mógłby zmusić Travisa do pomocy Cassie.

Jessica wzruszyła ramionami.

– Mówiłam ci, co się stało, kiedy stwierdziłam, że blefuje. Nie zaryzykuję ponownie.

– Sukinsyn. – Melissa przez chwilę milczała. – Nie musisz się o mnie martwić. Daję sobie radę w tej sytuacji.

– Pozostaje jeszcze Cassie.

Melissa zacisnęła usta.

– Ty nie zechcesz ryzykować.

– Też byś tego nie zrobiła.

– Czyżby? Czasem trzeba robić rzeczy, na które się nie ma ochoty. – Ruszyła do drzwi. – Skończ tę zupę. Pogadam z Galenem. Mam cholerną nadzieję, że nic mu nie wyjdzie z tych telefonów.

Galen opierał się o drzewo kilka metrów za werandą. Wyłączył telefon na widok wychodzącej z domu Melissy.

– Spodziewałem się ciebie.

– Dlaczego?

– Nie należysz do tych, którzy spokojnie siedzą, kiedy coś ich gryzie.

– Skąd wiesz?

– To ta moja intuicja. W tej chwili podpowiada mi, że zamierzasz mnie męczyć pytaniami o postępy.

– Uważaj się za męczonego.

– Sytuacja wygląda obiecująco. Oczywiście jeśli Travis wróci z gotówką. Nie należy wybrzydzać na milion dolarów.

– Za Tancerza Wiatru?

– A skąd. Za przywilej spędzenia czterech godzin sam na sam z rzeźbą.

– Milion dolarów za kilka godzin? Nigdy na to nie pójdzie.

– Chciałabyś.

– To nie pomoże Cassie.

– A szok?

– To nie pomoże. – Zacisnęła pięści. – No i ja tego nie chcę. Nie przekazuj Travisowi tej propozycji.

– Słucham?

– Nie wiem, ile ci płaci, ale ja zapłacę więcej.

– Masz takie pieniądze?

– Rodzice zostawili mi całkiem spory spadek. Mam fundusz powierniczy.

– Wykorzystasz go, żeby mnie przekupić?

– Zapłacę ci, ile zechcesz, ale zapomnij o Tancerzu Wiatru. Jeśli zabraknie mi pieniędzy, jakoś je załatwię.

Pokręcił głową.

– Skoro nie chcesz pieniędzy, wymień swoją cenę. Zrobię wszystko, czego zechcesz.

– Czyżbyś oferowała mi swoje usługi seksualne?

– Zrobiłabym to, gdybym myślała, że to ma jakiś sens. Ale ja cię nie pociągam. Jesteśmy zbyt podobni do siebie.

– Doprawdy?

– Tak. Musiałeś to wyczuć. To byłoby jak seks z własną siostrą.

– Zdecydowanie nie interesuje mnie kazirodztwo. – Roześmiał się.

– Powiedz mi, czego chcesz, a ja to zrobię. – Usiłowała ukryć desperację w głosie. – Nie jestem głupia i mam silną motywację. To zazwyczaj załatwia sprawę.

Jego uśmiech zbladł.

– Skoro jesteśmy tacy podobni, to powinnaś wiedzieć, że nie zdradziłbym przyjaciela. Mam staroświeckie zasady.

Wiedziała, że szanse są mizerne, ale musiała spróbować.

– Mówię poważnie. Zrobię wszystko. Przemyśl to. Musi być coś, czego pragniesz, a czego nie chce zrobić nikt inny. Nieczęsto otrzymuje się takie propozycje.

– Trudno o tym nie myśleć. – Zmrużył oczy. – Widzę, że będę musiał mieć na ciebie oko. Bardzo się tego uczepiłaś. Równie dobrze możesz zdecydować się wydać nas Andreasowi.

Rany, był naprawdę bystry.

– Jeśli rozmawiałeś z Travisem, wiesz, że to nie wchodzi w grę.

– Nie byłbym taki pewien. – Wzruszył ramionami. – Wejdź do domu. Nie chcę, żeby ktoś miał okazję cię zobaczyć. Ludzie zapamiętują urodziwe kobiety. Muszę sprawdzić, co z naszą obstawą w lesie.

Stłumiła rozpacz, kiedy odchodził. Sporo ryzykowała, ale sama uznała, że warto. No cóż, nie wyszło. Przed powrotem Travisa będzie musiała wymyślić coś innego.

Jeśli Travis wróci. Odniosła wrażenie, że „interes" Travisa nie należy do bezpiecznych. Nigdy nie prowadził bezpiecznego życia i nie było powodu, dla którego teraz miałby to zmienić. Możliwe, że wcale nie wróci. Może go zabiją albo zmuszą do ucieczki. Może niepotrzebnie się przejmowała. Może je opuści, jeśli uzna, że jego życie jest zagrożone.

Nie, nie opuściłby ich. Mimo że się go bała i nie lubiła, wiedziała, że Travis dotrzyma obietnicy złożonej Jessice. Tak bardzo pragnęła, by tego nie zrobił. Kostki domina przewracały się coraz szybciej, nie potrafiła ich powstrzymać.

Odejdź, Travis. Nie wracaj.

Błagam, nie wracaj.

– Nareszcie. – Jan van der Beck zamknął Travisa w niedźwiedzim uścisku. – Najwyższy czas, żebyś wrócił i wziął sprawy w swoje ręce. Jestem na to za stary.

Travis się roześmiał i zrobił krok do tyłu.

– Nie byłeś zbyt stary, żeby uganiać się za tą ładniutką włoską hrabiną pół roku temu. Płynie z tobą w rejs?

– Istnieje taka możliwość. Ma córkę, na wypadek gdybyś był zainteresowany. Podobno nie brak jej rozumu. Chociaż nigdy nie rozumiałem, dlaczego to dla ciebie takie ważne. Głupota jest o wiele bardziej relaksująca. – Ruszył w stronę pobliskiego placu zabaw. – Gdzie towar?

– W kieszeni mojej marynarki. – Zrównał krok z Janem. – Nie śledzono cię?

– Czyżby teraz uczeń przepytywał nauczyciela? Nigdy mnie nie śledzą, jeśli tego nie chcę. – Spojrzał na Travisa, który przypatrywał się okolicznym drzewom. – Nie dowierzasz mi. Czuję się urażony.

– Przepraszam. To nałóg. Przez ostatnie miesiące musiałem zachowywać ostrożność.

– Teraz także, najwyraźniej. Te fałszywe wąsy zupełnie do ciebie nie pasują.

– Pomyślałem, że nie zaszkodzą. Jeden z informatorów Galena powiedział mu, że mają rozdać moje zdjęcie wszystkim policjantom w Amsterdamie. Miejmy nadzieję, że jeszcze do nich nie dotarło.

– Na pewno nie przyjdzie im do głowy, że będziesz przechadzał się w publicznym miejscu. – Zastanowił się nad tym. – Chociaż może.

– Dzięki za pociechę. Czyżbyśmy mieli zostawić tę paczkę dla Karlstadta w budce telefonicznej?

– W chwili gdy się upewnimy, że pieniądze są w koszu na śmieci.

– W którym koszu?

– Tym czerwonym koło bramy. – Uśmiechnął się szeroko. – Tym, któremu dyskretnie przygląda się brodacz obok stoiska z watą cukrową. Mówiłem, że Karlstadt będzie się niepokoił.

Travis zerknął na mężczyznę, którego wskazał Jan. Przystojny blondyn, okrągła twarz, broda. Kiedy tak patrzył, nieznajomy od niechcenia złożył gazetę i podszedł do ławeczki przy bramie. Travis ściągnął brwi.

– Jest w nim coś znajomego – mruknął.

– Skąd możesz wiedzieć, skoro ma taki bujny zarost? Pewnie równie fałszywy jak twoje wąsy.

– Sam nie wiem. Po prostu... coś. – Wzruszył ramionami. – Może kiedyś na niego wpadłem, jeśli to najemnik.

– Możliwe. Niepokoi cię to na tyle, żeby zrezygnować?

Czy się niepokoił? Zawsze się niepokoił, kiedy transakcję zakłócało coś niespodziewanego. Jednak coś znajomego nie oznaczało rozpoznania...

– Chyba nie.

– To dobrze – stwierdził Jan. – Chcę sfinalizować tę transakcję. Nie sądzę, żeby człowiek Karlstadta usiłował nas powstrzymać, jeśli zobaczy, że dokonujemy wymiany. Zresztą Karlstadt wie, że masz jedynie połowę towaru.

– Kończmy z tym i wyślijmy cię w ten rejs. – Poczekał, aż tłum wokół wejścia na plac zabaw się przerzedzi, zanim ruszył do czerwonego kosza na śmieci, cały czas mając na oku mężczyznę przy bramie. – Reklamówka ze sklepu?

– Zgadza się. De Bijenkorf.

Reklamówka leżała wciśnięta po jednej stronie pojemnika, przykryta gazetą. Jak dotąd wszystko w porządku. Gdy Jan go zasłaniał, Travis wyjął torbę i pośpiesznie ruszył ku budce telefonicznej.

– Chodź, Jan – powiedział. – Już widzę, jak wchodzisz na trap. Dałeś ra...

Kliknięcie.

Tłumik.

Cholera.

Rzucił się na ziemię i sięgnął po pistolet.

– Na ziemię, Jan.

– Za... późno. – Jan już się osuwał. – Moja noga. Uciekaj, Michael.

Blondyn biegł ku nim z wyciągniętą bronią.

Następny strzał.

Kula świsnęła obok ucha Travisa. Rzucił się na trawę, przetoczył i sam wystrzelił.

Mężczyzna się zachwiał, z jego ramienia trysnęła krew. Jednak zdążył dotrzeć do Jana. Złapał Holendra za koszulę, zmuszając go do klęknięcia, a następnie przytknął mu pistolet do skroni.

– Rzuć broń i podaj mi pieniądze, Travis.

– Pieprz się. Puść go albo będziesz miał kulę w mózgu, zanim zdołasz pociągnąć za spust.

– Rób, co ci każę, a go nie zabiję. Właściwie to jestem wdzięczny van der Beckowi. Bardzo mi się przydał. Dawaj pieniądze, a daruję mu życie. – Jego palec zacisnął się na spuście. – Sprawiłeś mi całą furę kłopotów, ale pozwolę ci jeszcze żyć. Twoja użyteczność chwilowo jest nieoceniona.

– Kłamiesz. Nie zrobisz tego. Tu wszędzie są świadkowie.

– Nie cierpię świadków, ale zrobię wyjątek. Spójrz na mnie.

Ten zimny sukinsyn naprawdę mógł zabić. Travis rzucił mu torbę.

– Odkładam broń. A teraz odsuń się od niego.

– Bardzo mądrze. – Zerknął przez ramię, gdy usłyszał jakiś hałas przy bramie. Biegło ku nim kilku strażników. Uśmiechnął się. – Nieważne. Chętnie bym to jeszcze trochę pociągnął, ale chyba i tak nam przeszkodzą. Innym razem.

Strzelił Janowi prosto w głowę.

– Nie!

Ból wstrząsnął Travisem na widok krwi i mózgu Jana na ziemi.

– Jan!

Nie żył.

Mężczyzna, który to zrobił, biegł ścieżką do ulicy.

Travis złapał broń, zerwał się na równe nogi i ruszył za zbiegiem. Słyszał za sobą krzyki strażników parkowych.

Następny strzał. Tym razem z broni bez tłumika.

Kto strzelał?

To nie miało znaczenia. Liczyło się tylko złapanie i wyeliminowanie sukinsyna, który biegł przed nim.

Piekący ból.

Coś ciepłego i mokrego spływało mu z boku.

Biegnij.

Mężczyzna wypadł na ulicę i wskoczył do małego volvo.

Travis uniósł broń, ale zanim zdążył wycelować, auto zjechało z krawężnika.

Zabójca zbiegł. Travis z bezsilną wściekłością patrzył, jak samochód znika za rogiem.

Krzyki z tyłu. Jeszcze jeden strzał.

Uciekaj. Potem znajdziesz sukinsyna.

Przebiegł przez ulicę, zanurkował w alejkę, a potem skręcił za róg. Zaparkował cztery ulice dalej. Do auta. Wracaj do domu na farmie.

Ciągle czuł przeszywający ból. Morderstwo. Eksplodująca głowa Jana.

Nie myśl o tym.

Do domu na farmie.

Jan...

Rozdział trzynasty

– Podaj mi apteczkę, Melisso. – Galen otworzył drzwi i pomógł Travisowi wejść do kuchni. – Ten dupek dał się postrzelić. Powinienem był z nim jechać.

– Postrzelić? – Melissa poczuła, że jej serce mocniej bije. – Poważnie?

– Rana od kulki nigdy nie jest niepoważna. – Galen ostrożnie posadził Travisa na krześle. – Tylko musnęła żebra, ale stracił trochę krwi.

– Kto to zrobił?

– Nie jestem pewien. – Travis pokręcił głową. – Muszę o tym pomyśleć. Zabandażuj mnie i daj mi coś, żebym mógł się zastanowić.

– CIA?

– To nie ma nic wspólnego z Cassie.

– Skąd wiesz, że nie…

– Zabandażuj ranę, zanim weźmiesz go w krzyżowy ogień pytań – przerwał jej Galen. – Podobno kobiety to łagodniejsza płeć.

– Zamknij się. Idź do sypialni i przynieś torbę lekarską Jessiki, ale jej nie budź. Dopiero się położyła.

– To lekarka. Może powinniśmy…

– Ja się tym zajmę. Nie życzę sobie, żebyście ją niepokoili.

– Boże broń – mruknął Travis. – Nie chcemy przeszkadzać twojej siostrze.

– Nie, pewnie że nie. I tak naraziłeś ją na piekło. – Podeszła do zlewu i napełniła miskę wodą. – Zdejmij koszulę. – Widziała, jak Travis próbuje to zrobić, i mruknęła przez zaciśnięte zęby: – Daruj sobie. Wyglądasz, jakbyś miał zemdleć. Pomogę ci. – Postawiła miskę na stole i ostrożnie ściągnęła koszulę z mężczyzny. – Rozumiem, że twój „interes" nie poszedł tak, jak powinien.

– Jak widać. Pospiesz się, dobra?

– Spieszę się. Myślisz, że się nad tobą rozczulam?

– Tu jest torba. – Galen położył ją na stole i otworzył. – Mogę coś zrobić? Całkiem dobrze radzę sobie z pierwszą pomocą.

– Nie wątpię. – Melissa zręcznie oczyściła długą, poszarpaną ranę. – Wszystkie te bitewne rany...

– Co takiego?

– Nic. Daj mi ten środek odkażający. – Zerknęła na Travisa. – Będzie bolało. – Nie czekała na odpowiedź, tylko nałożyła środek na otwartą ranę. Nawet nie mrugnął. Wyglądał, jakby nic nie poczuł. Wykrzywiła usta. – Macho.

– Tak, a bo co? – Travis spojrzał na Galena. – Łap za telefon i znajdź nam inną kryjówkę. Nie śledzono mnie, ale muszę mieć pewność, że człowiek, który zabił Jana, nie może...

– Jan nie żyje? – przerwał Galen. – Boże. Tak mi przykro, Travis.

– Mnie także. – Travis przeniósł spojrzenie na Melissę. – Już ze mną skończyłaś?

– Chciałabym. – Zakończyła opatrywanie rany. – To ci powinno pomóc. – Podała mu trzy tylenole. – Nie boli cię aż tak, żebyś dostał coś mocniejszego.

– Wystarczająco mocno mnie boli.

Uświadomiła sobie, że nie mówił o bólu fizycznym. Poczuła nikły przypływ współczucia.

– Jeśli kręci ci się w głowie, to nie ze względu na tę ranę.

Przełknął tylenol i odezwał się do Galena:

– Wiedział, że przyjdziemy, i wiedział o pieniądzach. Albo to był człowiek Karlstadta, albo ktoś, kto miał dostęp do informacji.

Powiedział, że Jan bardzo się przydał. W zeszłym tygodniu Jan znalazł w swoim mieszkaniu dwie pluskwy. Myślał, że może podrzuciła je CIA, ale... – Potrząsnął głową. – Może był podwójnym agentem, ale wątpię. Muszę to przemyśleć. I wydostać nas stąd.

– Paryż?

– Czemu nie? – Wzruszył ramionami.

– Dobrze. – Galen wstał i wziął do ręki swój telefon. Zawahał się. – Naprawdę mi przykro. Wiem, że był dla ciebie jak rodzina. – Wyszedł z domu.

Melissa ledwie usłyszała ostatnie słowa.

– Paryż? Dlaczego Paryż?

– Doskonale wiesz dlaczego – odparł ze znużeniem. – Złożyłem obietnicę i jak najszybciej chcę się z niej wywiązać.

– Niech to szlag. – Zamknęła oczy.

– Zgadzam się z tobą. – Włożył koszulę. – Wiem, miałaś nadzieję, że zmienię zdanie ze względu na śmierć Jana.

Zabolało go to wspomnienie. Czuła jego ból, chociaż wcale tego nie chciała, cholera jasna. Otworzyła oczy i popatrzyła na Travisa.

– Nic nie poradzę, że zginął twój przyjaciel. Musiał być stuknięty, inaczej nigdy nie związałby się z tobą. Powinieneś był wyciągnąć z tego jakieś wnioski, ale nie wyciągnąłeś. Brniesz przed siebie na ślepo i nic cię nie obchodzi, czy kogoś skrzywdzisz.

– Nikogo nie skrzywdzę.

– Powiedz to swojemu przyjacielowi Janowi.

Skrzywił się.

– Dobrze byś się bawiła, gdybyś była lekarzem jeszcze przed wynalezieniem środków znieczulających. – Skończył zapinać koszulę. – Jeśli nie masz nic przeciwko temu, wyjdę poszukać Galena. Muszę się przewietrzyć.

Zacisnęła pięści, gdy wychodził. Sprawiła mu ból, ale postanowiła, że prędzej szlag ją trafi, niż okaże skruchę. Był wystarczająco twardy, by znieść niemal wszystko, więc ona także musiała być twarda.

Odniosła torbę lekarską Jessiki do sypialni i postawiła ją na krześle obok nocnego stolika. Jessica leżała zwinięta na łóżku tuż przy Cassie. Melissa wpatrywała się w dziecko i w swoją siostrę, która była gotowa wyrzec się wszystkiego, by chronić pacjentkę. Obie spały głęboko, a ona poczuła nagły przypływ troski. Dziwne. To Jessica zawsze jej matkowała, to ona stanowiła oparcie w tym niepewnym świecie.

Jednak nie teraz. To przerosło Jessicę. Być może Melissę również, ale zamierzała z tym walczyć.

Podeszła do drugiego stolika, otworzyła torebkę Jessiki i zaczęła ją przeszukiwać.

– Nic ci nie jest? – spytał Galen, podchodząc do Travisa. – Nie powinieneś odpoczywać?

– Ze względu na tę ranę? Słyszałem, że kiedyś w Tanzanii przeszedłeś osiem kilometrów z maczetą w nodze.

– Tak, ale nie każdy jest takim supermanem jak ja. Zresztą zawsze odpoczywam, jeśli mogę sobie na to pozwolić. – Spojrzał na zegarek. – Masz czterdzieści pięć minut do przybycia transportu. Idź do domu i usiądź.

– Tu lepiej wypocznę.

– Rozumiem – pokiwał głową Galen. – Ona zdecydowanie nie chce, żebyś szukał Tancerza Wiatru.

– Będzie musiała się z tym pogodzić. – Travis oparł się o framugę drzwi. – Udało ci się to załatwić?

– Znalazłem człowieka, Paula Guilliame'a, zastępcę kustosza w muzeum. Słynie ze słabości do łapówek.

– Tancerz Wiatru to co innego.

– Jednak słabość charakteru Guilliame'a bardzo się nam przyda, jeśli wystarczy pieniędzy i odpowiednio naświetlimy sprawę. – Uśmiechnął się. – A ja zawsze odpowiednio naświetlam sprawy.

– Muszę wiedzieć coś jeszcze.

Galen popatrzył na niego pytająco.

– Myślę, że znam człowieka, który zabił Jana. On z pewnością znał mnie. Chciał, żebym to ja zginął, nie Jan.

– Czego chcesz ode mnie?

– Znajdź kogoś, kto włamie się dla mnie do komputerów Interpolu. Muszę spojrzeć na zdjęcia kryminalistów.

– Jeśli nie masz żadnego punktu zaczepienia, zajmie ci to jakieś pięćdziesiąt lat.

Travis o tym wiedział, ale musiał od czegoś zacząć.

– Wobec tego poświęcę temu pięćdziesiąt lat. Znajdź mi hakera.

Galen pokiwał głową.

– Nie mogę obiecać, że go znajdę, zanim dotrzemy do Paryża, ale poszukam.

– Dobrze. – Wcale nie było dobrze. Teraz w niczym nie widział dobrych stron. Jan...

– Chcesz o nim porozmawiać? – spytał cicho Galen. – To czasem pomaga.

Travis pokręcił przecząco głową.

– On nie żyje. – Wykrzywił wargi. – Nie ma o czym gadać.

– To nie twoja wina. Jan od dawna siedział w tym biznesie. Wiedział, co robi.

– Zdaję sobie z tego sprawę.

– Ale ty żyjesz, a twój przyjaciel nie. – Galen wzruszył ramionami. – To przykre. Pogódź się z tym.

– Pogodzę. Załatw hakera.

– Proszę bardzo. Właśnie przyszedł mi do głowy człowiek, który mógłby to zrobić. Stuart Thomas. Trochę dziwny, ale wie wszystko o komputerach. – Telefon zadzwonił. Galen odebrał połączenie.

Słuchał przez chwilę, a następnie się rozłączył.

– Chyba przekonaliśmy Guilliame'a. Zabierze rzeźbę i przeniesie na zaplecze pod pretekstem oczyszczenia. Mówi, że przy drzwiach muszą zostać straże, inaczej to będzie wyglądało podejrzanie. Zna dwóch strażników, którzy za pewną sumę będą patrzeć w inną stronę.

– Za jaką sumę?

– Ogółem? Wzrosła. Dwa miliony. Sporo jak za cztery godziny z cholerną rzeźbą. Mogę się targować.

– Nie ma czasu.

– Masz forsę?

– Mam coś, co mogę wymienić.

– Czy to jest warte dwa miliony?

– Sądzę, że Guilliame się zgodzi. Karlstadt na to przystał.

– Zamierzasz wykorzystać towar, który obiecałeś Karlstadtowi? – Gwizdnął cicho. – To może być niebezpieczne.

– Tym się będę martwił później.

– Może jednak powinieneś pomartwić się wcześniej.

– Pieprzyć to. Przecież to może Karlstadt zabił Jana.

– Nie jesteś pewien.

– Nie, teraz niczego nie jestem pewien. – Napotkał spojrzenie Galena i powtórzył: – Pieprzyć to.

– Nie zamierzam sprzeciwiać się człowiekowi rwącemu się do zemsty. Nauczyłem się, że rozsądek wtedy przestaje istnieć. – Odwrócił się. – Będziemy w Paryżu przed północą.

– Zatrudnij więcej ludzi – odezwał się Deschamps w chwili, gdy Provlif podniósł telefon. – I nie gadaj o pieniądzach. Wystarczy mi forsy. Znajdź Cassie Andreas.

– Nie ma jej tutaj.

– Co?

– Mój informator z CIA mówi, że krążą plotki, jakoby zabrał ją twój stary kumpel Travis. – Zagłębił się w szczegóły.

Gdy Provlif skończył, Deschamps milczał przez chwilę.

– Wysoce nieprawdopodobne – orzekł wreszcie.

– Prezydent wrócił do Waszyngtonu z Japonii, twierdząc, że się rozchorował. Jest zdrowy jak koń.

Im więcej Deschamps o tym myślał, tym bardziej był skłonny uwierzyć w tę plotkę. Travis nigdy nie wspomniał o dziecku w swoich rozmowach z van der Beckiem, ale Andreas mógł mu zaufać na tyle, aby poprosić o pomoc dla córki. A Travis był wystarczająco bystry, żeby uciec z Cassie. Poczuł przypływ ożywienia. Wszystko zataczało pełne koło. Travis... i być może dziecko.

– Deschamps?

– Może to prawda.

– Po co mu dziecko?

Po to samo, co jemu? Możliwe. Może interwencja Travisa w Vasaro miała jedynie na celu przygotowanie gruntu pod własny plan.

– Chcę numer telefonu Travisa.

– Staram się go zdobyć.

– Postaraj się bardziej. Zdajesz sobie sprawę, że CIA wiedziała, że Travis był w tym domu w Wirginii.

– Mówiłem ci, że nie mogli namierzyć jego rozmów.

– Wcale nie chcę ich namierzać. Mogę jednak zechcieć z nim pogadać.

– Popracuję nad tym.

– Popracuj. Wskakuj w samolot i wracaj. Mogę cię potrzebować. – Odłożył słuchawkę i usiadł w fotelu. Pragnął dostać ten numer telefonu. Czuł dziwną potrzebę nawiązania kontaktu z Travisem. Dotąd nigdy to się nie zdarzyło z żadnym z jego celów, jednak Travis był inny. Travis go upokorzył. Zabranie mu pieniędzy nie wystarczyło. Nowe informacje dowodziły, że Travis nadal stanowi niebezpieczeństwo. Nie tylko był zagrożeniem, ale także rywalem. Tak, chciał się napawać tym zabójstwem, drażnić Travisa, pokazać mu, że zawsze będzie o krok do przodu.

Tylko jaki ma być ten następny krok? Jeśli Travisa faktycznie poszukiwano tak intensywnie, jak sądził Provlif, to zapewne się ukrywał. Jednak Edward zabił jego przyjaciela, a Travis był na tyle uczuciowy, by pragnąć zemsty. Aby się zemścić, musiałby najpierw zidentyfikować, a następnie odnaleźć Edwarda. Jednym tropem była śmierć Henriego Clarona, więc Travis prawdopodobnie wybierze właśnie tę drogę.

A więc Lyon?

Może.

A może nie.

Travis został ograbiony z pieniędzy, których się spodziewał, a ukrywanie Cassie Andreas zapewne było kosztowne. Może uznał, że musi zająć się swoim nadrzędnym celem.

Edward będzie musiał zapomnieć o wszystkim, co wiedział o Travisie, i posłuchać swojej intuicji...

Paryż

Skromne mieszkanie znajdowało się na rogatkach Paryża, w pobliżu niewielkiego, bardzo zielonego parku. I tylko cztery ulice od muzeum rodziny Andreasów.

– Ładnie. – Galen postawił walizki i rozejrzał się po salonie. – Staroświecko, ale bardzo wygodnie. Trochę za dużo błękitu. Błękit może sobie być barwą podstawową, ale zawsze mnie trochę przygnębiał.

– Nieważne. Nie zostaniemy tu na tyle długo, żeby popaść w depresję. – Travis zaniósł Cassie do sypialni i położył ją na łóżku. Odwrócił się do Jessiki. – Nie miała żadnych koszmarów, odkąd wyjechaliśmy z Juniper. To chyba dobrze, prawda?

– Czyżbyś sugerował, że porwanie to dobra terapia? – spytała sucho. – Ja bym tego nie robiła, Travis.

– Cóż, z pewnością jej nie zaszkodziło.

– Jak dotąd. – Do pokoju weszła Melissa. Rzuciła walizkę i torbę lekarską Jessiki obok kaloryfera pod oknem, weszła do łazienki i zatrzasnęła za sobą drzwi.

– Ona ma rację, wiesz? – Jessica się skrzywiła. – Nie wiemy, jak to wpłynie na Cassie.

– Nic na to nie poradzę. – Usiłował ukryć rozdrażnienie. – Robię co w mojej mocy. – Wyszedł z salonu i zauważył, że Galen zmierza do drzwi. – Gdzie Stuart Thomas?

– W mieszkaniu po drugiej stronie korytarza. Ceni sobie odosobnienie. Uwierz mi, nie chciałbyś go mieć bliżej siebie. Kiedy angażuje się w jakiś projekt, uważa, że prysznic i mycie zębów to strata czasu.

– A co, zaangażował się w ten projekt?

– Na niewielką skalę. Gdybyś go poprosił, żeby włamał się do najlepiej strzeżonych archiwów Pentagonu, poczułby się bardziej zainteresowany. – Otworzył drzwi. – Sprawdzę, co u niego.

– Pójdę z tobą.

– Nie, nie pójdziesz. Jesteś zbyt spięty, a ja nie chcę, żeby Stuart poczuł się przygnębiony. Poza tym jest już po północy. Idź spać. Spotkasz się z nim jutro rano.

– Nie potrzeba mi... – Urwał, gdy napotkał twarde spojrzenie Galena. Pomyślał, że to na nic. Galen już coś postanowił i nie zamierzał zmieniać zdania. – Obudź mnie, jeśli Thomas coś znajdzie.

– Rano. – Galen zamknął za sobą drzwi.

Cholerny Galen.

Dzięki Bogu za Galena.

– Kiedy zamierzasz zabrać Cassie do Tancerza Wiatru? – zapytała go Melissa, stojąca po drugiej stronie pokoju.

– Za dwa dni, po zamknięciu muzeum. Jeśli wszystko pójdzie jak trzeba.

– Nic nie pójdzie jak trzeba. – Podeszła do okna i wyjrzała. – Nie chcesz mnie słuchać, co?

– Nie mogę cię słuchać.

– Jesteś ranny. Dlaczego nie poczekasz, aż wydobrzejesz?

– Jak sama zauważyłaś, to zwykłe zadrapanie. Niewarte czasu, który spędziłaś na bandażowaniu. Prawda?

Przez chwilę milczała.

– Tak. Wolałabym, żeby zabił ciebie, a nie twojego przyjaciela.

– No to masz pecha.

– Może wszyscy mamy pecha. – Umilkła. – Chcę, żebyś załatwił mi broń.

– Dlaczego? – Zesztywniał.

– Chcę się sama bronić. Nie zamierzam polegać na tobie. – Uśmiechnęła się sardonicznie. – Nie przejmuj się, nie planuję cię zastrzelić, chociaż to kusząca myśl.

– Czy ty w ogóle potrafisz posługiwać się bronią?

– Jakiś czas temu w kampusie zdarzały się napady i rozboje, moje współlokatorki i ja trochę się zdenerwowałyśmy. Zapisałyśmy się na lekcje samoobrony, a ja kupiłam smith&wesson kalibru 38 do użytku domowego. Wszystkie chodziłyśmy na strzelnicę.

– Dobrze. Jutro rano powiem Galenowi, żeby coś ci znalazł.

– Świetnie. – Ruszyła z powrotem do sypialni, ale zatrzymała się nagle i obejrzała przez ramię. Zdumiała ją rozpacz w jego oczach. – Nie chcę, żebyś zginął. Nie chcę, żeby ktokolwiek zginął. Życie to bardzo cenny dar. Trzeba cieszyć się każdą minutą i...

– Myślisz, że Cassie cieszy się życiem? Jessica robi, co w jej mocy, żeby było lepsze. – Ze znużeniem pokręcił głową. – Ja chyba też.

– Jessica nie rozumie. Ty też nie. – Mówiła żarliwie i z desperacją. – Nie mogę wam na to pozwolić.

Travis wpatrywał się w zamyśleniu w drzwi, które za sobą zamknęła. Melissa zachowywała się coraz bardziej nieobliczalnie, a to mogło być niebezpieczne.

Jezu, tego mu tylko brakowało. Przecież chciał jedynie dotrzymać obietnicy złożonej Jessice i kontynuować poszukiwania zabójcy Jana.

Pomyślał o mężczyźnie w parku. Powiedział Janowi, że jest w nim coś znajomego. Co to było? Zielone oczy... jednak nie stał na tyle blisko, aby dojrzeć ich kolor, gdy dzielił się tym spostrzeżeniem z Janem.

Usiadł na sofie. Myśl. Szybciej. Połącz to.

Waszyngton

– Danley ma wrażenie, że namierzył Travisa, panie prezydencie – powiedział Keller. – Właściwie nie do końca... ale wczoraj zdarzył się wypadek w parku w Amsterdamie. Zamordowano Jana van der Becka.

– Travis to zrobił?

– Nie, zabójca zbiegł, a Travis go ścigał. Mamy powody uważać, że Travis został ranny podczas tego incydentu.

– To dobrze – stwierdził Andreas. – Szkoda, że nie załatwili go na miejscu.

– Lepiej, żeby nie załatwili, dopóki nie znajdziemy pana córki – powiedział Keller. – Potem z przyjemnością spełnimy pańskie życzenie, panie prezydencie. Danley twierdzi, że zlokalizowali też firmę w Antwerpii, która wynajęła samochód do przetransportowania pana córki. Termin się zgadza. Zbliżamy się, panie prezydencie.

– Za wolno. Lecę do Amsterdamu.

– To nie byłoby rozsądne.

– Lecę. Przygotujcie Air Force One. Ten samolot skonstruowano także po to, żeby prezydent mógł z niego rządzić krajem w sytuacji kryzysowej. Przetestujemy go. Niech lekarz powie, że mam nawrót choroby i nie mogę opuszczać pokoju. Pokażę się na balkonie, żeby wszyscy wiedzieli, że jeszcze nie leżę na łożu śmierci.

– Co z pierwszą damą?

Chelsea. Podejrzewała coś od chwili, gdy wysiadł z samolotu z Tokio. Zbyt dobrze go znała, byli zbyt blisko siebie, żeby mógł ją dłużej zwodzić.

Tak bardzo nie chciał jej powiedzieć o Cassie.

Nie mógł jednak dłużej milczeć, skoro leciał do Amsterdamu.

– Pójdę się z nią zobaczyć. – Wstał. – Odlatujemy za godzinę, Keller.

– Tak, panie prezydencie.

Kilka minut później Andreas otwierał drzwi do ich prywatnego apartamentu. Żona leżała na łóżku i pracowała na laptopie.

– Czy to ma być wypoczynek?

– Przecież leżę, prawda? – Obdarzyła go tym promiennym uśmiechem, który przykuł jego uwagę wiele lat temu. Była teraz jeszcze piękniejsza niż wtedy.

Jego miłość, jego partnerka, jego najlepsza przyjaciółka.

Wszedł do pokoju.

– Mam ci coś do powiedzenia, Chelsea.

Rozdział czternasty

– Bułka z masłem – powiedział Stuart Thomas. Wstał i wskazał ręką ekran komputera. – Proszę bardzo, panie Travis. To wszystko pańskie.

Podkoszulek Thomasa przesiąkł potem i śmierdział, tak jak uprzedzał Galen. Perspektywa pracy w towarzystwie hakera nie była zbyt pociągająca.

– Może pójdziesz coś zjeść? Zadzwonię na twój pager, gdybym cię potrzebował.

– Nie znajdzie go pan, tak po prostu przeglądając akta. Co niby popełnił?

– Morderstwo.

– Jakie morderstwo? W afekcie, po napadzie, z litości? Musi pan sprecyzować, o co chodzi.

– Sam nad tym popracuję.

Thomas wahał się przez chwilę.

– Da mi pan pieniądze? Zazwyczaj dostaję połowę z góry, a połowę, kiedy skończę. Darowałem pierwszą wypłatę, bo Galen to dobry przyjaciel, ale naprawdę powinienem…

– Ile?

– Pięć tysięcy.

– Poczekaj chwilę. – Zostawił Thomasa i przeszedł do mieszkania po drugiej stronie korytarza.

– Kłopoty? – Galen zerwał się z krzesła.

– Raczej niedogodność. Thomas chce pieniędzy, a ja mam problemy z gotówką. Pięć tysięcy?

Galen pokręcił przecząco głową.

– Mogę zdobyć na wieczór.

– On chce teraz. Nieważne. – Podszedł do swojego worka, wyciągnął laptopa, otworzył stację dysków i wyjął z niej woreczek. – Musisz użyć całej swojej siły perswazji i namówić go, żeby przyjął towar zamiast gotówki. – Wysypał połowę zawartości woreczka na stolik do kawy.

– Jasny gwint – mruknął Galen. – Diamenty?

Travis pogrzebał wśród kamieni.

– Nawet najmniejsze są warte więcej niż pięć tysięcy.

Galen wpatrywał się w stosik.

– Przeszmuglowałeś je w notebooku?

– To całkiem dobre miejsce, jeśli nie ma się do czynienia z celnikami.

– Dlatego chciałeś lecieć Air Force One.

Travis skinął głową.

– Nie zamierzałem oddawać ich celnikom po tym wszystkim, co przeszedłem.

– Andreas nie będzie zachwycony, że wykorzystałeś jego samolot do własnych celów.

– Na tym etapie z pewnością by uznał, że przemyt to najmniejsze z moich przewinień. – Podniósł jeden z kamieni. – Nie jestem ekspertem, ale powiedziałbym, że są całkiem dobrej jakości.

– Najlepszej.

– Tak zamierzasz zapłacić temu kustoszowi w muzeum? – Do pokoju weszła Melissa. Wbiła wzrok w diamenty połyskujące na stoliku do kawy. – Kradzione, prawda?

– Można tak powiedzieć.

– Dla nich umarł twój przyjaciel?

– Też można tak powiedzieć. – Wręczył wybrany diament Galenowi. – Powiedz Thomasowi, że to premia. Każdy jubiler w Paryżu potwierdzi, że kamień jest wart dwa razy więcej niż to, o co mnie prosił.

– Możesz być pewien, że poleci na złamanie karku, żeby to sprawdzić.

– Nie ma sprawy. Przejdą każdy test. – Podzielił stosik na dwie części i dał jedną z nich Galenowi. – To dla Guilliame'a. Jestem cholernie pewny, że będzie chciał przed wieczorem sprawdzić towar.

– To chyba o wiele więcej warte, niż on zażądał, Travis.

– Daj to Guilliame'owi i miejmy to wreszcie z głowy. – Wsypał resztę diamentów do woreczka i upchnął go w swoim worku. – Chcę mieć jednak gwarancję tych czterech godzin... albo wyrwę mu serce.

– Prawdziwy z ciebie dżentelmen, Travis – stwierdziła Melissa.

– Tak naprawdę nie wychowałem się na południowej plantacji. Zawsze kazali mi pochlebiać innym, ale mieć nóż w pogotowiu. – Napotkał jej spojrzenie. – Powinnaś to docenić. Dobrze sobie radzisz z nożem, Melisso.

– Coraz lepiej.

– Chyba już pójdę i zajmę się tym, co do mnie należy – westchnął Galen. – Tu się robi trochę zbyt chłodno. Dam ci znać, jeśli będą jakieś kłopoty, Travis.

– Dobrze. – Travis nie spuszczał wzroku z Melissy. – Mam wystarczająco dużo problemów.

– Żebyś wiedział.

– Nic dziwnego, że łatwo przyszło ci rozmieszczanie nas po całej Europie jak figury szachowe – powiedziała Melissa po wyjściu Galena. – Pieniądze otwierają wszystkie drzwi, prawda?

– Przynajmniej drzwi muzeum rodziny Andreasów.

– A gdybym powiedziała Jessice, że do pomocy Cassie wykorzystujesz kradzione pieniądze?

– Oboje wiemy, że nie zrobi jej to żadnej różnicy. Znajdzie jakieś usprawiedliwienie dla użycia brudnych pieniędzy do ratowania dziecka. – Uśmiechnął się. – Ale zacznie się martwić i źle się poczuje. Wobec tego jej nie powiesz, prawda?

Nie odpowiedziała.

– Niezły strzał, Melisso. – Wstał. – Teraz muszę iść do mieszkania obok i trochę popracować. Jeśli będziesz czegoś potrzebowała, przyjdź po mnie.

– Gdzie Travis? – spytała Jessica, gdy weszła do kuchni dziesięć minut później.

– W mieszkaniu obok. – Melissa zmusiła się do uśmiechu. – Właśnie przygotowałam mrożoną herbatę. Napijesz się?

– Poproszę.

– Co u Cassie?

– Bez zmian. – Usiadła przy stole i potarła skronie. – Mam nadzieję, że ta sprawa z Tancerzem Wiatru nie okaże się niewypałem.

– Jeśli masz jakiekolwiek wątpliwości, nie powinnaś się na to decydować. – Melissa postawiła szklankę przed Jessicą. – Przecież robimy postępy. Wiem, że gdybyś pozwoliła mi na odrobinę więcej stanowczości w stosunku do niej, poszłoby szybciej.

– Być może ty to wiesz, ale ja nie. – Jessica upiła łyk napoju. – Mogłabym się z tobą zgodzić, ale nadal trudno mi uwierzyć w całe to psychiczne sprzężenie. To zupełnie wbrew mojej intuicji i temu, czego się nauczyłam.

– Wiem. O to właśnie chodzi. – Melissa nagle uklękła przed siostrą i położyła głowę na jej kolanach. – Spróbuj mi uwierzyć, Jessico. – Jej głos brzmiał głucho. – Kocham cię i chcę jak najlepiej. Zawsze tego chciałam. Tyle ci zabrałam, pozwól mi się jakoś zrewanżować. – Mocno objęła Jessicę w pasie. – Pozwól sobie pomóc. Wysłuchaj mnie, proszę.

– Mellie? – Jessica uniosła brodę Melissy i popatrzyła na siostrę. Dotknęła jej wilgotnego policzka. – Ty płaczesz...

– To chyba dowodzi mojego braku równowagi, prawda? – Wykrzywiła usta.

– Nieprawda. – Złapała Melissę za ramiona i łagodnie nią potrząsnęła. – Nie zabrałaś mi niczego, czego sama nie chciałabym ci oddać. Każdy wybiera sobie jakąś życiową ścieżkę. Nie rozumiesz, że pomogłaś mi odnaleźć moją? Nigdy nie żałowałam nawet jednej spędzonej z tobą minuty.

– Ja tak.

– No to przestań. – Skrzywiła się. – Na litość boską, przestań ryczeć. Udusisz mnie.

– Przepraszam. – Melissa znowu położyła głowę na kolanach Jessiki. – Odpowiedz mi tylko na jedno pytanie. Gdybym przysięgła na swoją miłość dla ciebie, że nie mylę się w sprawie Tancerza Wiatru, że to zagrożenie dla Cassie, uwierzyłabyś mi?

Cisza.

– Jezu!

– Zbyt mocno tkwię w rzeczywistości, Mellie. Wiem, że jesteś przekonana o swojej racji, ale mój umysł automatycznie szuka rozsądnego wytłumaczenia tego, co się stało. I mówi mi, że poddanie Cassie wpływowi tego, co zawsze było dla niej dobre, może otworzyć nowe drzwi.

– To ryzyko, straszliwe ryzyko.

– Ale ryzyko, które warto podjąć. – Umilkła. – Muszę ryzykować, Mellie.

– To twoje ostatnie słowo?

– Tak. Jeśli jednak tego nie pochwalasz, nie musisz iść z nami.

– Pewnie, że pójdę. – Melissa przykucnęła i wytarła oczy wierzchem dłoni. – Gdzie ty, tam ja. – Wstała. – Wypij herbatę. Idę umyć twarz, a potem przygotuję ci coś do jedzenia.

14.45

Zmierzał donikąd.

Travis odchylił się na krześle i przetarł oczy. Przeglądanie akt na ekranie komputera okazało się równie męczące, jak frustrujące. Wiedział, że szanse są mizerne, ale liczył na to, że coś uruchomi jego pamięć, cokolwiek... Czasem coś zaskakiwało, błysk...

Nic.

Czego się spodziewał, skoro miał tak niewiele danych?

Zielone oczy, lekko skośne. Blond włosy, niekoniecznie naturalne. Broda, która kryła twarz niczym maska.

Maska...

Wyprostował się na krześle.

Maska.

Nie rozpoznał twarzy mężczyzny. Nie zauważył, że wygląda znajomo, dopóki tamten człowiek nie przeszedł od stoiska z watą cukrową do ławeczki.

Maska.

Jezu.

– Masz?

– Spokojnie. To trochę potrwa. – Thomas nie odrywał wzroku od komputera. – Pracuję nad tym dopiero od dwóch godzin.

– Mówiłeś, że będzie szybciej, jeśli sprecyzuję – stwierdził Travis. – Sprecyzowałem.

– Metr osiemdziesiąt siedem albo metr dziewięćdziesiąt, trzydzieści pięć, czterdzieści lat, nordycka uroda, pistolet kalibru dziewięć milimetrów. – Nie przestawał przeglądać akt.

– I terrorystyczna przeszłość – dodał Travis.

– To klucz. Gdyby powiedział to pan wcześniej, mógłbym...

– Wcześniej nie wiedziałem. Ile to potrwa? Na pewno niezbyt wielu pasuje do tej charakterystyki.

– Zdziwiłby się pan. Żyjemy w paskudnym świecie.

Minęła następna godzina.

– Bingo. – Thomas pochylił się ku ekranowi. – Proszę się przyjrzeć. To może być pański człowiek.

Trzydziestolatek, ale zdjęcie pochodziło sprzed dziesięciu lat. Ogolony, rzedniejące jasnobrązowe włosy; oczy pasowały. Zielone, lekko skośne.

Tak.

– Wydrukuj.

Thomas nacisnął jakiś guzik.

– Coś okropnego. – Przeczytał akta. – Podpalenie, kradzież, morderstwo... IRA, Włoscy Synowie Wolności, nazistowscy skini. Chyba nie jest szczególnie przywiązany do jednej sprawy, prawda?

– Nic w tym niezwykłego. Najemnicy ciągną tam, gdzie są pieniądze. – Wyciągnął odbitkę z drukarki. – Pomyślałem, że może mieć związki z terrorystami, bo dwaj zabici z Vasaro mieli.

– Vasaro?

– Nieważne. – Złapał ołówek i zaczął domalowywać brodę. Nie miał już wątpliwości.

– To on? – spytał Thomas. – Udało mi się?

– Udało ci się. – Odsunął krzesło. – Jesteś genialny, Thomas.

– Geniuszy powinno się nagradzać – uśmiechnął się chytrze Thomas. – Nie sądzi pan, że zasłużyłem na napiwek? Może jeszcze jeden kamyk?

– Nie bądź chciwy – powiedział z roztargnieniem Travis, wpatrując się w zdjęcie. – Możesz dostarczyć mi dane i portret psychologiczny?

– CIA pewnie to ma. Proszę mi dać pół godziny.

Po czterdziestu pięciu minutach wcisnął klawisz drukowania i zaraz wręczył dwie kartki Travisowi.

– Proszę bardzo.

– Dzięki. – Travis ruszył do drzwi.

Edward James Deschamps.

Mam cię.

Rozdział piętnasty

16.15

– Edward Deschamps. – Galen uniósł spojrzenie znad kartki. – Jesteś pewien?

Skinął głową.

– Na tyle, na ile mogę być, nie widząc go ponownie.

– Myślisz, że przewodził tej grupie w Vasaro?

– Wszystko się zgadza. Znał mnie i wiedział, że kiedyś w przeszłości wszedłem mu w drogę. Wydał mi się znajomy, ale nie rozpoznałem twarzy. Chyba zapamiętałem sposób, w jaki się poruszał.

– Byłem na podwórzu, więc go nie widziałem. A jak się poruszał?

– Dosyć charakterystycznie. Szybko, sprężyście, jak tenisista.

– Karlstadt nie ma nic wspólnego z zamordowaniem Jana?

– Mało prawdopodobne. – Travis pokręcił głową. – Incydent w Vasaro wydarzył się, zanim się zająłem sprawą z Karlstadtem i diamentami. Poza tym Deschamps zabrał pieniądze, nie diamenty. Karlstadtowi zależało przede wszystkim na kamieniach.

– Czyli teraz ścigają cię Rosjanie, Deschamps i Karlstadt?

– Zapomniałeś o CIA i Secret Service – odezwała się Melissa, skulona na fotelu w kącie. – Bardzo to wszystko zachęcające. Prędzej czy później ktoś cię złapie.

– Możesz na to liczyć, jeśli chcesz – stwierdził Travis. – Powiedz siostrze, że Deschamps wrócił na scenę, może zmieni zdanie w sprawie Tancerza Wiatru i dojdzie do wniosku, że nie warto ryzykować.

– Powiem jej. – Zerwała się z fotela. – Ale nie zmieni zdania, o ile nie zaistnieje bezpośrednie zagrożenie dla Cassie.

– W końcu się poddałaś.

– Nie, do cholery – odparła gwałtownie. – Pogodziłam się tylko z pierwszym krokiem. To nie oznacza, że nie będę się sprzeciwiała każdemu następnemu.

– Nie wątpię. A więc zamierzasz iść z nami?

– Miałeś nadzieję, że nie? Przykro mi. Za nic tego nie odpuszczę.

Galen zmarszczył brwi, wpatrując się w zdjęcie.

– Mam wrażenie, że gdzieś się na niego natknąłem. Chyba w Portugalii. To możliwe?

– Nie należał do grupy portugalskiej, co nie oznacza, że tam nie działał. – Travis czytał charakterystykę Deschampsa. – To obywatel USA, ale skacze po całej Europie. Smakosz. Wielbiciel eleganckich strojów... szyje garnitury w Rzymie. – Opuścił kilka zdań. – Matka rozwiodła się z ojcem i przyjechała z sześcioletnim Edwardem do Paryża. Wyszła za Jeana Detoile'a, właściciela galerii sztuki. Detoile miał pieniądze i umieścił dzieciaka w prywatnej szkole z internatem. Najpierw chłopak miał świetne stopnie, wysokie IQ. Jednak gdy skończył dwanaście lat, ojczym oskarżył go o kradzież i zawiadomił policję. Edward siedział w poprawczaku przez dwa lata. – Doszedł do końca strony. – Kiedy wyszedł, zaczął pracować na ulicy: narkotyki, oszustwa, kradzieże. Najwyraźniej to się nie opłacało, bo w wieku dwudziestu lat został płatnym zabójcą. Stał się ekspertem od podsłuchu. – Uniósł wzrok. – To by pasowało do tego, co Jan mówił o pluskwach w swoim mieszkaniu. – Ponownie zaczął czytać. – Potem przeszedł do terroryzmu. Współpracował z wieloma grupami, później stworzył własną. Nie przetrwała długo. Z natury jest samotnikiem, jego zespół się rozpadł.

– A rodzice?

– Matka zmarła, gdy siedział w poprawczaku. Ojczym został zamordowany cztery lata po wyjściu Deschampsa na wolność.

– Robota Deschampsa?

– Prawdopodobnie. Niczego nie udowodniono. Nie znaleziono żadnych śladów. Była to niezwykle krwawa śmierć. – Umilkł. – Interesujące, że nie zabił ojczyma tuż po wyjściu na wolność. Czekał, obserwował, a następnie przeszedł do ataku. Zimnokrwisty sukinsyn.

– Najwyraźniej bardzo inteligentny.

– Nie tak bardzo. Zabił Jana wyłącznie po to, żeby mnie zranić. Ta pomyłka będzie go drogo kosztować – dodał cicho.

– Już się na to cieszysz – zauważyła Melissa.

– Bez wątpienia. Chcesz usłyszeć coś jeszcze o Deschampsie? Myślę, że przez porównanie wypadam naprawdę nieźle.

– Żeby wypaść naprawdę nieźle, musiałbyś zostać porównany z seryjnym mordercą. – Wstała i przeszła do sypialni.

Gdy zamknęły się za nią drzwi, Travis odwrócił się do Galena.

– Masz wystarczająco dużo informacji, żeby go znaleźć? – zapytał.

– Gdyby tu było wystarczająco dużo informacji, CIA albo Interpol znalazłyby go lata temu. – Wziął kartkę od Travisa i uważnie się jej przyjrzał. – Trzy razy przymknięto go w Paryżu na różnych etapach kariery. Najwyraźniej lubi to miasto. Od tego możemy zacząć. Już wystawiam czujki. Ale nie ekscytuj się za bardzo.

00.25

– Chyba czas na nas, skarbie – wyszeptała Jessica. Otuliła Cassie cienkim kocem. – Będzie bardzo ciekawie. Zobaczysz starego przyjaciela. – Odwróciła się do Melissy. – Travis powiedział, że wyjedziemy z Paryża tuż po wizycie w muzeum. Chcę, żeby wszystko było w furgonetce. Sprawdź, czy porządnie posprzątałam w łazience, a ja zrobię nam kawy. – Skrzywiła się. – Chociaż nie rozumiem, po co mi zastrzyk kofeiny, skoro i tak jestem zdenerwowana.

Melissa wzruszyła ramionami.

– Nigdy nie jesteś zdenerwowana.

– Dzisiaj jestem. – Jessica weszła do salonu, gdzie czekali Travis i Galen. – Już pora?

Travis skinął głową.

– Jak tam mała? – zapytał.

– Nie śpi.

– I niech nie zasypia. Inaczej to będzie bardzo kosztowna drzemka. Gdzie Melissa?

– Pakuje się. – Poszła do kuchni, żeby nalać sobie kawy. – Dokąd pojedziemy?

– Jeśli wszystko uda się z Cassie, umieszczę was i Melissę w jakimś bezpiecznym miejscu i pozwolę ci negocjować warunki z Andreasem.

– Gdzie jest to bezpieczne miejsce?

– Co byś powiedziała na Riwierę? – spytał Galen.

– Sama nie wiem. Nigdy tam nie byłam. Ale wydaje mi się, że takie miejsce nie nadaje się na kryjówkę.

– Zazwyczaj w takich miejscach można znaleźć najlepsze kryjówki.

– I tak nie możemy wybrzydzać. Sama nie wiem, dlaczego Andreas nas jeszcze nie dopadł.

– Szybko się przemieszczaliśmy, no i mamy Galena.

– A co z warunkami dla ciebie?

Travis pokręcił przecząco głową.

– Andreas nie zechce iść ze mną na żadne układy.

– Załatwione. – Melissa wyszła z sypialni, niosąc dwa marynarskie worki. – Jedźmy już i miejmy to z głowy.

Biedna Mellie. Była tak blada i spięta, że Jessice ścisnęło się serce.

– Podjadę furgonetką od tyłu i dopilnuję, żeby nikt się tu nie kręcił. – Galen ruszył do drzwi. – Jeśli nie zadzwonię, znieście Cassie za pięć minut.

Jessica wręczyła Melissie kawę.

– Wypij – poleciła jej. – Okropnie wyglądasz.

– Nie chcę.

– Wypij, Mellie.

Melissa uśmiechnęła się blado.

– Tak, wasza wysokość. – Wypiła kilka łyków i oddała filiżankę siostrze. – Zadowolona, święta Jessico?

– Tak. – Jessica odwróciła się do Travisa. – Jak mamy zanieść Cassie do muzeum, żeby nie dać się przyłapać? Przecież paradowanie z nią na widoku z pewnością ściągnie na nas czyjąś uwagę.

– Zaparkujemy w alejce i wejdziemy tylnym wejściem. Galen twierdzi, że sala z rzeźbami znajduje się tuż za foyer.

– A strażnicy?

– Jest ich dwóch, obaj przekupieni. Jeden z tyłu, a drugi przy wejściu do sali. W sali są drzwi, które prowadzą do magazynu w piwnicy. Na wszelki wypadek Galen ustawił tam jednego ze swoich ludzi.

– Mam nadzieję, że wszystko pójdzie gładko.

– Jessico...

Jessica odwróciła się do Melissy, która zrobiła krok do przodu. Oczy młodszej siostry były zamglone.

– Jessico...

– Łap ją, Travis – poleciła Jessica.

Travis skoczył do przodu, kiedy pod Melissą ugięły się kolana. Dziewczyna z przerażeniem spojrzała na Jessicę.

– Nie... Jessico...

– Cii... – Jessica poprawiła poduszkę na sofie. – Nie martw się, Mellie.

– Boże drogi, nie wiesz, co... – Bez przytomności padła w ramiona Travisa.

– Co się dzieje, do cholery? – mruknął Travis.

– Środek usypiający w kawie – wyjaśniła Jessica. – Połóż ją na sofie.

– Uśpiłaś ją? Po co?

– Bo to będzie dla niej za trudne. Widziałeś, jak się przejęła Tancerzem Wiatru. W ten sposób obudzi się już po wszystkim.

– Przykryła leżącą dziewczynę. – Poza tym istniało niebezpieczeństwo, że zechce interweniować. Cassie zasłużyła na tę szansę.

– Twarda jesteś. – Travis gwizdnął cicho przez zęby.

– Wiedziałeś, że to może być problem. Nie mów, że nie kusiło cię coś w tym rodzaju.

– Kusiło. – Popatrzył na Melissę. – Nie mógłbym jednak tego zrobić.

– Dlaczego?

– Bo to łowienie ryb w mętnej wodzie. Taki wojownik jak ona zasługuje na sprawiedliwą rozgrywkę. – Odgarnął włosy z czoła Melissy. – Podoba mi się ta złośnica, kiedy nie próbuje mnie trafić jedną ze swoich zatrutych strzał. Uznałem, że wolę problem niż rozwiązanie.

– A ja uznałam, że uniknę ryzyka i będę chroniła zarówno Mellie, jak i Cassie. – Jessica popatrzyła na zegarek. – Pora znieść Cassie.

– Jak długo Melissa będzie spała? Wypiła tylko kilka łyków.

– Nie spodziewałam się niczego innego. Dałam jej końską dawkę. Cztery do pięciu godzin. – Z uczuciem ucałowała policzek Melissy i wyszeptała: – Tak będzie najlepiej. Dobranoc, Mellie.

00.45

Paul Guilliame był szczupłym, sympatycznym, ciemnowłosym mężczyzną po pięćdziesiątce. Był także niezwykle zdenerwowany.

– Wchodźcie. Wchodźcie. – Machnął do strażnika przed salą z rzeźbami i dał znać, żeby weszli. – Musiałem oszaleć, że się na to zdecydowałem. Cztery godziny. Nie więcej.

– Nie przedłużymy naszego pobytu. Tylko proszę znaleźć krzesło dla damy – powiedział Galen. – A potem niech pan zrobi sobie drinka, żeby się uspokoić.

– Nie zamierzam stąd wychodzić – stwierdził Guilliame. – Co tu robi to dziecko? Nic nie mówiłeś o...

– Zegar tyka. Jeśli chcesz, żebyśmy wyszli w porę, wynoś się i nie przeszkadzaj – przerwał Travis. – Gdzie Tancerz Wiatru?

– Na stole naprzeciwko sarkofagu.

Spojrzenie Jessiki przylgnęło do rzeźby.

– Mój Boże – mruknęła. – Widziałam jej zdjęcia, ale zupełnie inaczej ogląda się ją na żywo. Cudowna.

– Gdzie postawić krzesło? – Guilliame już taszczył mebel.

– Kilka metrów od rzeźby – stwierdziła Jessica.

Postawił krzesło na wskazanym miejscu i wypadł z sali.

Jessica usiadła i rozłożyła ramiona.

– Posadź mi Cassie na kolanach, Travis.

– Mogę ją trzymać.

– Nie.

– Ona mi ufa.

– Ale to ja usiłuję ją skłonić do powrotu. Ty jesteś tylko wentylem bezpieczeństwa. Chcę, żeby sobie uświadomiła, że od teraz wszystko będzie inaczej.

Posadził Cassie na kolanach Jessiki, twarzą do Tancerza Wiatru.

– I co teraz?

– Posiedzimy i poczekamy. – Przytuliła do siebie Cassie. – Otwórz oczka, słoneczko. On tu jest. Jest taki piękny, że serce mi zamiera. Rozumiem, dlaczego tak bardzo go kochasz. Proszę, otwórz oczka...

– Jest tutaj! – Radosny okrzyk Cassie rozdarł mgłę otaczającą Melissę. – Znalazłam go. Ona powtarza, żebym otworzyła oczy, aby go zobaczyć, ale wiem, że jest tutaj. Chodź, obejrzymy go wspólnie.

Ciemność. Mgła. Letarg.

– Możemy tu zostać. On nas ochroni. Ona chce, żebym wyszła, ale nie musimy wychodzić. Wejdziemy głębiej. Już raz mnie zabrał. Zrobi to znowu. Pójdzie z nami. Wiem, że to zrobi.

Powinna coś powiedzieć, ale nic nie mogła wymyślić. Po co miałaby myśleć? Mgła była gęsta i lepka jak melasa.

– *O czym ty mówisz?*

– *O Tancerzu Wiatru, głuptasie.*

Melissę przeszył strach.

– *Co?*

– *Mówiłam ci. On tu jest. Znalazłam go.*

Serce waliło jej jak młotem.

– *Gdzie?*

– *Jessica go sprowadziła.*

Jessica.

Kawa.

Nie!

– *Melisso, chodź. Znalazłam go, ale nie chcę cię tutaj zostawiać. Chodź ze mną.*

Musiała otworzyć oczy.

– *Melisso!*

– *Nie idź z nim, Cassie.*

Otwórz oczy. Otwórz oczy. Otwórz oczy.

W końcu ciężkie powieki drgnęły. Błękitne zasłony. Mieszkanie. Mgła. Wszystko pogrążone we mgle.

Usiądź. Ruszaj się.

Za ciężko.

Ruszaj się.

Minęło pięć minut, zanim usiadła, i jeszcze pięć, zanim zdołała się podnieść.

Po kolei. Podejdź do drzwi.

A jeśli się jej nie uda? Musiała powstrzymać Jessicę.

– *Melisso, gdzie jesteś?*

– *Idę. Poczekaj na mnie.*

Grzebała w kieszeni spodni w poszukiwaniu numeru, który przepisała z notesu Jessiki. Teraz do telefonu.

Nie widziała cyfr na telefonie. Trzy razy próbowała, zanim wykręciła właściwy numer.

– Halo? – odezwał się Andreas.

– Cassie... Jessica. Muzeum Andreasów.

– Co? Kto mówi?

– Melissa. Teraz. Natychmiast. – Odłożyła słuchawkę. Mogą nie zdążyć na czas. Mogą się wcale nie pokazać.

Weź torebkę, przypomniała sobie. Był w niej pistolet od Galena. Teraz na ulicę. Muzeum znajdowało się tylko cztery przecznice dalej. Da sobie radę.

Po kolei.

– *Melisso, otwieram oczy. Muszę zobaczyć go jeszcze raz. Jest taki piękny.*

Poczuła przypływ paniki. Jeśli Cassie zobaczy te szmaragdowe oczy, ona także je ujrzy. Nie wiedziała, czy to ma jakiekolwiek znaczenie, ale nie mogła ryzykować.

– *Nie. Nie otwieraj oczu. Zaczekaj na mnie.*

– *Spróbuję. Pospiesz się.*

Jedna przecznica.

Nie da rady. Była zbyt zmęczona.

– *Nie mogę dłużej czekać, Melisso.*

– *Możesz. Możesz zrobić wszystko, co zechcesz.*

Dwie przecznice.

Potknęła się i zderzyła z murem budynku.

Wyprostuj się. Przed siebie.

– *Otwieram oczy.*

– *Nie!*

– *Muszę to zrobić.*

Nagle Melissa zobaczyła.

Szmaragdowe oczy, pełne starożytnej mądrości, wpatrujące się w świat. Rzeźba stała na zniszczonym stole w olbrzymiej, zagraconej sali. Wybieg. Obrazy. Travis ustawił się z boku stołu, obok egipskiego sarkofagu.

– Mówiłam ci. – Ożywienie Cassie wirowało wokół nich niczym chmura elektryczności statycznej. – Jest tu. Jest tu.

Jeszcze jedna ulica. Muzeum znajdowało się tuż za nią.

Szmaragdowe oczy, ale bez kałuży krwi. Mogło być inaczej. Musiało być inaczej.

Skręciła w aleję.

– *Jessica jest szczęśliwa. Myśli, że skoro otworzyłam oczy, to wracam. Mówi do mnie, powtarza, że Tancerz Wiatru właśnie tego ode mnie chce.*

– *Ma rację, Cassie.*

– *Skąd wiesz? Zabrał mnie tu. Tu jest bezpiecznie.*

– *Ale nie możesz zobaczyć Tancerza Wiatru, tak jak teraz.* – *Czy to, co mówiła, miało jakikolwiek sens? Była tak przerażona, że nie potrafiła normalnie myśleć. Widziała tylko te szmaragdowe oczy.*

Ale nie kałużę krwi. Nie krew. Żeby tylko było inaczej! Błagam, żadnej krwi.

Wspinała się po schodach do wejścia z tyłu, trzymając się poręczy.

Tak trudno. Taka długa droga na szczyt.

Oparła się o drzwi, żeby zebrać siły. Jeszcze chwila i zaraz znajdzie się w korytarzu. Wszystko było w porządku. Udało się jej i nic się nie stało. Nawet nie zatrzymali jej strażnicy.

Strażnicy.

Gdzie są strażnicy?

Otworzyła drzwi.

Krew. Oczy. Dwa ciała.

Strażnicy.

– *Dlaczego się do mnie nie odzywasz, Melisso?*

– *Zamknij oczy, Cassie.* – Wyskoczyła na korytarz. Obok drzwi do sali z rzeźbami leżało jeszcze jedno ciało, w granatowym garniturze, a więc nie strażnik. Guilliame? – *Posłuchaj, chcę, żebyś zamknęła oczy.*

– *Dlaczego? Nie będę mogła zobaczyć... Co to za dźwięk?*

– *Jaki dźwięk?*

– *Jakby kliknięcie. Już to słyszałam. Już to słyszałam.* – *Melissa wyczuwała przerażenie w jej głosie.* – *Michael biegnie do innych drzwi na dole. Zostawia mnie.*

– *Zamknij oczy.*

– *Tancerz Wiatru. Nie mogę tu zostać. Musi mnie stąd zabrać.* – *Przerażenie.* – *Upadam, Melisso.*

– *Dlaczego upadasz? Jesteś ranna?*

– *Nie wiem. Leżę na podłodze. Zamykam oczy. Odchodzę.*

– *Dlaczego leżysz na podłodze?* – Popchnęła drzwi. – *Co się sta...*

Wtedy to zobaczyła.

Szmaragdowe oczy patrzące w dół.

Kałużę krwi rozlewającą się po podłodze i sięgającą buta dziecka.

W jej gardle wezbrał krzyk.

Nie wiedziała, jak przebiegła przez salę, ale w końcu opadła na kolana. Zatamuj tę krew, pomyślała. Musiała zatrzymać strumień tryskający z piersi Jessiki.

– Mellie? – Jessica patrzyła na nią. – Pomóż... Cassie.

– Cassie nic nie jest. – Przycisnęła ręce do rany. – Tobie też nic nie będzie.

– Prawie... wróciła. Wiedziałam. Udało mi się, prawda?

– Jasne, że tak. – Boże, tyle krwi. – Teraz przestań mówić.

– Jest piękny.. – Jessica spoglądała na Tancerza Wiatru. – Rozumiem, dlaczego Cassie... – Cienka strużka krwi wypłynęła z kącika jej ust. – Piękny...

Głowa Jessiki opadła na bok.

– Nie!

Rozdział szesnasty

– To nie ma sensu, Deschamps zniknął – powiedział Galen do Travisa przed budynkiem muzeum. – Lepiej też się zmywajmy. Syreny są coraz bliżej. Pewnie to wystraszyło sukinsyna.

– Skurwiel. – Ręce Travisa zacisnęły się w pięści. – Znał to miejsce jak własną kieszeń. Doskonale wiedział, dokąd pójść, kiedy wyskoczył z tego przejścia. Jak minął strażników?

– Też chciałbym wiedzieć – stwierdził ponuro Galen. – Sprawdzę, a ty zobacz, co z Cassie i Jessicą. Za dwie minuty spadamy.

Travis wbiegł do muzeum i zatrzymał się jak wryty, gdy dotarł do sali z rzeźbami.

– Cholera jasna – zaklął.

– Nie chce się obudzić. – Melissa uniosła głowę. Usta miała ubrudzone krwią Jessiki. – Nie mogę przywrócić oddechu. – Raz jeszcze nakryła wargi siostry swoimi.

– Melisso... – Przyklęknął i przyłożył palce do gardła Jessiki. – To nie ma sensu. Ona odeszła.

– Nie mów tak. – Gorączkowo robiła sztuczne oddychanie. – Nie pozwolę jej umrzeć.

Przyjrzał się Cassie. Nie zauważył ran; dziewczynce nic się nie stało. Nie miał pojęcia, że któraś z nich została trafiona, gdy pobiegł za Deschampsem. Tuż przedtem spojrzał na Jessicę, ale siedziała wyprostowana, z dzieckiem w ramionach.

Wycie syren było coraz donośniejsze.

– Melisso, musimy stąd uciekać.

Zignorowała go.

– Idziemy. – Galen delikatnie podnosił Cassie. Popatrzył na Jessicę. – Nie żyje?

– Nie – powiedział Travis.

– Żyje – odparła w tej samej chwili Melissa.

– Nie żyje. – Galen pokiwał głową. – Zamknąłem drzwi. Wyniosę Cassie przez piwnicę. – Ruszył z dziewczynką ku schodom. – Jeśli się stąd nie zabierzemy, skończymy w więzieniu. Obaj strażnicy nie żyją, Guilliame również. Zginął też mój człowiek, Cardeau. Znalazłem go za skrzyniami w piwnicy. Albo zabierz od niej Melissę, albo ją tu zostaw.

– Pójdzie z nami. – Travis oderwał Melissę od siostry. – Chodź, Melisso. Nie możesz jej pomóc.

– Mogę. Mogę to przerwać.

– Melisso, okłamujesz samą siebie. Jessica nie żyje, ty także zginiesz albo znajdziesz się w więzieniu, jeśli ze mną nie pójdziesz. I nigdy nie zdołamy ukarać człowieka, który jej to zrobił. Myślisz, że tak powinno być?

Wpatrywała się w niego nieobecnym wzrokiem.

– Travis! – ryknął Galen.

– Idziemy.

– Nie żyje? – wyszeptała Melissa.

Travis skinął głową i pomógł jej wstać.

– Chodź, Cassie będzie cię potrzebowała.

– Powiedziała: „Pomóż Cassie".

– No właśnie. – Popchnął ją ku schodom. – Nie zdołasz tego zrobić, jeśli się stąd nie wydostaniemy.

– Nie żyje. – Nagle zamarła i popatrzyła na Jessicę. – Boże, to prawda. – Zadrżała. – Chciałabym, żeby to był kolejny sen.

W jej głosie krył się niezmierny ból.

– Chodź, Melisso.

Jej spojrzenie powoli pobiegło ku rzeźbie.

– Zabierz go.

– Co?
– Zabierz go.
– Nie.
– Nie idę bez niego. Zabierz go stąd.
Syreny wyły już pod budynkiem. Wiedział, że nie mają czasu.
– Nie myślisz rozsądnie. Chodź ze mną, Melisso.
Strząsnęła jego rękę i ruszyła ku Tancerzowi Wiatru.
– Jezu. – Przebiegł przez salę, złapał rzeźbę, a potem dłoń Melissy i pociągnął ją za sobą. – Chodź, do cholery. Za chwilę załomoczą do drzwi.

– Co z nią? – Galen zerknął w lusterko wsteczne, gdy wyjeżdżali na A6. – Wygląda jak lunatyczka.
– Jest lunatyczką. Po takiej ilości środka nasennego, jaką zaaplikowała jej Jessica, powinna być nieprzytomna. Nie powinna w ogóle ruszyć się z mieszkania. Nie wiem, co ją napędza.
– Owszem, wiesz.
– Może i wiem – stwierdził ze znużeniem. Wyjął chusteczkę i otarł krew z ust Melissy. – Ciało można zmusić do rozmaitych zadziwiających rzeczy, jeśli ma się wystarczająco silną wolę.
– Po jaką cholerę zabrałeś Tancerza Wiatru? Uważasz, że za mało mamy kłopotów?
– Nie chciała bez niego wyjść. – Wzruszył ramionami. – Na dodatek...
– Jakby mało nam było zmartwień – wszedł mu w słowo Galen. – Francuska policja potraktuje tę kradzież jak policzek. Obiecali Andreasowi całkowite bezpieczeństwo rzeźby. Daliby nam spokój, gdybyśmy jakoś ją zwrócili.
– Nie – odezwała się znienacka Melissa.
Obaj mężczyźni spojrzeli na nią. Było to pierwsze słowo, które wypowiedziała po opuszczeniu muzeum.
– Musimy go zatrzymać – dodała.

– Pogadamy o tym później – stwierdził Travis. – Teraz nie myślisz rozsądnie.

– Musimy go zatrzymać.

– To niebezpieczne. Widziałaś, że policja okrążyła muzeum. Skąd wiedzieli, że tam jesteśmy? Musiał być jakiś przeciek.

– Zadzwoniłam do Andreasa – powiedziała Melissa.

Galen zaczął kląć.

– Wiedziałem. Wiedziałem. Wiedziałem, że ona to zrobi.

– Cicho bądź, Galen. Dobrze, że zadzwoniła. Deschamps zamierzał zdjąć nas wszystkich. To syreny go wystraszyły.

– Za późno – wyszeptała Melissa.

– Za późno dla Jessiki – dodał cicho Travis. – Ale może ocaliło to resztę z nas.

– Nie obchodzi mnie reszta.

– Nawet Cassie?

– Pomóż... Cassie. – Zamknęła oczy.

– Nic jej nie jest. Nic nowego.

– Pomóż... Cassie.

– Pomożemy jej, Melisso. – Travis położył sobie jej głowę na ramieniu. – Spróbuj odpocząć. Obudzę cię, kiedy dojedziemy na miejsce.

– Pomóż Cas...

Już spała.

Za oknem z okiennicami rozpościerał się lawendowo-szkarłatny zachód słońca.

Pięknie...

– Napij się wody. – Travis przytknął szklankę do warg Melissy. – Długo cię tu nie było. Pewnie chce ci się pić.

Rzeczywiście, była spragniona. Usta miała zupełnie wyschnięte. Od razu wypiła pół szklanki.

– Nie było? Co masz na...

Jessica.

Przeszył ją przeraźliwy ból.

– Boże drogi.

Złapał szklankę, gdy wypadła z rąk Melissy i przytulił do siebie dziewczynę.

– Wiem, wiem. Przykro mi, Melisso. – Jego głos był stłumiony, gdy kołysał ją jak dziecko. – Chryste, tak mi przykro.

– To i tak nic nie da. Ona nie żyje. – Ukryła twarz na jego ramieniu. – Nie mogłam jej pomóc. Nie mogłam tego powstrzymać.

– Nikt nie mógł jej pomóc. Nawet gdyby od razu zawieźli ją do szpitala, rana i tak była śmiertelna.

– Nie mogłam nic zrobić. Powinnam być mądrzejsza. Dlaczego się nie domyśliłam, że on spróbuje mnie powstrzymać?

– Mnie także zaskoczyłaś. Gdybyś z nami poszła, może też byś zginęła.

– Nie, znalazłabym jakiś sposób, żeby ochronić Jessicę. Wiedziałam, że to się stanie. Poradziłabym sobie z tym.

Poczuła, że Travis zesztywniał.

– Co takiego?

– Puść mnie. – Odepchnęła go i opuściła stopy na podłogę. – Muszę się stąd wydostać.

– Pewnie, powinnaś trochę pobyć sama. – Pomógł jej wstać. – Dookoła są ze trzy kilometry pustej plaży. Tylko nie odchodź daleko, dobrze?

Nie odpowiedziała.

Wybiegła z sypialni i z domu; poczuła pod stopami miękki piasek. Jej cień wydawał się pająkowato wydłużony, gdy biegła ku odległym wydmom.

Jessica.

Ześliznęła się po drugiej stronie wydmy i skuliła u jej stóp.

Jessica.

Siostra, matka, przyjaciółka, wybawicielka. Boże drogi, dlaczego Jessica?

Kołysała się w przód i w tył, a twarz jej płonęła. W końcu pojawiły się łzy. Bolesny szloch wstrząsnął ciałem Melissy.

Jessica...

– To okropne. – Wzrok Galena podążył za spojrzeniem Travisa. Melissa siedziała na plaży i wpatrywała się w morze. – Były sobie bliskie?

– Widziałeś je. Jak sądzisz?

– Sądzę, że życie czasem daje w kość.

– Na przykład teraz. Wszystko wali się w gruzy, a będzie jeszcze gorzej. – Umilkł na chwilę. – Mógłbyś się wycofać. Nie mam do ciebie pretensji. Zrobiłeś więcej, niż cię prosiłem.

– Bo taki jestem superambitny. Chyba się tu jeszcze pokręcę.

– Nie potrzebuję...

– Zamknij się, Travis. Nie chodzi tylko o ciebie. Ten skurwiel zabił wczoraj jednego z moich ludzi. Myślisz, że się wycofam, zanim go dopadnę?

– On jest mój, Galen.

– Pogadamy o tym, kiedy go dorwiemy. – Znowu spojrzał na Melissę. – Lepiej zajmijmy się nią. Kiedy już wyjdzie z szoku, zrobi się twarda jak stal.

Wpatrując się w kruchą, samotną sylwetkę na tle nieba, Travis nie bardzo mógł w to uwierzyć.

– Kto wie, czy się nie mylisz.

Galen pokręcił przecząco głową.

– Powiedziała mi kiedyś, że jesteśmy do siebie bardzo podobni. Jak brat i siostra. Myślę, że ma rację. – Odwrócił się, by wejść do domu. – Skoro masz oko na Melissę, zobaczę, co u Cassie. Bardzo dobrze sobie radzę z dziećmi. Mówiłem ci, że kiedyś opiekowałem się wilkiem?

– Nie, ale to by mnie szczególnie nie zdziwiło – odparł z roztargnieniem Travis, nie odrywając spojrzenia od Melissy. Tyle bólu i smutku. Tyle samotności. Pragnął do niej podejść, objąć ją i spróbować ulżyć...

Jeszcze nie.

Najpierw trzeba w samotności przetrawić ból, zanim przyjmie się pociechę. Ona może nie zechcieć jego współczucia, niezależnie od tego, jak długo będzie czekał. W końcu stanowił przecież istotny element tragedii w muzeum.

Właściwie to dlaczego w ogóle chce jej pomóc? Jego modus operandi polegał na emocjonalnym wycofywaniu się. Jednak od pierwszej chwili, od momentu, gdy Melissa pojawiła się na progu stróżówki, zdołała go przyciągnąć do siebie. Wzbudzała jego zainteresowanie, gniew, pożądanie, rozbawienie i podziw, ale teraz poruszyła jakąś głębszą strunę.

Litość?

Co za różnica? Autoanaliza to bzdura. Usiadł na schodkach do domu. Przestań myśleć, nakazał sobie. Obserwuj i czekaj, i może sam trochę porozpaczaj.

– Długo nie wracasz – odezwał się Travis za jej plecami. – Nie sądzisz, że powinnaś wejść do domu? Jest trzecia w nocy, wiatr się wzmaga, Melisso.

– Nie chcę wracać. Nie zmarzłam. – Kłamała. Czuła lodowaty chłód, ale nie od wiatru. – Muszę przemyśleć kilka spraw.

– W związku z Jessicą?

– Nie, o Jessice myślałam już wystarczająco dużo. To boli... za bardzo boli. Kochałam ją...

– Wiem.

– Nie możesz tego wiedzieć. Była dla mnie wszystkim. Wyprowadziła mnie z ciemności i nauczyła, znowu żyć. – Potarła skroń. – Zawsze się śmiała, kiedy nazywałam ją świętą Jessicą, ale kryło się w tym ziarno prawdy. Była taka cholernie... dobra. – Łzy znowu popłynęły, otarła je wierzchem dłoni. – Widzisz, nie umiem o niej mówić bez rozklejania się. Muszę przestać, jeśli chcę trzeźwo myśleć.

– Sam mam ochotę się rozkleić – stwierdził Travis. – Nie znałem jej długo, ale zdążyłem zauważyć, jakim jest porządnym człowiekiem.

– Jesteś dla mnie miły. – Nie patrzyła na niego. – Ja nie byłam miła, kiedy zamordowano twojego przyjaciela. Nie chciałam zmięknąć. To ty zaprowadziłeś Jessicę do Tancerza Wiatru.

– Prosto w pułapkę. Pewnie obwiniasz mnie o jej śmierć.

– Nie bardziej niż siebie. – Pokręciła przecząco głową. – To ona zmusiła cię do złożenia obietnicy, że zaprowadzisz Cassie do rzeźby. To było niczym nadjeżdżający pociąg. Wiedziałam, że się zbliża, ale nic nie mogłam z tym zrobić.

Oderwał od niej wzrok.

– Wiedziałaś, co się wydarzy?

– Śniło mi się to od wielu miesięcy. Dlatego wróciłam do Juniper. Zawsze było tak samo. Tancerz Wiatru wpatrzony w kałużę krwi i martwa Jessica na podłodze.

– Niczego jej nie powiedziałaś?

– Jessica nie wierzyła w nic, czego nie mogła zobaczyć i dotknąć. Nie zwróciłaby na mnie żadnej uwagi. Musiała jednak liczyć się ze mną, kiedy łączyłam się z Cassie. Myślałam, że jeśli przedstawię Tancerza Wiatru jako zagrożenie dla Cassie, Jessica będzie trzymała się z dala od niego. – Skrzywiła się. – A potem ty zaoferowałeś jej rzeźbę jak na talerzu. Chciałam cię zabić.

– Czyli naprawdę mnie winisz.

Ze znużeniem pokręciła głową.

– Chyba nigdy nie wierzyłam, że mógłbyś powstrzymać tę katastrofę, ale musiałam próbować. Miałam tylko nadzieję, że w ostatniej chwili zapobiegnę najgorszemu. – Zacisnęła pięści. – Jeśli istnieje Bóg, jaki sens miałoby obdarzanie mnie tymi snami, bez mocy mogącej zapobiec ich zmianie w rzeczywistość?

– Miałaś wcześniej podobne sny? Nie o Jessice, ale o innych ludziach?

– Dwa razy. Pierwszy tuż po rozpoczęciu studiów. Był taki chłopiec, mieszkał obok nas w Cambridge. Jimmy Watson. Brązowe włosy, słodki uśmiech... Wciąż śniło mi się, jak wchodzi na ulicę i potrąca go furgonetka. Budziłam się z płaczem. Myślałam, że wariuję. – Urwała. – Aż wreszcie się stało. Wyskoczył na ulicę po zabawkę i potrącił go samochód.

– Zginął?

– Nie, ale miał obrażenia wewnętrzne. Tygodniami leżał w szpitalu. Poszłam zobaczyć się z jego mamą, pewnie wzięła mnie za wariatkę. Starała się mnie uspokoić i zapewniała, że nie mam nic wspólnego z wypadkiem jej syna.

– Nie uwierzyłaś jej.

– W moim śnie to zawsze była żółto-czarna furgonetka. Przejechało go auto z kwiaciarni Bendix. Zbieg okoliczności?

– A ten drugi raz?

– Starszy człowiek, który pracował na uczelni jako woźny. Ciągle miałam sen, w którym tracił równowagę na krawędzi basenu i uderzał się w głowę. Widziałam krew w wodzie. Poszłam do niego i opowiedziałam mu o tym. Był miłym człowiekiem, ale mi nie uwierzył. Poklepał mnie po ramieniu i oświadczył, że młodzi oglądają ostatnio zbyt dużo telewizji. Poprosiłam go, żeby przynajmniej ktoś mu towarzyszył, kiedy będzie sprzątał szatnie i basen. Zgodził się ze mną.

– Ale poszedł sam.

– Jak na to wpadłeś? – Westchnęła z rozdrażnieniem.

– Ludzka natura. Skoro ci nie uwierzył, zrobił po swojemu. Było tak jak w twoim śnie.

– Utonął. To się nie musiało stać. Może gdybym go pilnowała... – Wzruszyła ramionami. – A może nie. Może to jakiś wielki kosmiczny dowcip. Pokaż mi przyszłość, ale nie daj mi jej zmienić. – Odwróciła się do Travisa i spytała niepewnie: – Czy to nie byłoby zabawne?

– Chyba nie podeszłaś do tego jak trzeba. Za pierwszym razem nie wierzyłaś w siebie. Za drugim to nie była twoja wina, że staruszek okazał się zbyt uparty, by o siebie zadbać.

– A Jessica?

– Podała ci środek nasenny. Być może zdołałabyś zapobiec temu, co się stało, gdybyś była przytomna. – Popatrzył na nią. – Jasne, jeśli wolisz myśleć, że to wszystko przeznaczenie i nic nie da się zmienić, to proszę bardzo. Tak jest o wiele prościej. Po prostu odwróć się do tego plecami i odejdź.

– Prościej? Nie wiesz, o czym mówisz. Nie ma nic prostego w... – Zmrużyła oczy i wbiła w niego wzrok. – Za łatwo to wszystko przyjmujesz.

– Powiedziałem ci kiedyś, że nie mam problemów z talentami nieco wybiegającymi ponad normę.

– Łączenie się z Cassie jest nieco ponad normę. Sny przewidujące przyszłość to coś o wiele poważniejszego.

– Nie byłem tak całkiem nieprzygotowany. Zaobserwowano coś takiego u ofiar traumy, które wróciły do zdrowia. Dedrick wspominał dwa przypadki, w których jasnowidzenie zostało udokumentowane. Jeden to grecki chłopiec z Aten, a drugi ktoś w Chinach. Najwyraźniej gdy runą mury, wszystko jest możliwe.

– Znowu Dedrick. Szkoda, że ta książka nie wpadła mi w ręce, kiedy przechodziłam przez piekło z Jimmym.

– Ja też żałuję. To mogłoby ci pomóc.

Przez chwilę milczała.

– Usiłujesz pomóc mi teraz. Dlaczego? Nie byłam twoją najlepszą przyjaciółką.

– Może winię siebie, nawet jeśli ty tego nie robisz. Dałem się zaskoczyć Deschampsowi. Po kradzieży pieniędzy i śmierci Jana nie spodziewałem się niczego takiego. Nie połączyłem tych wydarzeń. Myślałem, że on już dostał, czego pragnął, poza moją głową.

– Pragnął Tancerza Wiatru?

– Ukrył się, więc musiał znać rozkład muzeum. Może sam planował ukraść rzeźbę. Musiał poczynić całkiem zaawansowane przygotowania.

– Śledził nas od Amsterdamu?

– Podejrzewam, że wcześniej wiedział o naszych planach dotyczących Tancerza Wiatru. Czekał, aż wszystko mu przygotujemy.

– Skąd się dowiedział?

– Telefon Jana był przez dłuższy czas na podsłuchu. To musiał być Deschamps.

– Pragnął Tancerza Wiatru na tyle, by zaryzykować. Dlaczego?

– Z wielu powodów. To najemnik. Całe życie ugania się za pieniędzmi.

– Mówiłeś, że już ci zabrał miliony.

– Miliony nie mają teraz najmniejszego znaczenia. Można je zarobić na handlu narkotykami. Twój sąsiad może je zdobyć przez Internet. Tancerz Wiatru jest jednak bezcenny. Dla człowieka pokroju Deschampsa to może być najważniejszy cel. – Wzruszył ramionami. – A może chodzi mu o coś zupełnie innego. Kto wie, co jest dla niego ważne?

– Tancerz Wiatru musi być dla niego ważny, w innym wypadku Deschamps nie pojawiłby się w muzeum. Ale go nie dostanie. Gdzie on jest? Gdzie go schowałeś?

– W szafce w starym pudle, które znaleźliśmy w szopie. Ale to kula u nogi. Musimy go zwrócić, Melisso.

– Nie. – Wstała. – Dlaczego mielibyśmy to zrobić? Dopóki Deschamps go pragnie, mamy przynętę. Nie zrezygnuję. – Spojrzała mu prosto w oczy. – Powinieneś chcieć złapać Deschampsa równie mocno jak ja. Powiedziałeś mi, że ruszysz za nim, gdy tylko dotrzymasz obietnicy złożonej Jessice.

– I zamierzam to zrobić. Sytuacja się zmieniła, ale kiedy tylko się upewnię, że to miejsce jest bezpieczne dla ciebie i Cassie...

– Pieprzę to. Nie będę się ukrywała przed skurwielem, który zabił Jessicę.

– Gwarantuję ci, że zostanie ukarany.

– Nie, to ja gwarantuję, że zostanie ukarany. – Zacisnęła usta. – Nikt nie stanie mi na drodze, Travis. Chcę pobyć sama jeszcze przez jakiś czas.

Będzie twarda jak stal, przypomniał sobie.

Galen miał rację. Zmieniała się, twardniała. Zawsze była silna, ale teraz zamieniała się w kamień.

– Daj spokój. – Odwróciła się i popatrzyła na niego. – Nie przejmuj się, nie wejdę do morza, żeby się utopić ani nic w tym guście. Muszę sobie jakoś z tym poradzić, żebym mogła zacząć myśleć.

– Wróć, kiedy będziesz gotowa, porozmawiamy. – Ruszył ku domowi. Wiedział, że gadanie nic nie da.

– Nie powinno tu pana być, panie prezydencie. – Danley otworzył drzwi limuzyny, gdy zaparkowała przed hangarem. – Miałem przyjść i złożyć panu raport, jak tylko załadujemy trumnę do samolotu.

– Mówił pan, że ukryjecie przed dziennikarzami zabranie ciała – powiedział Andreas. – Oby to była prawda. Dokąd je zabieracie?

– Do Arlington. – Zawahał się. – Nie przemyślałby pan tego raz jeszcze? Podobno siostra zmarłej była bardzo do niej przywiązana. Może chciałaby się pożegnać.

– Im więcej ujawni się dowodów na to, co się stało w muzeum, tym bardziej prawdopodobne, że media dowiedzą się o kradzieży Tancerza Wiatru. Możliwe, że Travis będzie się chciał targować. Macie już raport na temat siostry?

– Jeszcze nie, panie prezydencie. Oczywiście, po porwaniu Cassie trochę na tym pracowaliśmy, ale uważaliśmy, że siostra ma drugorzędne znaczenie.

– Teraz już pierwszorzędne.

– Zlokalizowaliśmy furgonetkę, którą wynajęli w Antwerpii. Porzucono ją sześćdziesiąt kilometrów od Paryża. To oznacza, że dysponują innym środkiem transportu. Sprawdzamy wszystkie przedsiębiorstwa wynajmu samochodów w okolicy, chociaż... Travis ma rozległe kontakty, więc mógł dostać auto z innego źródła.

– Miejmy nadzieję, że dopisze wam szczęście, inaczej niż dotychczas. – Podszedł do trumny. – Proszę otworzyć.

– Panie prezydencie!

– Proszę otworzyć. Chcę ją zobaczyć.

Danley machnął ręką na mężczyznę pilnującego trumny, który uniósł wieko.

Andreas pomyślał, że Danley uważa go zapewne za kogoś w rodzaju wampira. Nie wiedział, dlaczego chciał po raz ostatni spojrzeć w twarz Jessiki Riley. Może by się upewnić, że to naprawdę ona. Kradzież Tancerza Wiatru była zadziwiająca; nie mógł jej połączyć z porwaniem Cassie. Dlaczego siostra Jessiki zadzwoniła do nich z informacją? Niektóre odciski palców w muzeum należały do Melissy; ryzykowała zatem, że zostanie schwytana w tę samą pułapkę co Travis i jej siostra.

Bez wątpienia kobieta w trumnie była Jessicą. Po śmierci wydawała się równie spokojna i łagodna jak za życia. Ta łagodność zawsze robiła na nim wrażenie. Nie miał pewności, czy metody lekarki są słuszne, ale nie wątpił, że zależy jej na jego córce.

Dopóki jej nie porwała.

Teraz miał do czynienia z zupełnie nieznaną sytuacją. Skąd miał wiedzieć, jaką wariatką mogła okazać się Melissa Riley po tych wszystkich latach w odosobnieniu? Czuł się pokrzepiony, kiedy Jessica zadzwoniła i poinformowała go, że Cassie jest bezpieczna. Teraz jednak pozostał mu jedynie niepokój.

– Zamknijcie wieko. – Odwrócił się tyłem do trumny.

Rozdział siedemnasty

Gdy Melissa wróciła do domu, na niebie pojawiło się wschodzące słońce.

Travis powitał ją w progu z filiżanką kawy. Upiła łyk, zanim zapytała:

– Cassie?

– Właśnie od niej wróciłem. – Galen zerwał się z krzesła po drugiej stronie pokoju. – Chyba śpi. – Skrzywił się. – Chociaż nie mam pojęcia, jak to odróżnić.

– Ja na nią zerknę. – Otworzyła drzwi sypialni. Cassie leżała zwinięta na łóżku. – Cassie?

Wyczuwała wycofanie, oddalenie. Melissa nie wiedziała, do jakiego stopnia Cassie zdaje sobie sprawę z tego, co się wydarzyło w muzeum, ale domyślała się, że przeraziło to małą na tyle, że się wycofała. Trzeba się będzie później dowiedzieć, jak daleko.

– Wszystko w porządku, Cassie. Odpoczywaj. Porozmawiamy później. – Zamknęła drzwi i wróciła do salonu. – Nie śpi, ale nie jest najgorzej. – Przysiadła na parapecie i oparła się o szybę. – Jesteśmy tu bezpieczni?

– Rozstawiłem paru swoich ludzi wokół plaży, więc zostaniemy ostrzeżeni. Na skali od jednego do stu dałbym sześćdziesiąt – powiedział Galen. – Było siedemdziesiąt, zanim zmusiłaś Travisa do zwinięcia Tancerza Wiatru. Zejdzie do czterdziestu, jeśli Andreas zdecyduje się ujawnić kradzież.

– Dotąd tego nie zrobił?

– Nie. – Travis usiadł na kanapie naprzeciwko Melissy. – Może czeka, aż zadzwonimy i przedstawimy propozycję.

– Dlaczego miałby czekać?

– Bo to najrozsądniejszy sposób pozbycia się dzieła sztuki, które rozpozna każdy człowiek na świecie. Alternatywą byłaby sprzedaż rzeźby w sekrecie jakiemuś kolekcjonerowi, który ukryłby ją w swojej pieczarze.

– Czy Deschamps skontaktował się z Andreasem?

– Myślę, że kryje innego asa w rękawie.

– Jak to?

– Nie pierwszy raz wariat napaliłby się na dzieło sztuki.

– A jeśli Andreas zgodzi się negocjować, to po to, żeby zastawić pułapkę?

– Tak sądzę. Przez ostatnie miesiące myśli tylko o wyzdrowieniu Cassie. Rzeźba znajduje się w jego rodzinie od wieków, ale oddałby ją w mgnieniu oka, żeby odnaleźć Cassie. Tego naprawdę chce.

Melissa zmrużyła oczy.

– No i jeszcze złapać terrorystę, który jej to zrobił. Nie wie, że to Deschamps, prawda?

Travis kręcił przecząco głową.

– Mógłby dla nas zlokalizować Deschampsa?

– Możliwe, że potrafiłby go znaleźć. Ale nie dla nas. Jeśli powiemy mu, że to Deschamps zaplanował napad na Vasaro, sam zacznie go ścigać.

– No to mu nie mówmy. Spróbujmy wykorzystać go tylko do zdobycia informacji.

– Wykorzystać Andreasa? Nie jest aż tak potulny.

– Przestań mi rzucać kłody pod nogi. – Zagryzła wargi. – To ty spowodowałeś te cholerne komplikacje. Jaką mamy alternatywę? Mógłbyś upłynnić kilka tych diamentów dla zdobycia informacji.

– Raczej nie. – Skrzywił się. – Właściwie zamierzam nawet odzyskać diament, który dałem Thomasowi.

– Dlaczego?
– Bo nie chcę mieć Karlstadta na karku. Unikanie go może mi przeszkodzić w szukaniu Deschampsa.
– Nawet jeśli wyciągniesz diament od Thomasa, i tak nie odzyskasz tych, które dałem Guilliame'owi – przypomniał mu Galen. – Pewnie znajdują się w posiadaniu francuskiej policji albo CIA.
– Popracuję nad tym. Karlstadtowi to się nie spodoba, ale jeśli diamenty znajdują się w bezpiecznym miejscu i nie weszły do obrotu, postaram się go zwodzić i powstrzymać od wydania na mnie wyroku.
– Ale i tak nie będziesz miał ich w kieszeni. Co za różnica, że nie będą w obiegu?
– Ogromna różnica. – Upił łyk kawy. – Te diamenty to niezupełnie to, na co wyglądają.
– Chcesz powiedzieć, że są fałszywe? – Melissa otworzyła szeroko oczy.
– Zależy jak na to patrzeć.
– Albo są fałszywe, albo nie.
– Wszystko zależy od punktu widzenia. Akurat te diamenty przeszłyby wszystkie testy, jakim poddałby je najbardziej wykwalifikowany jubiler. Przez prawie pięćdziesiąt lat naukowcy uczyli się, jak przerabiać bogate w węgiel substancje w małe przemysłowe diamenty, ale nie potrafili stworzyć kamieni o jakości naturalnych klejnotów. Występowały rozmaite problemy. Należało ustalić odpowiednie ciśnienie, kłopoty sprawiał też grafit, który jest miękki, lecz bardzo trudny w obróbce. Poszczególne jego warstwy źle się łączą, dlatego się kruszy, choć jego wewnętrzne fragmenty są niewiarygodnie mocne. Atomy węgla...
– Nie mam ochoty tego słuchać. Do rzeczy, Travis.
– Grupa rosyjskich naukowców na usługach lokalnej mafii zdołała stworzyć przepiękne diamenty, nieodróżnialne od tych występujących w naturze.
– To niemożliwe. Muszą istnieć badania, które wykażą różnice.

– Przemysł jubilerski opracował pewien test, który potrafił wykryć defekty spowodowane przez skoncentrowany azot w syntetycznych kamieniach. Ich luminescencja była bardzo charakterystyczna.

– Ale Rosjanie rozwiązali ten problem?

– Owszem – skinął głową. – To śmiertelnie wystraszyło jubilerskie syndykaty. Dowiedziałem się o tym od jednego ze swoich informatorów i zdecydowałem się pojechać do Rosji, żeby sprawdzić, czy nie mają tam dla mnie czegoś interesującego. Siedziałem tam już od półtora miesiąca, kiedy w laboratorium nastąpiła eksplozja. Bardzo wygodna, bardzo w porę. Sprzęt i naukowcy przenieśli się do królestwa niebieskiego.

– A ty najwyraźniej zdołałeś przeżyć i się wydostać. Z kieszeniami pełnymi diamentów?

– I dyskiem opisującym szczegóły procesu produkcyjnego.

– A ja myślałem, że tylko je przemycasz. – Galen zachichotał. – To o wiele bardziej interesujące. Kogo reprezentuje Karlstadt?

– Jest prawą ręką południowoafrykańskiego syndykatu diamentowego. Rzecz jasna, nie chcą, żeby te diamenty wypłynęły. Jeśli tak się stanie, rynek się zawali. Nikt by nie wiedział, czy klejnoty, które kupił, są prawdziwe, czy stworzone w laboratorium. Ceny by spadły, bo zniknąłby element wyjątkowości. Cały przemysł by diabli wzięli.

– Rosjanie mogliby wybudować nowe laboratorium.

– Jestem pewien, że już to robią, ale to trochę potrwa. Tymczasem Karlstadt może negocjować albo użyć siły, żeby powstrzymać Rosjan od wznowienia produkcji. Diamenty i ich produkcja to w tej chwili jedyne, co mu zagraża.

– Nie obchodzi mnie zagrożenie dla tych facetów z Południowej Afryki – stwierdziła Melissa. – Najważniejsze, że nie masz forsy na kupno informacji.

– Mam trochę pieniędzy na szwajcarskim koncie, ale te konta nie są bezpieczne, CIA może je wyśledzić.

Melissa odwróciła się do Galena.

– Możesz zebrać pieniądze? – zapytała.

– Nie tyle, żeby wystarczyło. Mogę wykorzystać kilka źródeł, ale Deschamps to niebezpieczny człowiek, a poza tym studnie mają zwyczaj wysychać, kiedy jest się w tak palącej potrzebie jak my.

– A więc to musi być Andreas. – Wstała i odstawiła filiżankę na blat. – Trzeba znaleźć jakiś sposób na negocjacje.

– Masz propozycję?

– Daj mu to, czego chce.

– Cassie? – zapytał Travis. – A co z jej koszmarami? Nie możemy jej odesłać w takim stanie.

– Wobec tego musimy mu oddać zdrowiejącą Cassie. – Spojrzenie Melissy powędrowało ku drzwiom sypialni. – Jessica kazała mi jej pomóc. Pewnie chodziło jej o to, żebym ocaliła ją przed Deschampsem, ale Jessica umarła, próbując sprowadzić Cassie. Tuż przed śmiercią powiedziała mi, że mała była bardzo bliska powrotu. – Zamrugała, żeby ukryć łzy. – Była taka szczęśliwa, że Cassie... Cholera jasna. – Przez chwilę milczała, zanim znowu mogła coś powiedzieć. – Cassie wróci. Dopilnuję tego. Równie dobrze możemy znaleźć sposób na wykończenie Deschampsa, lecząc jednocześnie Cassie.

– To długa droga – stwierdził Travis.

– Ale mam zamiar nią pójść. – Ruszyła do sypialni. – Postaraj się tylko, żeby Karlstadt i ta cała reszta nie wchodzili mi w drogę.

– Spróbuję.

– Aha, chcę kluczyki do tej nowej furgonetki.

– Czy to konieczne?

– Żebyś wiedział, do cholery. Cassie wystarczająco mnie krępuje, nie zamierzam być więźniem bardziej, niż muszę.

– Jeszcze dziś każę dorobić kluczyki. Jeden z ludzi Galena przywiezie z miasta mały samochód. Dopilnuję, żebyś miała kluczyk także do tego auta.

– Dzięki.

– Zdoła pomóc Cassie? – spytał Galen Travisa, kiedy zamknęły się za nią drzwi. – Na moje oko ten dzieciak jest w śpiączce.

– Bo ja wiem. Reaguje.

– Ale nie kiedy jest przytomna.

Travis pokręcił głową.

– Jessica wyczuwała jej reakcje. Jak mówiłem, czeka nas długa droga. Ale może to dobrze, że Melissa zajmie się Cassie. To bezpieczniejsze niż ganianie za nią, gdy będzie ścigała Deschampsa po całej Europie.

– A ty dzięki temu będziesz mógł się układać z Karlstadtem.

– Tak. – Zamilkł. – I dzięki temu ty będziesz miał czas, żeby znaleźć dla mnie brakujący kawałek układanki.

– Czyli co?

– Wdowę po Henrim Claronie, Danielle. Zniknęła w noc śmierci Clarona. Dorastała w tej samej wiosce co opiekunka Cassie, może wiedzieć o Deschampsie coś więcej. Jeśli ją dostaniemy, być może nie będziemy potrzebowali ani Andreasa, ani nikogo innego.

– Wierzysz, że ona jeszcze żyje?

– To niewykluczone. – Travis wzruszył ramionami. – Jej ciała nie odnaleziono, może miała szczęście.

– Nam też by się przydało. – Galen odwrócił się do niego plecami. – Biorę się do roboty.

– Cassie? – wyszeptała Melissa, spoglądając na dziecko. – Wiem, że nie śpisz. Popatrz na mnie.

Żadnej reakcji.

Melissa niczego się nie spodziewała, ale uznała, że powinna wykorzystać metodę Jessiki. Jessica znajdowała się na zewnątrz, Melissa zaś była partyzantem na linii frontu. Cassie przyzwyczaiła się do nich obu.

Teraz jednak zabrakło Jessiki z jej łagodnym głosem i przekonującymi słowami. Melissa musiała zająć jej miejsce.

Boże drogi, jak miała to zrobić? To było niewykonalne. Różniła się od siostry jak noc od dnia. Nawet nie wiedziała, czy łagodne podejście Jessiki to odpowiedni sposób na wyprowadzenie Cassie z tunelu. Dziecko było silne, może nawet silniejsze od Melissy, kiedy była w jej wieku. Zdołało oderwać się od świata, perswazja nie działała. Może gdyby miały czas...

Cóż, nie miały czasu. Melissa musiała słuchać własnej intuicji, a ta nie prowadziła jej prostą ścieżką.

Biedna Cassie.

– Wrócę. Możesz sobie udawać trupa, kiedy będę brała prysznic i myła zęby. – Ruszyła do łazienki. – A potem sobie pogadamy, Cassie.

Przedzieranie się przez mury obronne Cassie zajęło Melissie dwie godziny.

– *Już pora, żebyś przestała się przede mną ukrywać* – powiedziała do dziewczynki. – *Dlaczego weszłaś głębiej? Tu jest zbyt ciemno, bym mogła cię odnaleźć.*

– *Nie chciałam, żebyś mnie odnalazła.*

Niedobrze.

– *Dlaczego?*

– *Bo teraz... jesteś inna. Przez ciebie czuję się dziwnie.*

– *Jestem inna. Co nie znaczy, że nie jestem twoją przyjaciółką. Ludzie się zmieniają.*

– *Nie tutaj.* – *Umilkła.* – *Dlaczego się zmieniłaś?*

– *Odebrano mi najlepszą przyjaciółkę.*

– *Tutaj by się to nie zdarzyło.*

– *Owszem, zdarzyłoby się. To się stało dlatego, że tu jesteś. To częściowo twoja wina, Cassie* – *dodała celowo.*

– *Ale ja nic nie zrobiłam.*

– *Chowasz się i zamykasz oczy.*

– *Boję się.*

– *Wszyscy się boimy. Musisz walczyć ze strachem... albo ludzie będą dalej znikać.*

Cisza.

– Jessica była twoją najlepszą przyjaciółką, prawda? Czy... odeszła?

– Tak.

– Tak myślałam. Brakuje mi jej.

– Mnie także.

– Zabrały ją potwory?

– Tak.

– To nie moja wina. – Cisza. – Moja?

– Nie walczyłyśmy wystarczająco mocno.

– Są za silne.

– Nie są za silne. Zniknęłyby, gdybyś stawiła im czoło.

– Nie mogę. Rozedrą mnie na strzępy, tak jak rozerwały Jeanne.

– Będę tutaj i na to nie pozwolę.

– Nie mogę. – Wycofanie. – Odchodzę.

– Pójdę za tobą. Znajdę cię i sprowadzę z powrotem. Teraz mogę to zrobić, nawet jeśli nie śpisz.

– Dlaczego jesteś dla mnie taka niedobra?

– Musisz wrócić. Tego właśnie pragnęła Jessica. Chciała, żebyś wróciła do świata i już się nie bała.

– Muszę się bać. Potwory...

Co mogę na to odpowiedzieć, pomyślała ze znużeniem Melissa. Nikt nie wiedział lepiej od niej, że na Cassie czyhały prawdziwe potwory.

– Boisz się bardziej teraz niż podczas konfrontacji z nimi. Obiecuję ci, że będziemy walczyły razem. Jestem twoją przyjaciółką, Cassie.

– Myślałam, że Jeanne jest moją przyjaciółką.

Zdrada. Brak zaufania. Wrogość.

– Tylko udawała. Ja nie udaję. Myślę, że to wiesz.

– Nie wiem. – Panika. Przerażenie. – Chcesz wpuścić potwory do tunelu.

– Nigdy nie wejdą do tunelu. Tylko je sobie wyobrażasz, żeby mieć pretekst, by się stąd nie ruszać. Gdybyś stawiła im czoło, zniknęłyby w mgnieniu oka.

– Nie, będą mnie ścigały…

– Nie zrobią tego więcej. Travis i ja je powstrzymaliśmy. A w prawdziwym świecie powstrzymał je Tancerz Wiatru. Nie czułaś tego, kiedy na niego patrzyłaś? Wydawałaś się taka szczęśliwa. Przez chwilę znalazłaś się na zewnątrz, a jednak wiedziałaś, że jesteś bezpieczna.

– Znowu go znajdę.

– Nie w tunelu. On nie ma powodu przebywać w tunelu. Nie boi się i nie chce, żebyś ty się bała.

– Skąd wiesz? Zabrał mnie.

– Bo musiałaś zniknąć, dopóki nie nabierzesz sił, by wrócić i stawić czoło potworom.

– Nie jestem wystarczająco silna.

– Jesteś. Pomyśl o tym. Jessica mówiła mi, że miałaś rozmaite przygody z Tancerzem Wiatru. Bałaś się kiedyś?

– To były tylko takie historyjki.

– Czy nie chodziło o ocalenie dobrych i ukaranie złych?

– Może.

– Cóż, życie też jest takie. Nie polega na chowaniu się w tunelu. Pomyśl o tym.

– Nie pomyślę. Boję się i nie wyjdę. Wejdę jeszcze głębiej, żeby potwory nie mogły mnie dopaść.

– Twój przyjaciel, Tancerz Wiatru, nie pozwoli ci wejść głębiej. Szukałaś go w niewłaściwym miejscu. Przyszło ci kiedyś do głowy, że zawsze chciał, żebyś opuściła tunel i wyszła na zewnątrz? Wie, że pora, abyś wyszła, nawet jeśli ty tego nie wiesz.

– Kłamiesz.

– W tunelu nie ma żadnych potworów. Zostań tutaj, dopóki nie będziesz gotowa, żeby wyjść i zwalczyć tych złych razem z nami. Z mamą i tatą, z Travisem i ze mną. Wszyscy na ciebie czekamy. Potrzebujemy ciebie.

– Nie.

– Mówię prawdę. Naprawdę cię potrzebujemy. Teraz odejdę, ale wrócę.

– Nie chcę cię.

Biedne dziecko. Melissa nie miała jej za złe złości ani paniki. Zdarła kocyk bezpieczeństwa, którym owinęła ją Jessica, i kazała dziecku być wojownikiem zamiast ofiarą. Dość ciężkie zadanie dla siedmiolatki.

A jeśli się myliła? Jeśli jednak poważnie szkodziła Cassie?

– Nienawidzę cię.

– Teraz. Tak naprawdę bardziej nienawidzisz potworów i tego, jak się przez nie musisz bać.

– Przez ciebie boję się bardziej.

– Bo mówię ci, że masz obowiązek wyjść? Nigdy nie chciałaś, żeby te wymyślane przez ciebie opowieści stały się prawdą? Jeśli widzi się zło, trzeba z nim walczyć. Wypełnianie obowiązków nie jest takie łatwe w prawdziwym życiu.

– Odejdź.

– Odchodzę. Ale do zobaczenia wkrótce, Cassie...

Rozdział osiemnasty

– Obudź się, Melisso.

Otworzyła oczy i ujrzała nad sobą twarz Travisa.

– Pora coś zjeść. Już prawie ciemno. Spałaś wiele godzin.

Nie miała co do tego wątpliwości. Była wyczerpana po ostatnim sporze z Cassie. Zerknęła na dziewczynkę. Ona także spała. Melissa postanowiła nakarmić ją później.

– Dziesięć minut – stwierdziła. – Muszę umyć twarz i zęby.

– Nie spiesz się. Galen przygotował przed wyjściem dwie zapiekanki. Właśnie wstawiłem je do piekarnika.

– Przed wyjściem? – Opuściła nogi na podłogę.

– Musiał coś dla mnie załatwić. – Travis wyszedł z pokoju.

Była to wymijająca odpowiedź. Melissa umyła się pospiesznie i wycierając twarz ręcznikiem, weszła do kuchni.

– Dokąd pojechał? – zapytała.

– Szuka informacji o Danielle Claron.

– Danielle Claron? Kto to taki?

– Usiądź. – Wyjął zapiekankę z piekarnika. – Opowiem ci o niej przy kolacji. – Wyłożył dwie porcje na talerze i postawił je na stole. – Galen nigdy by mi nie wybaczył, gdyby wystygły, zanim w pełni doceniłabyś jego mistrzostwo.

– Chcę wiedzieć… – Zaczął kręcić głową, więc usiadła i chwyciła widelec. – Już jem. Opowiedz mi o Danielle Claron.

Zjadła już pół porcji, zanim Travis wreszcie skończył.

– Myślisz, że może wiedzieć coś, co pomoże nam odnaleźć Deschampsa? – Zmarszczyła brwi.

– Niewykluczone. To nasz jedyny ślad. Nawet jeśli nie zdoła go dla nas zlokalizować, była świadkiem zamordowania własnego męża, a Deschamps nie lubi świadków. Zakładam, że zechce ją znaleźć. – Wstał i nalał kawy do filiżanek. – Może nie będziemy potrzebowali Tancerza Wiatru, by wciągnąć Deschampsa w pułapkę.

– Danielle Claron raczej nie zostanie świadkiem, skoro od kilku tygodni się ukrywa.

– Jeśli zaproponujemy jej ochronę, może zmienić zdanie. – Wzruszył ramionami. – Najgorsze, co się może zdarzyć, to że będę musiał przekazać Danielle Andreasowi, wtedy CIA ją przekona. Jeśli dostarczę mu świadka, może zastanowić się dwa razy, zanim rzuci mnie na pożarcie lwom.

– Skąd masz forsę na znalezienie tej kobiety, skoro nie masz tyle, żeby zlokalizować Deschampsa?

– Jeśli Galen uruchomi odpowiednie kontakty, znajdzie tę kobietę, nie wydając ani grosza.

– Z pewnością ma odpowiednie kontakty – stwierdziła sucho. – Wydaje się radzić sobie niemal ze wszystkim... nielegalnym. Ty też masz takie kontakty, prawda? Słyniesz ze sprzedaży informacji.

– Tak. Mamy jednak różne źródła. Co się czasem przydaje.

– Myślałam, że musisz skontaktować się z Karlstadtem. Co ty tu jeszcze robisz?

– Mam telefon. Jeśli będę musiał się z nim zobaczyć, poczekam do powrotu Galena.

– Bo uważasz, że musisz nas chronić?

– Nie ciebie – stwierdził lekko. – Sama dałabyś sobie radę z Andreasem i Deschampsem. Jednak oprócz ciebie jest jeszcze dziecko. – Zerknął na jej talerz. – Chcesz dokładkę? Galen przygotował aż za dużo jak na dwa posiłki.

Pokręciła głową.

– Nie jestem głodna. Ale było bardzo smaczne. Facet jest utalentowany, co?

– Bardziej niż myślisz. A może i nie bardziej. Twierdzi, że dobrze go rozumiesz. Mówił coś o bracie i siostrze.

– Łatwo stwierdzić, że jesteśmy bardzo do siebie podobni. – Uśmiechnęła się.

– Pod jakim względem?

– Oboje uważamy, że trzeba korzystać z każdej chwili.

– Oboje jesteście twardzi i bystrzy. Może zbyt bystrzy?

– Myślisz, że to element bagażu psychicznego, którym jestem obarczona? Możliwe, albo po prostu znam się na ludziach. – Uniosła filiżankę do ust. – Jak ty.

– Ostatnio nieszczególnie demonstrowałem tę umiejętność. – Jego spojrzenie powędrowało do drzwi sypialni. – Jak się miewa mała?

– Śpi.

– Na pewno?

– Na pewno. – Zawahała się. – Teraz mogę się z nią porozumieć niezależnie od tego, czy śpi, czy jest przytomna. Nawet wtedy, gdy ja jestem przytomna.

– Co?

– Próbowałam tego w samolocie i zadziałało.

– Dlaczego nic mi nie powiedziałaś? – zmarszczył brwi. – Nieważne. Nie byliśmy w najlepszych stosunkach.

– Nie, i nie mogłam powiedzieć tego tobie, jednocześnie nic nie wspominając Jessice. Nie uwierzyłaby mi, a jeśli nawet tak, bardzo by się bała. – Popatrzyła na filiżankę. – Nie wiedziałam też, jak to wykorzystać. Nie byłam pewna, czy Jessica właściwie leczy Cassie. Wszyscy byliśmy tacy łagodni i mili...

Patrzył na nią w zamyśleniu, ale milczał.

– Cassie nie jest łagodnym dzieckiem. Jest ruchliwa, silna i bardzo inteligentna, do napadu na Vasaro wcale nie zachowywała się jak mimoza. To wycofanie w ogóle do niej nie pasuje.

– Szok?

– Tak, ale mam wrażenie, że w końcu zdrada opiekunki bardziej ją rozwścieczyła, niż zaszokowała.

– Mówisz tak, jakbyś ją świetnie znała.

– Wiem tylko to, czego Jessica dowiedziała się od jej rodziców i co sama zaobserwowałam.

– Może jesteś podobna do Cassie. – Uśmiechnął się półgębkiem.

– Mam nadzieję, że nie. Wyleczenie ciebie zajęło sześć lat.

– Ale mam przewagę, której nie miała przy mnie Jessica. Wiem, gdzie Cassie jest teraz.

– Co to znaczy?

– Przekonałam się, że kiedy minie pierwszy szok, trzeba naprawdę dużej siły, żeby zniszczyć świat, który sobie zbudowałeś. Jessica nigdy mnie do tego nie zmobilizowała. Dała mi za to miłość i czułość. Może to działa na inne dzieci, ale sporo czasu minęło, zanim dotarła do tak upartego bachora jak ja. To oznacza, że moim zdaniem Cassie wcale nie jest ofiarą. Na początku była, ale teraz siedzi w tym tunelu, bo ma na to ochotę. Spodobało się jej tam, jest jej łatwiej.

– Łatwiej? A koszmary?

– Musi jakoś usprawiedliwić pozostawanie w tunelu. – Zwilżyła wargi. – Zamierzam odebrać je Cassie.

– Jak?

– Powiedziałam jej już, że przestała mieć koszmary, bo potwory siedzą przed tunelem i czekają, aż przyjdzie i stanie z nimi do walki.

Travis zmarszczył brwi.

– Wiem, co sobie myślisz. Tak, to ryzyko… i tak, może odbić się rykoszetem i przetrzymać ją w tym tunelu przez resztę życia. – Jej dłoń drżała. Melissa zaczekała, aż się uspokoi, zanim znowu upiła łyk kawy. – To mój koszmar.

– Nie wiem, czy bym aż tak ryzykował.

– Cassie to wojowniczka. Taki ma charakter. Trzeba ją zmusić, by znowu stanęła do walki.

– Skąd ta pewność, że nie będzie miała koszmarów?

– Nie jestem pewna. Może się do nich zmusić. Jednak mam nadzieję, że moja sugestia zapuści korzenie. Będę ją powtarzała za każdym razem, gdy się spotkamy. Potem możemy już tylko czekać. – Odstawiła filiżankę. – Pewnie postara się robić wszystko, czego jej zabroniłam. Teraz niespecjalnie za mną przepada.

– Przecież możesz się mylić.

– Tak. Jednak jeśli mam rację, zmuszę ją, by stawiła czoło demonom i wróciła. Teraz jestem od niej silniejsza, z dnia na dzień mam więcej siły. Przy każdej okazji będę ją strofować i blokować.

– Twarda miłość?

– Naprawdę ją kocham. Nie masz pojęcia, jak bardzo jest mi bliska. Jest taka... jest jak moje drugie ja. – Zamknęła oczy. – Wiem, że zachowuję się nieprzyjemnie, ale muszę ją zmusić do powrotu. Widzisz, mam coś, czego nie miała Jessica, lecząc mnie. Zrobię wszystko, co trzeba. – Otworzyła oczy, lśniące od łez. – Nie jestem świętą, jak ona, Travis.

– Nie musisz być taka jak ona. – Przykrył jej dłoń swoją. – Dobrze sobie radzisz... po swojemu.

– Mam nadzieję. – Jego uścisk był ciepły i pełen troski. Pozwoliła sobie na tę pociechę, zanim zabrała dłoń. – Mam nadzieję, że nie poganiam Cassie tylko dlatego, że chcę, by Andreas pomógł nam w walce z Deschampsem.

– Nie sądzę.

– Żadne z nas nie może jednak być pewne. – Odsunęła krzesło. – Idę na spacer po plaży, zanim obudzę Cassie i dam jej kolację.

– Ja się tym zajmę.

Melissa pokręciła głową.

– To moja działka.

– Chętnie pomogę. Czyżbyś mnie wykluczała?

– Gdyby naprawdę udało mi się wyrwać ją z koszmarów, i tak byłbyś wykluczony. Powinieneś się cieszyć, że masz szansę na uwolnienie się od nas.

– Niezbyt mnie to zachwyca. Zmieniły się moje priorytety. – Skrzywił się. – I wcale się z tym dobrze nie czuję. Wolę być obserwatorem.

– Zauważyłam. Może także żyjesz w tunelu, jak Cassie.

– Może i tak. – Uśmiechnął się. – Interesująca sugestia. Widzisz jeszcze jakieś podobieństwa między mną a dzieckiem?

– O tak. Tyle że ty jesteś bardziej skomplikowany. Trudno byłoby... – Urwała i spojrzała na niego. Nadal się uśmiechał, ale wyczuwała... Co? Ból? Osamotnienie? Nie była pewna, ale... raz jeszcze okazał jej uprzejmość. Chciała coś zrobić, tylko nie bardzo wiedziała, co. – Przykro mi, że zginął twój przyjaciel – powiedziała bez zastanowienia. – I przykro mi, że się paskudnie zachowałam. Nie dopuszczasz zbyt wielu ludzi do siebie, więc pewnie bardzo cierpiałeś, kiedy go straciłeś.

– Owszem.

– Może kiedyś mi o tym opowiesz.

– Może.

Ból był zbyt głęboki, a on nie lubił okazywać uczuć.

– Wiedział, że go kochałeś? Mówiłeś mu to kiedyś?

– Nie, nie mówiłem. Myślę jednak, że wiedział.

– To dobrze. Ja też ustanowiłam taką zasadę po tym, gdy Jessica sprowadziła mnie z powrotem. Życie jest zbyt krótkie, żeby zabraniać sobie okazywania emocji. Jeśli ktoś zasłużył na miłość, zasłużył też, by wiedzieć, że ją dostaje.

– To niebezpieczna filozofia.

– Bardziej niebezpiecznie jest nie mówić ludziom, że się ich kocha. Żałowałabym przez całe życie, gdyby Jessica nie wiedziała... – Odchrząknęła i ruszyła ku drzwiom. – To nie potrwa długo. Muszę się trochę przewietrzyć. Jakieś pół godziny...

Szła szybko po plaży, z wyprostowanymi plecami i wysoko uniesioną głową.

Travis pomyślał, że wygląda jak żołnierz wyruszający na bitwę.

To wojowniczka.

Tymi słowami opisała Cassie, ale pasowały i do niej. Naznaczona bliznami wojowniczka wyruszająca na bitwę z potworami dziecka.

Po jaką cholerę stał tu i się w nią wpatrywał? Za bardzo zajmowała jego uwagę, a musiał się skupić na sposobach wydostania się z tego kołowrotu i dopadnięcia Deschampsa. Nie mógł nawet tłumaczyć się pożądaniem, choć pojawiło się ono już na samym początku. Jak można pożądać kobiety, którą jednocześnie chce się chronić i uzdrowić? Daj spokój, pomyślał, przyznaj się, w końcu jesteś mężczyzną... i tak, cholera, pragniesz jej w łóżku. Nieważne, że cały czas cierpiała, a on skręcał się ze współczucia. Może dzięki seksowi połączyłaby ich najprostsza relacja. Każdy inny układ zmieniłby jego życie, a już dawno temu obrał ścieżkę, którą obecnie zmierzał. Nie musiał wchodzić w rolę rycerza depczącego po piętach damie i odpędzającego smoki.

Miał własne potwory, i w tej bitwie nie było nic idealistycznego. Brudna walka obfitująca w chciwość i przemoc.

Nadszedł już czas. Sięgnął po telefon i wybrał numer Stuarta Thomasa, zostawiony mu przez Galena.

– Mam ślad – powiedział Galen, gdy następnego wieczoru Travis podniósł słuchawkę. – Rodzice Danielle Claron, Philip i Marguerite Dumair, nadal mieszkają w wiosce, w której dorastała. Jeanne Beaujolis mieszkała obok, przez całe dzieciństwo przychodziła do Danielle. Odwiedzała ich nawet po podjęciu pracy u Andreasa. Z tego, co mówili sąsiedzi, zrozumiałem, że bardzo chwaliła się swoją pozycją i traktowała innych nieco protekcjonalnie.

– Widziałeś się z tymi Dumairami?

– Jeszcze nie. Chodziłem po okolicy, żeby wypytać, czy ktoś widział w wiosce człowieka o wyglądzie Deschampsa.

– I co?

– Bez powodzenia.

– Pogadaj z Dumairami i daj im swój numer telefonu. Nie muszą mówić, gdzie jest ich córka, jeśli nam nie dowierzają. Niech tylko przekażą jej informację, że dostanie pieniądze i ochronę przed Deschampsem, jeśli wyjdzie z ukrycia i powie nam, co o nim wie.

– Ile pieniędzy?

– Dużo.

– Teraz mamy dosyć puste kieszenie, chyba że chcesz wykorzystać diamenty.

– Jeśli będę musiał, wyczyszczę szwajcarskie konto.

– I ściągniesz nam na głowy CIA?

– Nie mogę użyć diamentów, a już obiecałem Thomasowi gotówkę. Wyślij mu dziesięć tysięcy ze swoich funduszy, co?

– Dzięki. Urodziłem się po to, by spełniać życzenia innych. Niby dlaczego?

– Bo to bezpieczniejsze niż korzystanie z moich kont. O ile wiem, Andreas nie ma dotąd pojęcia, że jesteś w to zamieszany.

– To nie potrwa wiecznie – westchnął Galen. – Danley musiał słyszeć o mojej bystrości i wyjątkowym geniuszu. Takiej doskonałości nie sposób długo ukrywać. Pozostaje kwestią czasu, gdy wykombinuje, że jedynie dzięki mnie nie wpadłeś jeszcze w jego szpony.

– To prawda.

– Potakujesz tylko dlatego, że chcesz moich pieniędzy dla Thomasa.

– To też prawda.

– Rozmawiałeś już z Karlstadtem?

– Porozmawiam, kiedy odbierzesz diament Thomasowi. Chcę móc powiedzieć Karlstadtowi, że mam klejnot z powrotem.

– I tak może kazać poderżnąć ci gardło.

– Nie, dopóki dysponuję resztą diamentów.

– Oprócz tych przetrzymywanych przez CIA.

– Muszę trochę ponegocjować. Ty zajmij się tylko przekonaniem Dumairów.

– To chyba trochę bezpieczniejsze. – Zamyślił się. – Mam jeszcze jedną informację. Chyba wkrótce będę wiedział, gdzie zatrzymuje się Deschamps podczas pobytu w Paryżu.

– Co?

– Kazałeś mi wystawić czujki. Skontaktowałem się z Pichotem, który należał do Synów Wolności w tym samym czasie co Deschamps. Być może coś mi powie.

– Za pieniądze?

– Nie, jest mi winien przysługę.

– Kiedy będziesz wiedział?

– To może trochę potrwać. Pichot chce mieć pewność, że Deschamps się nie dowie, że to on mi powiedział. – Zmienił temat. – Jak sobie radzą Melissa i Cassie?

– Lepiej niż można by się spodziewać. Cassie nie ma już koszmarów. Melissa wierzy, że wcale już nie wrócą.

– Pewnie wie, co mówi. Nasza Melissa ma nadzwyczajne zdolności.

– Czemu tak twierdzisz?

– Może nie traktujesz jej nadwrażliwości jako czegoś niezwykłego, ale mama nauczyła mnie uważać na rzeczy, które hałasują po nocy.

– Nie znałeś swojej matki.

– Ależ ty potrafisz zepsuć opowieść. – Urwał. – Melissa... Ona za dużo widzi, Travis.

– Niektórzy mówią to samo o tobie.

– Ale ja nie hałasuję po nocy.

– Jeśli nawet, to i tak cię nie zauważają.

Galen zachichotał.

– Zauważyłeś, że zawsze jej bronisz? Może wyprawiała nad tobą jakieś sztuczki.

– Nie bądź idiotą.

Chichot przerodził się w śmiech.

– Wiedziałem, że to cię zainteresuje. Nie atakuję jej. Lubię ją. Jak mógłbym jej nie lubić? Poza tą wrażliwością, jest taka sama jak ja. Pozdrów ją ode mnie. Do widzenia, Travis.

– Zadzwoń do mnie po rozmowie z Dumairami. – Odłożył słuchawkę.

– Gotowy. – Po rozmowie z Travisem Galen wsunął telefon do kieszeni. – Do roboty, Pichot.

– Okłamałeś go.

– Mama nie nauczyła mnie radości dzielenia się z innymi. – Ruszył do samochodu. – Cardeau był moim człowiekiem, a Deschamps go zabił. – Uśmiechnął się. – Poza tym jestem w tym o wiele lepszy od Travisa. To moja specjalność.

– Wiem – skrzywił się Pichot. – Liczę na to. Zamierzam wyjść z tego żywy.

– Wyjdziesz. – Galen uruchomił silnik. – Gdzie to jest?

– Rue Lestape numer piętnasty.

– To Galen dzwonił? – Travis odwrócił się i ujrzał kilka kroków dalej Melissę z potarganymi włosami, w granatowej koszuli nocnej.

– Tak.

– Znalazł Danielle Claron?

Pokręcił przecząco głową.

– Usiłuje przekonać jej rodziców, żeby przekazali jej wiadomość. Mieszkają w St Ives, małej wiosce za Lyonem, niedaleko farmy Henriego Clarona.

– Istnieje możliwość, że coś wiedzą?

– Przecież wszyscy jesteśmy przywiązani do rodziców. To naturalne, że biegniemy do nich po ochronę. Niektórzy mówią, że to najsilniejsza więź w życiu człowieka. – Spojrzał na drzwi od sypialni. – Co z Cassie?

– W porządku. – Potarła kark. – Uparta. Trudno tam wejść i jeszcze trudniej zmusić ją do słuchania. Muszę być twarda i gadać bez przerwy.

– O czym mówisz?

– O tym, co na zewnątrz. O jej matce i ojcu. O Tancerzu Wiatru. – Usiadła i podwinęła nogę. – O tobie.

– O mnie?

– Jesteś pomostem między tunelem a światem zewnętrznym. – Skrzywiła się. – Nadal ci ufa. To ja zostałam wrogiem.

– Nie możesz jej wytłumaczyć?

– Ma siedem lat. Też bym się zapierała, gdyby Jessica próbowała ze mną tej taktyki.

– Nadal jesteś pewna, że to słuszna taktyka?

– Muszę być pewna. Inaczej już po mnie. Na pewno wkrótce nastąpi przełom. – Położyła głowę na oparciu krzesła. – Równie niecierpliwie jak ty czekam, żeby wyzdrowiała.

– Nigdy nie mówiłem, że się niecierpliwię.

– Nie musiałeś mówić. Wyczuwam to.

– Cieszę się, że nie ma tu Galena. – Uśmiechnął się. – Zauważył, że masz nadzwyczajne zdolności.

– Poważnie? Chyba coś mi się wymknęło, a on nie chce, żeby ktoś go zbyt dobrze znał.

– Wymknęło?

Z zakłopotaniem wzruszyła ramionami.

– Czasem wiem różne rzeczy.

– Telepatia?

– Na litość boską, nie. Wskoczyłabym do rzeki, gdybym miała taką kulę u nogi.

– A to z Cassie?

– To co innego. Wszystko, co ma coś wspólnego z Cassie, jest inne. Zazwyczaj... po prostu wyczuwam pewne rzeczy.

– I wyczułaś, że się niecierpliwię?

– Trudno ci to ukryć. – Usiadła wygodniej. – Masz prawo się niecierpliwić. Chcesz się nas pozbyć, żeby...

– Tak, masz rację, chcę się ciebie pozbyć. – Odetchnął głęboko. – Natychmiast. Wracaj do łóżka, Melisso.

– Za chwilę.

– Teraz.

– Chyba powinniśmy o tym porozmawiać. Jest za dużo... – Nabrała powietrza w płuca, gdy napotkała jego spojrzenie. – Travis?

– Nie trzeba szczególnych umiejętności, żeby teraz odczytać moje myśli, prawda?

– Nie.

– No to wracaj do łóżka i pozwól mi pomyśleć o czymś innym poza tymi długimi nogami i tym, co się między nimi znajduje.

Powoli wstała z krzesła.

– Nie mogę... To nieodpowiednia chwila, Travis.

– Wiem. – Usiłował ukryć rozdrażnienie. – Nie jestem idiotą. Ale oboje czujemy, że to było między nami od samego początku. – Skrzywił się. – Umysł może mówić mi jedno, ale moje ciało nie uważa żałoby za wystarczający powód do pozostawania w uśpieniu. Chodzi mu o rozmnażanie gatunku. Więc idź stąd, dobra?

– Idę. – Nadal jednak stała nieruchomo. – Nie chodzi o to, że...

– Wiem. Niewłaściwy moment. – Sięgnął po książkę na stole. – I pewnie niewłaściwy mężczyzna. Moglibyśmy się nieźle zabawić, ale chyba nie przepadasz za jednonocnymi przygodami. Za dużo w tobie Jessiki.

– Wcale nie jestem podobna do Jessiki. – Zwilżyła wargi językiem. – Nie mylisz się jednak, mam problem ze statkami mijającymi się nocą. Teraz muszę wiedzieć, na czym opierają się moje relacje z ludźmi.

– Już to wiesz. Przejrzałaś mnie na wylot w dniu, w którym się spotkaliśmy. Przez większość czasu nie podobało ci się to, co widziałaś.

– Nieprawda. Chodzi o to, że sytuacja była skomplikowana, a ty komplikowałeś ją jeszcze bardziej. Musiałam zrobić to, co... – Ruszyła do drzwi. – Dobranoc, Travis.

Zniknęła.

Po co tyle gadał? Powinien trzymać gębę na kłódkę.

Nie, do diabła. Mieszkali obok siebie, a on nigdy nie potrafił cierpieć w milczeniu. Miał już dosyć okazywania współczucia na braterską modłę. Niech ona coś z tym zrobi. Teraz, kiedy wie, będzie się miała na baczności.

Tego przecież pragnął, prawda?

Nie.

Pragnął jej na swoich kolanach, pragnął, żeby te długie nogi oplotły się wokół niego, pragnął, by jęczała, jak...

Nie myśl o Melissie, nakazał sobie. Przeczytaj tę cholerną książkę. Albo wymyśl coś, co pomoże nam wszystkim wydostać się z tego położenia.

Nie myśl o niej.

Nie myśl o nim.

Mój Boże, zdołała uciec. Niewiarygodne. Przysięgła sobie, że nigdy już nie będzie uciekać po tym, jak Jessica sprowadziła ją z powrotem. A jednak zwiała jak pensjonarka.

Dlaczego? W końcu nie była wstydliwą dziewicą. Z entuzjazmem podchodziła do seksu. Był dla niej przyjemnością i radością, przepadała za nim, tak jak przepadała za euforycznym zmęczeniem po solidnych ćwiczeniach fizycznych.

To było między nami od początku.

Od dnia, w którym ujrzała, jak Travis biega w Juniper. Żartowała z Jessicą na temat seksownego sąsiada, ale wcale nie było jej do śmiechu. Gdyby tak bardzo nie przerażały jej sny, może złożyłaby wizytę Travisowi z innego powodu. Czuła tę iskrę, ale ją zignorowała.

Teraz także powinna ją zignorować.

Nie, nie powinna, skoro przysięgła sobie, że stawi czoło każdemu lękowi. A jednak musiała uciekać od Travisa.

Czyżby uznała, że przespanie się z nim uchybi żałobie po Jessice? Nie, życie było dla żywych, a Jessica nigdy by nie chciała, żeby Melissa poświęciła choćby minutę szczęścia na rzecz konwencji.

Jednonocna przygoda.

O to chodziło. Bała się, że pragnie czegoś więcej niż jednonocnej przygody. Travis pociągał ją zbyt... wszechstronnie. Ostatnio stali się sobie ogromnie bliscy, poznała go z innej strony. Miał rację, czasem potrafiła przejrzeć go na wylot i zobaczyć coś, czego nie chciał nikomu pokazywać. Widziała poczucie humoru, cierpliwość i współczucie za chłodnym, analitycznym murem, którym się otoczył. Coś w nim ją... wzruszało.

Ta myśl spowodowała kolejny przypływ paniki. Była teraz zbyt bezbronna, nie potrzebowała następnej przeszkody do obejścia. Nie zamierzała przeskakiwać murów, za którymi się skrył.

Dlatego postanowiła trzymać się na dystans.

Rozdział dziewiętnasty

Pod numerem piętnastym na rue Lestape, nieopodal St-Germain, stał niewielki, elegancki dom.

– Nie ma go – powiedział Pichot. – Sprawdziłem, zanim zadzwoniłem do ciebie.

– Może wrócił. – Galen nacisnął klamkę, a potem szybko przeszedł alejką na tyły domu. – Może coś w środku podpowie mi, gdzie jest. – Ukląkł i przyjrzał się zamkowi w drzwiach. Doskonała robota. Zdołał go otworzyć dopiero po dwóch minutach. – Sezamie, otwórz się.

– A jeśli tu jest alarm? – spytał Pichot. – Może nie powinniśmy...

– Deschamps nie chciałby, żeby policja załomotała w jego drzwi. – Wszedł do środka. – Chodź, Pichot.

– Może zaczekam w samochodzie.

– Kiepski pomysł. – Galen uśmiechnął się do niego przez ramię i włączył latarkę. – Nie chodzi o to, że ci nie ufam, ale wolałbym mieć towarzystwo podczas wędrówki po pieczarze Deschampsa. Trochę za bardzo się boisz swojego nieobecnego przyjaciela.

– Nie musisz się martwić. Bardziej boję się ciebie. – Spojrzenie Pichota wędrowało po niewielkim przedpokoju. – Ładnie. Ciekawe, ile kosztowała ta tapeta?

– Nigdy tu nie byłeś?

– Deschamps nie jest moim kumplem. Zawsze spotykaliśmy się poza domem.

Wnętrze urządzono z niezwykłym smakiem. Perski dywan pokrywał dębową podłogę i prowadził do dużego pokoju kilka metrów dalej.

– Czego szukasz? – spytał Pichot.

– Gabinetu, biblioteki. – Galen spojrzał na kręcone schody. – Może sypialni.

– Co to?

Pichot wpatrywał się w drzwi po drugiej stronie pokoju. Nie były to zwykłe drzwi. Każdy centymetr pokrywały wspaniałe płaskorzeźby o motywach roślinnych.

Galen ruszył w tamtą stronę.

– Najwyraźniej to jakieś ważne wejście – stwierdził. – Sprawdźmy, co się za nim kryje.

Drzwi były zamknięte.

– Potrzymaj latarkę. – Przykucnął i zabrał się do pracy. Z pewnym wysiłkiem zdołał otworzyć zamek, po czym wziął latarkę od Pichota. – Zobaczmy, co my tu mamy... – Zesztywniał. – Cholera jasna.

– Co to takiego? – Pichot go odsunął i zrobił krok przed siebie.

Czerwone światło na ścianie naprzeciwko zamrugało.

– Nie! – Galen złapał Pichota, wypchnął go przez okno, rozbijając szyby, i zanurkował tuż za nim.

Dom zamienił się w kulę ognia.

Deschamps zesztywniał, gdy lampka na urządzeniu sygnalizacyjnym, które zawsze ze sobą nosił, zgasła. Wyjął urządzenie z kieszeni, ale czerwone światełko nie zabłysło.

Zamknął oczy. Poczuł ból.

– Nie – wyszeptał.

Światełko zniknęło.

– Niech cię cholera. – Dłoń Travisa zacisnęła się na telefonie. – Skręcę ci kark, Galen.

– Po co? Mało brakowało, a sam bym się załatwił. – Zamilkł. – Nie spodziewałem się tego. Myślałem, że może podłożył bombę pod biurkiem albo sejfem, ale nie pod całym domem. Bomba uruchomiła się dopiero, gdy Pichot wszedł do pokoju. To nie ma sensu.

– Zerknąłeś na to, co było w środku?

– Pokój wyglądał jak cholerne muzeum. Prawdziwy sezam, pełen obrazów i rzeźb... To właśnie nie ma sensu. Jednym z obrazów z pewnością był Monet. Przysiągłbym, że to ten z liliami wodnymi, który podobno spłonął w posiadłości Rondeau w zeszłym roku. Jeśli inne dzieła sztuki w tym pomieszczeniu miały podobną wartość, po co Deschamps je wysadzał?

– Zapytam go... gdy go znajdziemy. I nie poluj już na własną rękę – dodał ponuro. – Obiecaj mi to, Galen.

Po drugiej stronie zapadła cisza.

– Galen?

– Niech ci będzie. Miałem swoją okazję. Twoja kolej.

– Dzięki – powiedział sarkastycznie Travis. – Doceniam tę przysługę.

– Powinieneś – odparł Galen. – Byłem cholernie wkurzony, kiedy się pozbierałem na chodniku przed domem Deschampsa.

– Wrócisz tutaj?

– Już niedługo. Muszę się spotkać z Dumairami w St Ives. Do zobaczenia.

Travis wyłączył telefon i wyszedł na werandę. Cholera, powinien przewidzieć, że Galen zrobi coś idiotycznego, jeśli tylko będzie miał ku temu okazję. Uważał, że sam dla siebie stanowi prawo. Przyznaj się, pomyślał, zazdrościsz Galenowi, bo mógł gonić za Deschampsem i nie był tu uwiązany. Przynajmniej jemu udało się przejść do ofensywy.

Będą musieli poczekać, by sprawdzić, jak na jego działanie zareaguje Deschamps.

Dwie noce później Cassie miała koszmar.

Melissa podskoczyła na łóżku, słysząc pierwszy przeszywający krzyk.

– Cassie... – Opuściła nogi na podłogę. – Nie, skarbie, nie.

– Co się stało? – W progu pojawił się Travis. – Twierdziłaś, że nie będzie miała więcej koszmarów.

– Powiedziałam, że mam taką nadzieję. – Włączyła lampę.

Cassie znowu krzyknęła.

Nie stój tak, przykazała sobie Melissa. Usiądź obok i zacznij z nią rozmawiać.

– Tak jak zwykle?

Skinęła głową i weszła pod kołdrę Cassie.

– Kiedy ci powiem, żebyś przestał, przestań.

– Co zamierzasz zrobić?

– Oskarżę ją o blef.

– Blef?

– Przekonywałam ją, że nie będzie miała koszmarów. – Zamknęła oczy. – Demonstruje mi, że się myliłam.

– Mocno drastyczna demonstracja.

– Chce, żebym się wyniosła. Myśli, że jeśli mi udowodni, że się mylę, odejdę. – Przysunęła się bliżej Cassie. – Porozmawiaj z nią, Travis.

Przestała go słyszeć, była ledwie świadoma szemrania jego głosu. Cassie trzymała ją na dystans. Melissa nie zdołała wedrzeć się do świata dziewczynki, jak zazwyczaj podczas koszmarów. Przez kilka minut wciskała się na siłę do umysłu Cassie.

Przerażenie.

Kłębiący się strach.

Potwory.

– *Nie ma żadnych potworów* – *odezwała się Melissa.*

– *Kłamczucha.* – *Cassie biegła w głąb tunelu.* – *Są tutaj. Muszę uciekać.*

– *Jeśli są tutaj, to dlatego, że je sprowadziłaś. Możesz je odprawić.*

– *Mówiłam ci, że przyjdą.*

– Bo chcesz mieć pretekst, żeby tutaj zostać.

– Muszę wejść głębiej...

– Nie. – Melissa stanęła przed Cassie i zablokowała jej drogę. – Przestań biec.

– Zejdź mi z drogi. – Melissa czuła siłę woli dziecka. – Odejdź.

– Za tobą nie ma żadnych potworów. Odwróć się i sprawdź.

– Nie zrobię tego, nie zrobię!

– Odwróć się.

– Są tutaj. Muszę biec.

– Odwróć się. – Melissa ujęła dziewczynkę za ramiona i zmusiła ją, by się odwróciła.

– Nie popatrzę.

– Popatrzysz.

– Nie zmusisz mnie.

– Wiesz, że to nieprawda. Teraz jestem silniejsza od ciebie, Cassie. Otwórz oczy.

Dziecko walczyło z nią jeszcze przez chwilę, po czym powoli uniosło powieki.

– Co widzisz, Cassie?

– Potwory.

– Co widzisz?

– Potwory.

– Co widzisz?

– Już ci mówiłam – stwierdziła wrogo dziewczynka.

– No to dlaczego nie zrobiły ci krzywdy?

– Bo Michael je powstrzymuje.

– Odejdź, Travis.

– Nie! – Cassie się szarpnęła, usiłując wyrwać się Melissie. – Wracaj, Michael!

Głos Travisa jednak umilkł.

– Odszedł, Cassie. A ty nadal tu jesteś.

– Potwory nadchodzą. Dopadną mnie.

Rany boskie, jaką ona ma silną wolę.

– Nie ma ich tutaj. Nie widzisz ich.

– Nie mów mi, co widzę.

– No to ty mi powiedz. Co widzisz?

– Maski, zęby i oczy...

– Ale nie zrobiły ci krzywdy. Bo nie są prawdziwe. Zamierzam cię przytrzymać i zmusić, żebyś stawiła im czoło. Jeśli podejdą zbyt blisko, będę cię broniła.

– Nie będziesz – szlochała dziewczynka. – Nienawidzisz mnie.

– Kocham cię.

– To mnie puść.

– Puszczę, jeśli powiesz mi, co widzisz.

– Potwo... – Jej głos się załamał. – Nie mogę wrócić. Muszę wejść głębiej.

– Co widzisz?

Nagle Cassie odwróciła się do Melissy.

– Nic! – krzyknęła. – Nic. Nic!

– Nie ma potworów?

– Nie ma potworów. Zadowolona?

– Tak. – Łzy spływały po jej twarzy, gdy wzięła Cassie w ramiona. – Nie mogłabym być bardziej zadowolona, skarbie.

– Puść mnie. – Mimo tych słów mocno obejmowała Melissę. – Nienawidzę cię.

– Już niedługo. – Melissa łągodnie kołysała dziecko. – Wkrótce cię puszczę, Cassie...

Dopiero po godzinie otworzyła oczy.

– Cześć. – Travis siedział na krześle obok łóżka. – Jak się miewasz?

– W porządku – wyszeptała. Pocałowała Cassie w czoło i wyślizgnęła się z łóżka. – Trochę to potrwało, zanim zasnęła.

– Co się stało, do cholery? Krzyczała jak opętana, kiedy przestałem do niej mówić. Okropnie mnie wystraszyła.

– Sama też się nieźle wystraszyła.

– Ale wszystko dobrze się skończyło?

– Mamy przełom. – Pokiwała głową. – Przyznała przede mną i przed sobą, że w tunelu nie ma potworów.

– Więc nie będzie więcej koszmarów?

– Boże, mam taką nadzieję. Jej wyobraźnia jest na tyle silna, by stworzyć wszystko, co Cassie zechce. Ale przynajmniej ma świadomość, że się oszukiwała. Najlepiej byłoby, gdyby zaczęła kwestionować powody, dla których znalazła się w tunelu.

– Czyli co?

– To, że Tancerz Wiatru ją tam trzyma dla jej bezpieczeństwa.

– Możesz ją przekonać, że to nieprawda.

– Spróbuję nad tym popracować. – Zgasiła lampę na nocnym stoliku. – Mam nadzieję, że to nie potrwa zbyt długo. Zrobię sobie kawę bezkofeinową i wracam do łóżka. Masz ochotę?

– Czemu nie? – Travis powędrował za nią do kuchni i przyglądał się, jak parzy kawę. – Nie potrzebowałyście mnie dzisiaj, prawda? Dlatego mnie odesłałaś. Żeby udowodnić Cassie, że może się obyć beze mnie.

– Udało nam się. – Usiadła przy stole. – To cię powinno uszczęśliwić. Uwolniłeś się od niej.

– To chyba nie jest w porządku. Nigdy nie żałowałem, że pomagam Cassie.

– Mimo że wykorzystałeś ten fakt do szantażu.

– Trafiony. – Uniósł filiżankę do ust. – Taka jest natura bestii. Ja też nie jestem święty, Melisso. Nigdy go nie udawałem.

Nie, nigdy nie ukrywał przed nimi swojego charakteru ani motywacji. Sposób jego myślenia bywał skomplikowany niczym chińska układanka, ale obie siostry zawsze wiedziały, czego się mogą po nim spodziewać.

– Pewnie miałeś powody. Mówiłeś, że martwisz się o swojego przyjaciela Jana. Wygląda na to, że słusznie.

– Słuszniej niż myślałem.

– Opowiedz mi o nim.

– Po co?
Melissa oderwała od niego spojrzenie.
– Nie wiem. Przypuszczam, że niełatwo ci zbliżyć się do ludzi. Pewnie więc jestem ciekawa, jakiego człowieka nazywałeś przyjacielem.
– Dobrego. Uważał się za egoistę, ale kiedy go potrzebowałem, zawsze był przy mnie. Jan był jak rodzina. On i mój ojciec pracowali razem. Przez lata.
– Co robili?
– Czasem kradli dzieła sztuki, ale zazwyczaj przemycali różne rzeczy. Mój ojciec był prawdziwym poszukiwaczem przygód. Uważał się za kogoś w rodzaju zawadiaki. Żył chwilą. Jan był praktycznym, stabilizującym czynnikiem w moim życiu. Wtedy nie doceniałem tego, że próbował powstrzymać mojego ojca przez zabieraniem mnie na wypady. Mówił, że to zbyt niebezpieczne, i czasem strasznie się o to wykłócaliśmy.
– Twój ojciec naprawdę zabierał cię ze sobą?
– Jasne, uważał, że to kształcące.
– Czyżby?
– Żebyś wiedziała. Sporo się nauczyłem. Oczywiście, niewiele z tego było legalne.
– Nie chodziłeś do szkoły?
– Korespondencyjnej. Jan się uparł. Kiedy mój ojciec zginął, Jan zabrał mnie do Amsterdamu i umieścił w zwykłej szkole.
– Ile miałeś lat, gdy umarł twój ojciec?
– Trzynaście.
– Z takim zapleczem musiałeś nieźle namieszać wśród innych uczniów.
– Nieszczególnie. Wtedy mocno się wyciszyłem. Śmierć ojca nie była zbyt... estetyczna, sam trochę oberwałem.
– Co mu się stało?
– Nadepnął na odcisk przywódcy kartelu narkotykowego w Algierze. Wysadzili naszą łódź.

Oczy Melissy rozszerzyły się ze zdumienia.

– Byłeś w niej?

– Tak jak Jan. – Pokiwał głową. – Ojciec znajdował się pod pokładem, zabił go podmuch. Jana i mnie z pokładu rzuciło do wody. Rozbiłem sobie głowę, Jan musiał podholować mnie do brzegu. Leżałem w szpitalu przez wiele tygodni, ale on mnie nie opuścił. Kiedy poczułem się lepiej, zabrał mnie do Amsterdamu.

– Co ze śmiercią twojego ojca?

– Chodzi ci o policję? W biznesie, którym się zajmowaliśmy, nie chodzi się na policję, chyba że się chce wylądować w więzieniu. Samemu trzeba rozwiązać problem.

– Nie, jeśli ma się trzynaście lat.

– Nie pozostałem trzynastolatkiem całe życie. – Uśmiechnął się.

Poczuła nagły chłód, gdy popatrzyła mu prosto w twarz.

– Co robiłeś?

– Jak to co? To, co robiłby każdy dzieciak. Uczyłem się, grałem w piłkę, czytałem książki. – Wstał i odstawił filiżankę do zlewu. – I czekałem.

– A potem?

– Nie chciałabyś znać szczegółów. – Umył filiżankę i odstawił ją na półkę. – Zająłem się tą sprawą.

Travis miał rację, nie chciała znać szczegółów. Nie miała wątpliwości, że były bardzo krwawe.

– Zaszokowana? – Patrzył na nią uważnie. – Niepotrzebnie. Wiesz, że nie jestem w czepku urodzony, jak ty. Bardzo się od siebie różnimy.

– Bo ty pragnąłeś zemsty? – Wzruszyła ramionami. – Wcale się nie różnimy.

– Może czujemy to samo, ale gwarantuję ci, że działamy inaczej. Jeśli chodzi o kogoś, na kim mi zależy, nie poprzestaję na szybkiej, schludnej śmierci. – Umilkł. – Więc nie myśl, że wejdziesz mi w drogę.

Wpatrywała się w niego bez słowa.

– Cholera, pozwól mi to zrobić. – Zacisnął pięści. – Myślisz, że łatwo jest zabić człowieka?

– Nie wierzę, że byłoby trudno zabić Deschampsa. To jak rozdeptanie karalucha. – Wstała. – Albo uduszenie go moim czepkiem. Dobranoc, Travis.

– Melisso, nie... – Wziął głęboki oddech. – To prawda, uwolniłaś mnie od Cassie, ale ona nadal cię potrzebuje. Obiecałaś coś Jessice.

– Nie musisz mi przypominać. Ale jej jest lepiej. Miałeś jakieś nowe wieści od Galena?

– Nie.

– Ale w razie czego mi powiesz? – Kiedy nie odpowiedział, zacisnęła wargi. – Tak myślałam. Odsuwasz mnie. Nasze partnerstwo było w najlepszym razie oparte na kruchych podstawach. Dobrze wiedzieć, na czym stoję.

– Deschamps cię zabije. Posłuchaj mnie... uganiasz się za tym facetem jak jakiś partyzant. Znam cię. Nigdy nie widziałem kogoś, kto równie mocno kochałby życie. Myślisz, że jak byś się czuła, odbierając je komuś?

– Zabił moją siostrę. Zrobię wszystko, co będę musiała.

– Zostaw go mnie, Melisso.

Nagle zakipiała gniewem.

– Za nic. – Weszła do sypialni i trzasnęła za sobą drzwiami. Cholera, nie powinna tego robić, mogła obudzić Cassie.

Na szczęście dziewczynka nadal spała.

Gniew powoli opuszczał Melissę, kiedy siedząc na łóżku, patrzyła na Cassie.

– Musisz wydobrzeć, skarbie – wyszeptała. – Jesteś tak niedaleko. Musisz wyjść z tunelu. Dla Jessiki.

Cassie się poruszyła.

Melissa zamarła. Nigdy wcześniej tego nie widziała. Jessica mówiła, że wyczuwa jakąś reakcję, ale to był najprawdziwszy ruch.

– Cassie?

Dziewczynka odwróciła głowę.

Odrzucenie. To jednak także reakcja.

– No dobrze. – Melissa przełknęła ślinę. – Po kolei. Wygląda na to, że dziś zrobiłyśmy większe postępy, niż sądziłam. Teraz posiedzę tutaj i porozmawiam z tobą. A ty będziesz słuchała, dobrze? Porozmawiamy sobie o Tancerzu Wiatru, o nas i o tym, jak na zawsze pozbyć się tych potworów...

– Cześć, Travis. Stajesz się niezwykle denerwujący.

– Kto mówi? – Zesztywniał.

– Nie rozpoznajesz mojego głosu?

– Deschamps? – Nabrał powietrza w płuca.

– Wiesz, jakie piękne rzeczy zniszczyłeś? – Głos Deschampsa był szorstki i pełen bólu.

– Nie mam pojęcia, o czym mówisz.

– Czyżby to był zbieg okoliczności, że włamano się do mojego domu i zniszczono go akurat w czasie, gdy mnie poszukujesz? Nie sądzę. To ty, prawda?

– Nie ja wysadziłem twój dom w powietrze. Ty podłożyłeś ładunek.

– Nie wybuchłby, gdybyś nie próbował wejść do pokoju.

– Ty go zniszczyłeś. Dlaczego?

– Bo już nie byłby mój. Musiałbym myśleć o tych rzeczach jako o własności twojej lub kogoś, komu byś je sprzedał. Zepsułbyś je.

– Rany boskie, jesteś tajnym kolekcjonerem?

– Co za głupia nazwa. Nic o tym nie wiesz. Ale nie udało ci się pozbawić mnie wszystkich moich skarbów. Myślałeś, że trzymam je w jednym miejscu? Tak czy owak, zapłacisz mi za tego Moneta. Musisz dać mi coś w zamian. Gdzie jest Tancerz Wiatru, Travis?

– W muzeum.

– Pieprz się. Zabrałeś go ze sobą.

– Skąd wiesz?

– Gdzie rzeźba?

– Gdybym ją zabrał, to i tak bym ci nie powiedział. Po co dzwonisz?

– Mówiłem ci.

– Po co?

– Może uznałem, że czas, abyśmy się poznali. Szukałem cię od bardzo dawna.

– No i znalazłeś. Ale zamiast mnie zastrzeliłeś Jana.

– Miałem swoje powody. Sądzę, że je znasz.

– Tancerz Wiatru.

– Z twojej rozmowy z van der Beckiem jasno wynikało, że zamierzasz ukraść rzeźbę. Musiałem tylko zaczaić się i obserwować.

– Zakradłeś się do muzeum.

– Pomyślałem, że może się to okazać niezbędne po tym, jak nie dałeś mi porwać dziewczynki. Tak łatwo byłoby wymienić ją na Tancerza Wiatru.

– A więc od początku chodziło ci o rzeźbę?

– Jasne. Zawsze. Od dzieciństwa wiedziałem, że muszę mieć Tancerza Wiatru. Całe życie czekałem na swoją szansę. Dwukrotnie pokrzyżowałeś mi szyki.

Niech gada, pomyślał Travis. Dowiem się, co napędza tego sukinsyna.

– I co byś z nim zrobił? Nie mógłbyś go sprzedać, a Andreas nigdy nie przestałby cię szukać.

– Obaj doskonale wiemy, że na tej planecie nadal istnieją miejsca, gdzie można wtopić się w tłum. Ostatnio zastanawiałem się nad Wschodem. W Europie robi się dla mnie trochę za gorąco. – Zamilkł. – A ten, kto sprzedałby Tancerza Wiatru, to człowiek bez duszy.

– Naprawdę wierzysz, że masz duszę, Deschamps?

– Bo nie jestem sentymentalnym głupcem? Czym jest dusza? Moje serce śpiewa na widok pięknego obrazu czy wspaniałej rzeźby. Zapłakałem, gdy po raz pierwszy ujrzałem zdjęcie Tancerza Wiatru. Kto powiedział, że moja wrażliwość nie dorównuje twojej?

– Ja nie jestem zimnokrwistym mordercą.

– Kiepski argument. Inteligentny z ciebie człowiek, lecz byłbyś o wiele bardziej wartościowym przeciwnikiem, gdybyś kontrolował swoje emocje. To było bardzo widoczne, gdy zabiłem van der Becka.

Travis stłumił gniew.

– Nie miałeś powodu zabijać Jana.

– Jasne, że miałem. Bo ciebie to zabolało. Zawsze mam powód. Nigdy nie praktykuję bezsensownej przemocy.

– Nawet gdy zabiłeś swojego ojczyma?

– O, nie próżnowałeś. Czego się dowiedziałeś o moim szacownym rodzicielu?

– Że go nie lubiłeś i okazałeś to, krojąc go na kawałki. Co on ci takiego zrobił?

– Wsadził mnie do więzienia za tę samą miłość, którą usiłował we mnie rozbudzić. Prawie zamieszkałem w jego galerii. Czy to nie naturalne, że usiłowałem wziąć sobie parę rzeczy na własność? W poprawczaku miałem mnóstwo czasu na myślenie. Zupełnie jakbym żył w kokonie, a następnie zamienił się w motyla.

– Może raczej w kobrę. Po co mi to opowiadasz?

– Chcę, żebyś mnie zrozumiał. Chcę, abyś wiedział, co cię czeka. – Milczał przez chwilę. – Powinieneś był zginąć w muzeum. Planowałem cię zabić i zabrać rzeźbę. Zrobiłbym to, gdyby nie ta kobieta.

– Zabiłeś Jessicę Riley, jedyną kobietę, która była w to zamieszana.

– To nie Jessica Riley zadzwoniła do Andreasa i kazała mu zawiadomić policję. Swoją drogą interesujące, że nie chciałeś, abym dowiedział się czegoś o Melissie Riley. I tak miałem ją sprawdzić w przyszłości, ale teraz mogę ją umieścić na szczycie swoich priorytetów.

– I odwrócić uwagę od mojej skromnej osoby?

– Przyjdzie czas na wszystkich. Zabiłeś już Cassie Andreas?

– Co?

– Zdobyłeś Tancerza Wiatru. Nie masz powodu utrzymywać jej przy życiu. Musi być sporym obciążeniem. – Roześmiał się. – Mój

Boże, nie zrobiłeś tego. Ta słabość może stać się przyczyną twojej śmierci. Trudno jest zachować cierpliwość. Pomyśl o tym. Śnij o tym. Jak ja. – Przerwał połączenie.

Travis zaklął cicho.

– Jakieś kłopoty? – W drzwiach stanął Galen.

– Najwyższy czas, żebyś się wreszcie zjawił.

– Deschamps?

Travis skinął głową.

– Zdenerwowałeś go, najeżdżając jego terytorium. Najwyraźniej ma potrzebę porozumiewania się z nami.

– Coś interesującego?

– Same pogróżki. – Pod jego adresem, pod adresem Melissy. – Cholera, szkoda, że nie wyśledziliśmy połączenia.

– Kto wiedział, że do ciebie zadzwoni?

– Może to zrobić znowu.

– Jeśli zacznę szukać techników, zdradzimy naszą kryjówkę.

Travis o tym wiedział. Czuł się potwornie sfrustrowany, wiedząc że nie może wykorzystać tej sytuacji.

– Ma kontakty. Zdobył mój numer i wiedział, że w muzeum nie ma rzeźby. Wiedział też, że to Melissa poinformowała Andreasa. Możesz się dowiedzieć, kto mu donosi?

– Mogę spróbować. – Spojrzenie Galena powędrowało ku siedzącej na plaży Melissie. – Zamierzasz jej powiedzieć?

Travis się zawahał, a po chwili pokręcił przecząco głową.

– Nie ma o czym mówić. – Nie było, poza brudem, krwią i szalonym mordercą, który się nią zainteresował. I tak miała wystarczająco dużo na głowie, nie potrzebowała kolejnego stresu. – Chyba że dowiesz się czegoś konkretnego.

Galen odwrócił się, by wejść do domu.

– Albo i nie. Widzę, że twoja opiekuńczość podnosi swój natrętny łeb. Jeśli Melissa się zorientuje, potraktuje cię ciosem karate.

Rozdział dwudziesty

– Dobra wiadomość. Zidentyfikowaliśmy człowieka, którego zwłoki leżały w piwnicy muzeum, panie prezydencie – powiedział Danley. – To Pierre Cardeau. Urodzony w Marsylii, drobny złodziej, podobno brał zlecenia na wiele dość brutalnych spraw. – Umilkł. – Był w Nicei, gdy próbowano porwać pańską córkę w Vasaro.

– Mógł w tym maczać palce – stwierdził Andreas. – Ale w której drużynie? Travisa czy sukinsyna, który usiłował ją porwać?

– Jest pan pewien, że ze sobą nie współpracowali?

Andreas niczego nie był pewien.

– Wiem tylko, że chcę złapać Travisa.

– Robimy, co w naszej mocy. To prawdziwy przełom. Cardeau ma brata, dorwaliśmy go dziś rano. Czasem pracowali wspólnie. Jeśli coś wie, obiecuję panu, że wkrótce i my się tego dowiemy.

– Kiedy?

– Niedługo. – Danley się uśmiechnął. – Gwarantuję to, panie prezydencie.

Andreas nie zamierzał kwestionować ani pewności Danleya, ani jego metod. Był to pierwszy przełom od porwania Cassie i postanowił godzić się na wszystko.

– Dajcie mi znać, kiedy będzie coś wiadomo.

– Dzień dobry. – Galen zerknął znad pieca, gdy następnego ranka Melissa weszła do kuchni. – Usiądź. Za chwilę będzie śniadanie.

– Nie słyszałam, jak tu wszedłeś. – Usiadła przy stole. – Gdzie Travis? Już wstał?

– Wyszedł w chwili, gdy się tu zjawiłem. Chyba pojechał do Cannes. – Postawił przed nią szklankę soku pomarańczowego. – W sprawie Karlstadta. Powiedział, że wróci jak najszybciej, ale to może potrwać parę dni.

– Znalazł Danielle Claron?

– Jeszcze nie. Ale jej ojciec obiecał do mnie zadzwonić, kiedy Danielle się pojawi.

– Nie wie, gdzie jest?

– Twierdzi, że nie. Oczywiście może uważać wszystkich za zagrożenie dla swojej córeczki. – Uśmiechnął się. – Chociaż czy istnieje ktoś łagodniejszy ode mnie?

– Hun Attyla?

– Uważaj, bo ci nie doprawię jajecznicy. A czymże jest życie bez przypraw? – Postawił przed nią jajecznicę na bekonie. – Jak nasza mała?

– Nie ma już koszmarów.

– Travis mówił, że to ty sobie z nimi poradziłaś. Gratulacje.

– Miałam szczęście. Mogło się ułożyć zupełnie inaczej. – Zaczęła jeść. – Zostałeś na straży w zastępstwie Travisa?

– Uznałem, że przydadzą mi się krótkie wakacje nad morzem. W końcu to ja odwalam całą robotę. Jak tam jajecznica?

– Niezła. – Odchyliła się i popatrzyła na niego uważnie. – Powiesz mi, jeśli skontaktują się z tobą pan Dumair albo Danielle Claron?

– Co byś zrobiła, gdybym odmówił? – Popatrzył pytająco.

– Bardzo bym się zdenerwowała i zaczęła zastanawiać nad działaniem na własną rękę.

– Tak myślałem. – Pokiwał głową. – Powiem ci, chociaż Travis nie będzie zadowolony. Co byś zjadła na obiad? Moje talenty są do twojej dyspozycji. Proś, o co chcesz.

– Już dostałam, co chciałam. – Uśmiechnęła się do niego.

Cannes
14.50

Dach hotelu.

Może otwarte okno nad piekarnią.

Albo sklep z pamiątkami na rogu.

Albo wszystkie trzy miejsca... a może żadne z nich.

Travis jeszcze głębiej skrył się w cieniu. Już wcześniej sprawdzał ulice, ale postanowił zrobić to jeszcze raz przed wieczornym spotkaniem z Karlstadtem. Niedostateczne przygotowanie często kończyło się fatalnie.

Czy coś się poruszyło w alejce obok piekarni?

18.05

Galen i Melissa siadali do kolacji, gdy zadzwonił telefon Galena. Melissa zesztywniała.

– To może być ktokolwiek – uśmiechnął się do niej. – Taki ważny człowiek jak ja musi być pod telefonem.

– Odbierz.

Skinął głową i wcisnął przycisk na słuchawce.

– Galen. – Nasłuchiwał, a jego uśmiech z wolna bladł. – Dobrze. Powtórzę Travisowi. Oczywiście, że jestem zainteresowany. Już mówiłem, powtórzę. Mogę dostać pani numer? – Odłożył telefon. – Rozłączyła się.

– Kto to? – Czuła, że jej serce bije szybciej.

– Danielle Claron.

– Jesteś pewien? Jaka się wydawała?

– Przestraszona. Bardzo przestraszona. Zresztą nie mogę być niczego pewien. Ale miała mój numer i wiedziała, że rozmawiałem z jej rodzicami.

– Co mówiła?

– Że potrzebuje pieniędzy, dużo pieniędzy. I bezpiecznej kryjówki. Nie chciała obiecać niczego, dopóki się nie porozumiemy. Dziś wieczorem chce się spotkać z Travisem.

– Gdzie?

– W starym kościele na północnym krańcu wioski. Twierdzi, że wybudowano nowy kościół na rynku i ten stary jest teraz opuszczony. Będzie tam po północy.

– Musimy tam pójść się z nią zobaczyć.

Galen pokręcił głową.

– Travis pójdzie. To z nim chciała się targować.

– Ale Travisa tu nie ma, do cholery.

– Zadzwonię do niego później. – Zerknął na zegarek. – Za parę godzin ma się spotkać z Karlstadtem; może mieć teraz kłopoty.

Melissa pomyślała ze złością, że nawet kiedy kłopoty miną, Travis i tak nie pozwoli jej iść ze sobą do kościoła. Poza tym nie mogła zapominać o Cassie.

– Zostań z Cassie – poleciła Galenowi. – Ja się spotkam z Danielle Claron. Istnieje szansa, że będzie się czuła mniej zagrożona przy drugiej kobiecie, prawda?

Galen przecząco pokręcił głową.

– Chciała Travisa. Poza tym Deschamps na pewno ją namierzył. Niebezpiecznie przebywać w jej otoczeniu.

– Nie jestem głupia. – Melissa zacisnęła pięści. – Nie wyskoczę za nią i nie zawołam...

– Wiem, że nie jesteś głupia. – Zagryzł wargi. – Ale nie wiesz, co i jak. Nie zgadzam się z Travisem, że powinnaś się trzymać z dala od tego wszystkiego, ale nie pomogę ci w bezsensownym działaniu.

Widziała po jego minie, że nic nie wskóra. Wstała i ruszyła do drzwi.

– Dokąd idziesz? – Galen zerwał się od stołu.

– Na spacer. Jestem wściekła jak diabli, muszę spuścić trochę pary. – Uśmiechnęła się do niego bez wesołości. – Myślałeś, że wskoczę do samochodu i ruszę do St Ives?

– Przyszło mi to do głowy.

– Mówiłam już, że nie jestem głupia, Galen. Wiem, że próbowałbyś mnie powstrzymać, a zapewne jesteś w tym niezły. – Zatrzasnęła za sobą drzwi i zbiegła po schodkach. Szła szybko, pewnie, chociaż pięty zapadały się w miękkim piasku. Musiała stąd odejść, zanim eksploduje.

Cholera, miała ochotę kogoś uderzyć.

Konkretnie Travisa. Blokował każdy jej ruch i dopilnował, żeby Galen także jej nie pomógł. To był pierwszy przełom, pojawiła się szansa na znalezienie Deschampsa, a ona miała tu siedzieć z założonymi rękami i czekać, aż ktoś inny znajdzie mordercę Jessiki.

Jessica.

Nie rozklejaj się, nakazała sobie. I tak ostatnio za dużo płakała i nie potrafiła trzeźwo myśleć, gdy opanowywały ją emocje. Zatrzymała się na brzegu morza i spojrzała na fale. Czuła się maleńka i bardzo samotna.

Przestanę tak myśleć, postanowiła. Negatywne myślenie to bzdura. Była samotna, ale to nie oznaczało, że nie zrobi tego, co należy zrobić.

Musiała się tylko zastanowić.

20.35

– Jestem – oznajmił ponuro Karlstadt, siadając przy stoliku w kawiarnianym ogródku. – Lepiej, żebyś teraz miał mi do zaoferowania coś wartościowego, Travis.

– Nie mógłbyś być w gorszej sytuacji, prawda?

– Mógłbym. Jeżeli przeżyjesz to spotkanie. Niespecjalnie lubię być wystawiany do wiatru, sukinsynu.

– Nikt cię nie wystawił do wiatru. Nie celowo. – Położył woreczek na stoliku. – To wszystkie diamenty, jakie mam w tej chwili. Niestety, reszta znajduje się w rękach CIA.

– To nie wystarczy. – Karlstadt nawet nie dotknął woreczka.

– Zwrócę depozyt, który wpłaciłeś na szwajcarskie konto. To oznacza, że nie będziesz musiał płacić za brakujące diamenty.

– Wiesz, że nie o to chodzi. Te diamenty trzeba usunąć z obiegu.

– Mam kilka pomysłów, jak to zrobić. Tymczasem musisz przyznać, że to nieźle, że zgarnęło je właśnie CIA.

– Niczego nie będę przyznawać. – Karlstadt miał zaciętą twarz. – Postawiłeś mnie w bardzo złym świetle przed moimi pracodawcami. Nie lubią porażek.

– Nie poniosłeś porażki. Zdążyłeś ułożyć się z Rosjanami. Nie wiedzą, że nie masz wszystkich diamentów.

– Nie mam też dyskietki. Daj mi ją, Travis.

– Dostaniesz dyskietkę.

– Teraz.

– Nie jestem głupi, Karlstadt. Dyskietka znajduje się w bezpiecznym miejscu i trafi prosto do „New York Timesa", jeśli nie zadzwonię po nią na czas. Wyślę ci ją. – Jego spojrzenie powędrowało na dach hotelu po drugiej stronie ulicy. – W innym wypadku mógłbyś dać znak temu dżentelmenowi, żeby mnie zdjął.

– Oczekujesz, że ci zaufam? Już raz to zrobiłem.

– Nie zaufałeś mi. Zrobiłeś, co konieczne, żeby zadowolić swoich pracodawców. Tak samo jak zrobisz to tym razem. Dotrzymam danego ci słowa, bo to rozsądne. Mam wystarczająco wiele problemów, nie zamierzam brać sobie ciebie na głowę.

– Coś słyszałem. – Karlstadt przez chwilę milczał. – Mogłeś skopiować dyskietkę.

– Nie. Chcę z tym skończyć, dość kłopotów.

– Kiedy ją dostanę?

– Zadzwonię do ciebie, żeby cię poinformować, gdzie ją znajdziesz. – Wstał. – To będzie międzymiastowa.

W uśmiechu Karlstadta nie było radości.

– Mądre posunięcie – warknął. – Kusiłoby mnie, żeby powetować sobie straty w bardzo brutalny sposób, gdybyś nie zszedł mi z drogi.

– Będę o tym pamiętał. – Travis znowu spojrzał na dach. – Teraz odchodzę. Poproś przyjaciela, żeby nie próbował mnie śledzić. Uznam to za pogwałcenie warunków umowy.

– Dam ci dwa dni na dostarczenie mi tej dyskietki. Potem zacznę jej szukać. – Uśmiechnął się złośliwie. – Nie mogę dłużej czekać. Siedzisz w bagnie po uszy. Nie chcę, żeby ktoś inny cię zabił, zanim ja będę miał okazję.

– To byłoby niesprawiedliwe. Spróbuję cię nie rozczarować.

Travis przeszedł ulicą i zniknął za rogiem. Przyspieszył i krążył zygzakami po mieście przez następne pół godziny, dopóki się nie upewnił, że na pewno nikt go nie śledzi. Następnie ruszył do samochodu.

Jak dotąd nieźle. Chociaż mało brakowało. Naprawdę niewiele.

Miał przewagę tylko dlatego, że Karlstadt był biznesmenem i wiedział, jak zapobiec dalszym stratom. Co nie znaczyło, że nie ruszy za Travisem, jeśli dostanie mu się za brak pozostałych diamentów. Najrozsądniej byłoby, gdyby Travis wyjechał z Europy i przez pewien czas się ukrywał.

Chrzanić rozsądek.

Przynajmniej dopóki żyje Deschamps.

Telefon zadzwonił, gdy Travis uruchomił peugeota.

– Mam problem – odezwał się Galen. – Wyjechałeś już z Cannes?

– Jeszcze nie. Za parę godzin będę w domu.

– Nie przyjeżdżaj tu. Jedź prosto do St Ives. Dzwoniła Danielle Claron. Chce się z tobą układać. Ma być w starym kościele na północnym krańcu wioski. Po północy.

– Kiedy dzwoniła?

– Po szóstej. Pomyślałem, że dam ci trochę czasu na zakończenie sprawy z Karlstadtem. Do St Ives z Cannes jest tylko kilka godzin. – Zamilkł. – Lepiej się pospiesz. Melissa może tam dotrzeć przed tobą.

– Co takiego? Powiedziałeś jej?

– Moja wina. Obserwowałem ją przez cały czas, kiedy była na plaży. Po powrocie do domu poszła prosto do łóżka.

– Na litość boską, niczego nie podejrzewałeś?

– Jasne, że podejrzewałem. Przez dwie godziny otwierałem drzwi i zerkałem na nią ze cztery razy. Za czwartym rzuciła we mnie książką. Pięć minut później usłyszałem warkot silnika furgonetki. Pewnie wyśliznęła się oknem w chwili, gdy zamykałem drzwi. Wybiegłem, ale już jechała plażą.

– Zamorduję cię.

– Wolę popełnić samobójstwo. To strasznie upokarzające. Teraz zdegradowano mnie z potężnego wojownika do roli marnej opiekunki Cassie.

– Po co jej powiedziałeś? Nie mamy pojęcia, co się dzieje z Danielle Claron.

– Nie podobało mi się, że trzymamy ją w nieświadomości. – Znowu na chwilę umilkł. – Nie jest całkiem bezbronna. Sam dałeś jej pistolet.

– To jedyna broń, jaką ma. W ogóle się na tym nie zna. Nie wie...

– Usiłowałem jej to wytłumaczyć. Nie słuchała. Na jej miejscu pewnie też bym nie słuchał. Zadzwoń, kiedy dojedziesz do St Ives.

Travis spojrzał na zegarek. Czekała go przynajmniej trzygodzinna podróż.

Nacisnął pedał gazu, samochód wyskoczył do przodu.

Rozdział dwudziesty pierwszy

St Ives

Stary kościół na wzgórzu wybudowano przed wieloma wiekami, cmentarz rozciągający się za nim wyglądał jak miejsce spoczynku licznych pokoleń tutejszych mieszkańców. W budynku wybito wszystkie szyby, kamienne schody prowadzące do masywnych dębowych drzwi były wyszczerbione.

Melissa nie zamierzała wspinać się po tych schodach. Stanowiłaby łatwy cel w jasnym świetle księżyca. Zacisnęła palce na pistolecie w kieszeni kurtki i weszła głębiej w cień pod dębem.

Nie mogła tu stać przez całą noc. Oblizała suche wargi i zawołała:

– Danielle? Danielle Claron?

Nikt się nie odezwał.

– Jestem Melissa Riley. Przysyła mnie Michael Travis.

Brak odpowiedzi.

– Nie był pewien, czy zdąży na czas. Mogę jednak negocjować w jego imieniu.

Nadal cisza.

– Na litość boską, czy przysłałby kobietę, gdyby chciał zrobić pani krzywdę?

– Jeśli jest sprytny.

Melissa odwróciła się i stanęła twarzą w twarz z kobietą nadchodzącą od strony cmentarza. Nieznajoma – drobna, ciemnowłosa, po trzydziestce – miała na sobie fioletowy sweter i długą spódnicę we wzorki.

– Mój mąż nie był sprytny. Nie słuchał. Nigdy mnie nie doceniał.

Trzymała Melissę na muszce.

– Dlatego ten sukinsyn go zabił. Ja nikogo nie lekceważę. Nie zamierzam zginąć. Ręce do góry.

Melissa powoli uniosła ręce.

– Nie zjawiłam się tutaj, żeby panią skrzywdzić. Chcę dać pani to, czego pani żąda.

– Może mi pani oddać męża?

– Nie, ale mogę dać pieniądze, żeby była pani bezpieczna.

– Czego chce pani w zamian?

– Edwarda Deschampsa. Wie pani, gdzie on jest?

Cisza.

– Może.

Melissa poczuła, że jej serce bije szybciej.

– Albo pani wie, albo nie.

– Może – powtórzyła kobieta. – Pogadamy, kiedy zobaczę jakieś pieniądze. I to szybko. Myśli pani, że przyjemnie było tak się ukrywać przez kilka tygodni?

– Odłoży pani broń? Przecież widzi pani, że niczym jej nie zagrażam.

Danielle omiotła ją spojrzeniem i powiedziała w końcu:

– Nie, jest pani zbyt miękka. – Opuściła broń. – Nie byłam pewna, czy nie wynajął pani Deschamps, żeby mnie wywabić. – Skrzywiła się. – Ten sukinsyn lubi wykorzystywać kobiety. Jak tę sukę Jeanne Beaujolis. Ja tak samo się w to wplątałam.

Melissa opuściła ręce.

– Jeanne mówiła pani o tym, co się wydarzyło w Vasaro? – zapytała.

– Nie, tylko że Deschamps pomoże jej się wzbogacić. Sama poskładałam sobie resztę, kiedy usłyszałam, co się tam wydarzyło. – Jej twarz stężała. – Na początku Jeanne za nim szalała, a potem już szalała tylko za pieniędzmi, które miała dostać.

– Widywała go pani przed Vasaro?

– Raz czy dwa.

– Gdzie?

– Pieniądze. – Pokręciła głową.

– Ile?

– Travis proponował mojemu mężowi pięćset tysięcy dolarów. Ja chcę siedemset.

– Zebranie takiej sumy może trochę potrwać.

– Nie mam zbyt wiele czasu. Muszę się stąd wydostać. Dam wam czas do jutra w nocy na... Co to było? – Uniosła głowę i zerknęła na drzewa za Melissą. – Słyszała pani?

– Co? – Melissa się odwróciła.

– Szelest. Ktoś jest w lesie. – Popatrzyła na Melissę rozgorączkowanym wzrokiem. – Okłamałaś mnie. Deschamps cię przysłał.

– Nie, to może być Travis. Mówił, że...

– Oszustka! – Skoczyła ku Melissie. – To nie Travis. To Deschamps. – Rękojeść jej pistoletu zbliżyła się do głowy dziewczyny.

Melissa uchyliła się, złapała kobietę za rękę i wykręciła ją mocno.

– Puszczaj, dziwko! – wrzasnęła Danielle.

Melissa ją puściła i błyskawicznie wyjęła z kieszeni swojego smitha & wessona.

– Kiedy zacznie pani słuchać głosu rozsądku? – Przycisnęła broń do pleców Danielle. – Po pierwsze, nie słyszałam żadnego szelestu, po drugie, jestem ostatnim człowiekiem, który sprzymierzyłby się z Deschampsem. Zabił moją siostrę. Chcę go dopaść tak samo jak pani.

– Bardziej – dobiegł ją z tyłu męski głos. – O wiele bardziej, panno Riley.

W jej głowie coś eksplodowało. Poczuła ból i osunęła się na ziemię.

– Zabiłeś ją, Edwardzie?

Melissa uświadomiła sobie z trudem, że to głos Danielle Claron.

– Mam nadzieję, że nie. – Ukląkł i podniósł pistolet, który wypadł z ręki Melissy. – Mam co do niej inne plany. Nie, chyba po prostu straciła przytomność.

– Długo to trwało. Zrobiłam, co kazałeś. Usiłowałam odciągnąć jej uwagę.

– Świetnie sobie poradziłaś, Monique. Gdybym nie wiedział, że Danielle Claron nie żyje, dałbym się nabrać. Przepraszam, że utrudniłem ci pracę. Szukałem Travisa.

– Nie ma go tutaj?

– Jeszcze nie.

– Ale ze mną już skończyłeś? To nie moja wina, że przyszła zamiast niego. Dostanę pieniądze?

– Jasne. Przecież ci obiecałem, prawda? Chodźmy do kościoła, włączę latarkę i je przeliczę.

– A ona?

– To potrwa tylko chwilę.

Odeszli. Coś tu się nie zgadzało...

Nieważne. Pomyślisz o tym później. Wstawaj. Wstawaj, zanim on wróci.

Z trudem podciągnęła się na kolana.

Boże, tak bardzo bolała ją głowa.

Ruszaj się. Wstań.

Za drugim razem się jej udało. Z trudem wyszła na jezdnię. Dalej, do samochodu. Było jej strasznie niedobrze.

Znajdź jakieś miejsce, gdzie zdołasz odpocząć.

Musiała zwymiotować. Z trudem dowlokła się do drzewa i oparła się o nie, dysząc ciężko. Nagle poczuła dłoń na swoim ramieniu.

Deschamps!

Odwróciła się i machnęła pięścią, trafiając prosto w twarz.

– Jezu, co do diabła...

To był Travis.

– Jest tutaj. – Oparła się o niego całym ciężarem. – Musimy wracać...

– Deschamps? – Zesztywniał.

– Jest w kościele. Z kobietą... ale to nie Danielle Claron. Mówi na nią Monique. Danielle Claron chyba nie żyje. Teraz płaci tej kobiecie. – Odepchnęła go. – Musimy wracać.

– Ty lepiej niczego nie rób, tylko usiądź, zanim upadniesz. – Zmarszczył brwi. – Krwawisz?

– Nie wiem. Uderzył mnie. – Popatrzyła na wzgórze. – Musimy iść do kościoła. On i ta kobieta... – Urwała nagle. – Nie, coś tu nie pasuje. Nawet nie sprawdził, czy jestem nieprzytomna. Wie, jak uderzyć, prawda? A nie sprawdził. – Potarła skroń i poczuła, że ma mokre palce. Rzeczywiście krwawiła. – Chciał, żebym się podniosła i znalazła ciebie! Chciał, żebyś pobiegł do kościoła. To pułapka.

– Skoro wiemy, że to pułapka, mamy nad nim przewagę – powiedział powoli.

Poczuła przypływ paniki.

– Ale on tam na ciebie czeka. Zabije cię!

– Dasz radę wrócić na wzgórze? – Zignorował ją. – Wejdę do kościoła sam, ale nie chcę cię tu zostawiać.

– Cholera jasna, przecież on tylko na to czeka.

– Teraz moja kolej, żeby go załatwić. – Miał ponurą minę. – I wykorzystam swoją szansę. Dasz radę dotrzeć na wzgórze?

– Jasne. – Zrównała z nim krok. Pewnie, że da radę. Nie zamierzała tu zostawać. – Ale on może... Co to za swąd?

– Cholera!

Kościół na wzgórzu płonął. Płomienie lizały okna i drzwi.

– Podpalił kościół?

Travis skinął głową, wpatrując się w budynek, który teraz przypominał piekło.

Ten zapach...

Znowu zrobiło się jej niedobrze. Zdała sobie sprawę, skąd zna ten zapach. Straszliwy smród, smród z koszmarów. Odór palonego ciała.

– Chodź. – Travis ujął ją pod łokieć. – Idziemy stąd.

– Deschamps... – Nie mogła przestać wpatrywać się w płomienie.

– Byłby głupi, gdyby tam został. Mieszkańcy wioski już tu biegną.

Tak, widziała ich. Jednego staruszka w samych spodniach i butach i kobietę z wiadrem wody. Co mogło pomóc wiadro wody na to piekło?

– W środku ktoś jest. Czuję...

– Wiem. Już za późno, żeby ją uratować. Pewnie nie żyła, kiedy podkładał ogień.

Mówił o kobiecie, która udawała Danielle Claron.

– Zabił ją?

– Nic nowego. Nie lubi świadków. – Odwrócił ją i zaczął popychać pod górę. – Podpalił też dom Clarona, żeby zniszczyć dowody.

– Przecież mógł poczekać. To nie ma sensu. Wiem, że chciał cię schwytać w pułapkę, Travis.

– Możliwe. – Zatrzymał się przy furgonetce. – Możesz prowadzić? Musimy zabrać oba auta. Będzie dochodzenie, lepiej, żeby nas z tym nie skojarzyli.

– Mogę. – Otworzyła drzwi.

– Czekaj chwilę. – Zajrzał i sprawdził tylne siedzenia. – Dobrze. Możesz wchodzić.

Przeszył ją dreszcz, gdy sobie uświadomiła, że zdaniem Travisa z tyłu samochodu może się czaić Deschamps.

– Już miał szansę mnie wykończyć, ale z niej nie skorzystał – zauważyła.

– Okoliczności się zmieniają. – Zajrzał pod auto.

– Gdzie twój samochód?

– Za zakrętem.

– Wskakuj. – Usiadła za kierownicą. – Zawiozę cię tam i zaczekam, aż będziemy mieli pewność, że nie ma go nigdzie w pobliżu.

– Czyżbyś mnie chroniła, Melisso?

– Zamknij się i wsiadaj.

– Tak jest.

Wyglądało na to, że w peugeocie ani w okolicy nikogo nie ma. Może i tak. Dziś dostała nauczkę i przekonała się, że pozory mylą. Zahamowała obok auta Travisa.

– Pospiesz się.

Spojrzenie Travisa wędrowało po lasach na wzgórzu.

– Za chwilę. Nie sądzę, żeby wystarczyło mu czasu, istnieje jednak możliwość... – Otworzył maskę, przyjrzał się jej, a potem przeszedł na tył, ukląkł i zajrzał pod auto. – Zna się na materiałach wybuchowych, nietrudno jest podłożyć prostą bombę. – Wyprostował się i kilka chwil później siedział już na fotelu kierowcy. – Ruszaj. Będę jechał za tobą. Jeśli ci się zakręci w głowie, zahamuj i zostawimy furgonetkę przy drodze. Galen potem ją odholuje.

Kręciło się jej w głowie, było jej niedobrze i czuła się zagubiona. Bomba, oszustwo, morderstwo...

I ten straszny swąd palonego ciała.

Galen wyszedł przed dom, by ich powitać.

– Masz szczęście, że jestem wspaniałomyślny. To nieładnie tak się... Krwawisz? – Dźwignął ją z auta. – Deschamps? – zawołał do Travisa, który wysiadał z peugeota.

– Tak. – Travis stanął obok Melissy. – Wszystko w porządku?

– Jasne.

– A nie zasłużyłaś. – Minął ją i odszedł.

Galen gwizdnął cicho.

– Lepiej zajmę się tą raną – stwierdził. – W swoim obecnym nastroju Travis zapewne dałby ci się wykrwawić na śmierć.

Nie zdawała sobie sprawy z jego gniewu buzującego pod powierzchnią. Nie zdawała sobie sprawy z niczego oprócz rozczarowania, strachu i... swądu palonego ciała.

Mama. Tata.

Las, bezpieczny, bez strachu, bez zapachu śmierci i spalenizny. Jessica.

Jednak nie było już Jessiki, która wyprowadziłaby ją z lasu.

– Melisso?

– Nic mi nie jest. Ale on ma rację, nie zasłużyłam. Wystrychnęła mnie na dudka.

– To nie zbrodnia, jedynie pomyłka. Nikomu nic się nie stało, poza tobą. – Przeszli do salonu. – Usiądź. Opatrzę ci to skaleczenie maścią antybakteryjną.

– Sama mogę to zrobić.

– Mnie pójdzie szybciej. Nie wydajesz się całkiem sprawna. – Posadził ją na jednym z krzeseł. – Travis zadzwonił do mnie z samochodu i poinformował o szczegółach. – Chcesz o tym porozmawiać?

Palące się ciało...

– To była pułapka. – Zwilżyła wargi. – Ta kobieta nie była Danielle Claron, chociaż zachowywała się tak... wiarygodnie. Nie wiem, skąd wiedziała, do kogo zadzwonić, skąd znała inne szczegóły.

– W domu Dumairów mogła być pluskwa. Deschamps wiedział, że szukamy Danielle Claron. – Posmarował ranę. – Travis mówił, że Deschamps podrzucił pluskwy do mieszkania Jana i że Jan uważał go za cholernego eksperta. Ta rana nie jest poważna.

Bo Deschamps tak naprawdę nie chciał jej zranić. To była pułapka. Pułapka, która nie zadziałała.

– Trochę kręciło mi się w głowie, ale teraz już w porządku. Co u Cassie?

– Dobrze. – Travis wyłonił się z sypialni dziewczynki. – Ale nie dzięki tobie.

– Przestań mnie wpędzać w poczucie winy. Wiedziałam, że Galen się nią zaopiekuje. Nie sądziłam, że to zajmie więcej niż kilka godzin.

– Mało brakowało, a wcale byś nie wróciła – stwierdził ze złością. – Mówiłem ci, że nie powinnaś go tropić.

– A ty powinieneś był zabrać mnie ze sobą. Pojechałam sama tylko dlatego, że mnie odsuwałeś.

– Czyli to moja wina, że o mało nie dałaś się zabić? Masz szczęście, że nie upiekłaś się w kościele razem z tamtą kobietą.

Spalone ciało.

Mamo, obudź się. Błagam, obudź się.

Czuła, że się dusi. Musiała wyjść.

– Chyba rzeczywiście miałam szczęście. – Podniosła się i ruszyła ku drzwiom. – Idę na werandę. Za kilka minut wrócę.

– Dlaczego byłeś dla niej taki nieprzyjemny? – spytał Galen. – Wystarczy, że sama źle się traktuje.

– Mało brakowało, a dałaby się zabić. – Travis podszedł do drzwi. – Jest jak torpeda zmierzająca prosto do celu, bez świadomości, że sama również eksploduje.

– Mógłbyś na chwilę zostawić ją w spokoju? Chyba potrzeba jej przestrzeni.

– Nie mogę dać jej spokoju, do cholery.

– Nie? – Galen wpatrywał się w Travisa przez chwilę, a potem powoli pokiwał głową. – Jesteś pewien, że on jest gdzieś tutaj?

– Tak jak ci mówiłem, kiedy dzwoniłem z samochodu. Melissa była pewna, że to pułapka, a ma dobrą intuicję. Po prostu nie wzięła wszystkiego pod uwagę. Deschamps chce dopaść mnie, ale chce także Tancerza Wiatru. Wymyślił spotkanie w kościele, żeby nas wyśledzić. Powiadomiłeś ludzi pilnujących domu?

Galen skinął głową.

– Jak myślisz, kiedy ruszy do ataku?

– Kiedy się upewni, że Tancerz Wiatru jest tutaj. Musimy go przekonać, że rzeźba znajduje się gdzie indziej i że wkrótce ją zabierzemy. Wykonamy ze dwa telefony do jednego z twoich ludzi i naprowadzimy Deschampsa na fałszywy trop. Który jest najbystrzejszy?

– Joseph.

– No to go wtajemnicz. Deschamps nie może używać pluskiew, więc zakładam, że ma silne wzmacniacze. Pewnie je zamontuje w ciągu najwyżej dwunastu godzin. Niech twoi ludzi spróbują go zlokalizować. Ukrył się na brzegu albo na łodzi.

– Jak będziemy się komunikować?

– Bardzo ostrożnie. – Skrzywił się. – Posłużymy się laptopem, kiedy nie będziemy chcieli, żeby nas podsłuchał. Joseph ma laptopa?

– Daj spokój. Przecież to dwudziesty pierwszy wiek.

– No to przekaż swoim ludziom, żeby śledzili swoje e-maile w poszukiwaniu instrukcji.

– A jeśli się mylisz w kwestii Deschampsa?

– Nie sądzę, żebym się mylił. – Travis nie miał ochoty spekulować na ten temat. – Jest bystry i długo czekał. Dopilnuj, żeby Cassie i Melissa były bezpieczne.

Spojrzenie Galena powędrowało do Melissy.

– Ma nic nie wiedzieć?

– Nie.

– Ryzykujesz jej życie.

– Ryzykuję życie nas wszystkich. – Zacisnął wargi. – Znajdę jakiś sposób, żeby go schwytać w pułapkę, Galen. Dorwę go.

– Jak?

– Zastanowię się nad tym. – Nagle zdał sobie sprawę, że mówi jak Melissa. To zdanie było dla niej bardzo charakterystyczne. – Ty weź pierwszą wartę, zgoda?

Galen skinął głową.

– Upewnij się, że nie postanowiła trochę sobie pospacerować. Na wszelki wypadek. Możesz spróbować być dla niej miły. Kiepsko się czuje.

– Nie chcę być dla niej miły. Chcę, żeby przestała... – Nabrał powietrza w płuca. – Zadzwoń do swoich ludzi i każ im szukać Deschampsa.

– Wejdź do domu, Melisso.

Travis stał tuż za nią.

– Za chwilę. – Objęła się ramionami. Boże, tak bardzo chciała przestać drżeć. Weź się w garść. Nie dopuść do tego, żeby zobaczył...

– No, już.

Pokręciła przecząco głową.

– Wiem, że byłem dla ciebie nieprzyjemny, ale nie możesz tu sterczeć.

– Myślisz, że się dąsam?

– Nie użyłbym tego słowa w stosunku do ciebie. Wiem, że czujesz się przygnębiona. – Milczał przez chwilę. – No dobra, nie ułatwiłem ci tego.

– Ułatwiłeś.

– Jak?

– Przeżyłeś. – Zamknęła oczy. – Popełniłam straszliwy błąd. Mogłam cię zabić.

– Uroniłabyś po mnie kilka łez?

– O, tak.

– Melisso... – Zrobił krok do przodu.

– Nie dotykaj mnie. – Jej oczy zalśniły, cofnęła się o krok. – Nie pozwolę, żeby ktokolwiek...

– Strasznie drżysz, zęby ci szczękają.

– Przejdzie mi.

– Akurat. – Podszedł bliżej i wziął ją w ramiona. – Ja za to odpowiadam?

– Nie pochlebiaj sobie. – Ale też go objęła. Było jej teraz ciepło. Bezpiecznie. Czuła, że żyje.

– A więc to przez Deschampsa?

– Nie.

– To dlaczego nie przestaniesz drżeć, do cholery?

– To ten smród. – Ukryła twarz na jego ramieniu i mówiła dalej stłumionym głosem. – Ta kobieta w kościele... Ten smród.

Travis zesztywniał.

– Boże, w ogóle sobie nie skojarzyłem. Twoi rodzice...

– Po raz pierwszy, odkąd wyszłam, czułam, że mam ochotę wrócić do swojego lasu. Tak bardzo się bałam... Chciałam tam być. Tam się czułam taka bezpieczna.

– Akurat, do cholery. – Objął ją mocniej. – Byłaś na wpół martwa. Przestań. Nigdzie nie pójdziesz.

– Jasne, że pójdę. Chodzi o to, że... musiałam się z tym rozprawić. Cieszę się, że Jessica mnie nie widziała. Śmiertelnie bym ją przeraziła.

– Mnie też przeraziłaś.

– Naprawdę? – Drżenie ustawało. – Możesz mnie już puścić.

– Mogę? – Nawet nie drgnął.

– Może jednak nie. Tak mi dobrze.

– Mnie też.

– Dobrze mi z tobą – uściśliła. Dobrze i komfortowo. Tak jak trzeba. Napięcie stopniowo ją opuszczało. – Dziękuję.

– Proszę bardzo...

Po kilku minutach Travis ją odsunął.

– Lepiej wejdź do środka.

Pomyślała, że istotnie lepiej go zostawić. Było jej zbyt dobrze.

– Nie możesz znowu mnie wykluczać. Musimy porozmawiać o Deschampsie.

– Nie teraz, Melisso. – Poczuła, jak zesztywniał.

Nie, nie teraz, pomyślała ze zmęczeniem. Za dużo do myślenia. Za wiele emocji.

– Rano. – Cofnęła się.

– Czyli już wkrótce. – Popatrzył w górę.

Ona również spojrzała na perłowoszare smugi rozjaśniające nocne niebo.

– Jessica uwielbiała tę porę. Mówiła, że w czasie stażu po nocnym dyżurze zawsze szła na spacer do parku. Wszystko było takie czyste i jasne, i dzięki temu mogła stawić czoło następnej nocy.

– Jessica chciałaby, żebyś była bezpieczna.

Melissa pokręciła głową.

– Nie próbuj mną manipulować, wplątując w to Jessicę. Dobranoc, Travis. Przykro mi, że wystawiłam cię na niebezpieczeństwo.

– Może ocaliłaś mi życie. Nie jesteś zbyt łatwowierna, więc tamta babka musiała być naprawdę niezła. Może sam dałbym się złapać na jej historyjkę.

Zastanowiła się nad tym i jej twarz rozjaśniła się uśmiechem.

– Masz absolutną rację. Powinieneś być mi cholernie wdzięczny.

Poszła do sypialni, gdzie Galen pilnował Cassie. Melissa położyła palec na ustach i dała mu ręką znak, żeby sobie poszedł. Skinął głową i bezszelestnie wyśliznął się z pokoju. Ułożyła się obok Cassie i zamknęła oczy.

– Zostawiłaś mnie – powiedziała Cassie.

– Nie na długo.

– Czułam się samotna.

– No to wyjdź i więcej już nie będziesz samotna.

Cisza.

– Bałaś się. Chciałaś uciec do swojego lasu.

Jak Cassie to zwęszyła?

– Ale tego nie zrobiłam. Nigdy już tam nie wrócę.

– Mogłabyś przyjść do mojego tunelu.

– Nie zostaniesz tu zbyt długo.

– Ciągle to powtarzasz.

– Bo tak będzie. Prawda?

Milczenie.

– Naprawdę nie chcesz wracać?

– A po co? Popatrz na mnie. Co widzisz?

Cisza.

– Idę spać.

– Uparciuch.

– Bałaś się. Widziałam to.

– *Co jeszcze widziałaś?*

– *Michaela. Widziałam Michaela.*

Melissa nie mogła zasnąć jeszcze długo po tym, jak Cassie odpłynęła w sen.

Uroniłabyś za mną kilka łez?

Widziałam Michaela...

Rozdział dwudziesty drugi

Kilka godzin później drzwi do pokoju Travisa się otworzyły. Znieruchomiał.

– To tylko ja – powiedziała Melissa.

– Tylko? – Uniósł się na łokciu. – Co ty tutaj robisz?

– Chciałam być z tobą.

– Chcesz porozmawiać o swoich rodzicach?

– Nie teraz.

– O Deschampsie?

– Nie potrzebuję terapeuty, Travis. – Ruszyła ku niemu. – Nie o to mi chodzi.

– No to o co? – Zesztywniał.

– A jak myślisz?

– Myślę, że powinnaś wyrażać się jaśniej.

– Jaśniej? – Umikła, żeby uspokoić głos. – Pokażę ci, co to znaczy jasno. – Podeszła do łóżka. – Teraz się rozbiorę. Ty już jesteś nagi, i bardzo dobrze. – Ściągnęła koszulę nocną przez głowę i rzuciła ją na podłogę. – Teraz wejdę do twojego łóżka, a ty pokażesz mi wszystkie miłosne sztuczki, jakich się nauczyłeś albo o jakich słyszałeś. – Odrzuciła kołdrę. – Czy to wystarczająco jasne?

Przez chwilę milczał, ale kiedy się odezwał, głos mu drżał.

– Kryształowo jasne. Ale... przeszłaś dzisiaj przez piekło. Jesteś pewna, że potrafisz rozróżnić...

– Na litość boską, jasne, że jestem pewna. Przestań mi się sprzeciwiać. Myślisz, że dla mnie to łatwe? Nie jestem żadną mimozą, ale...

– Ciii. – Wyciągnął dłoń i delikatnie dotknął jej łona. – Wierzę ci. Chryste, szybka jesteś.

– Ale ty się nie waż działać szybko. – Jej głos drżał, gdy przywarła do Travisa całym ciałem. – Chcę, żeby to trwało bardzo, bardzo długo...

– Jesteś naprawdę dobry. – Melissa poruszyła się i przytuliła do Travisa. – Jak na takiego outsidera, bez problemu nawiązujesz stosunki z ludźmi.

– Gdybyś mnie ostrzegła, że zamienisz się w uwodzicielkę, pomyślałbym o jakichś innowacjach.

– Intuicja jest lepsza. Poza tym wcale tego nie wiedziałam. Nie byłam pewna. Zaczęłam o tym myśleć na serio dopiero w chwili, gdy przestałeś się opierać i mnie dotknąłeś. – Musnęła wargami jego pierś. – Wtedy zrozumiałam, że tak właśnie trzeba zrobić.

– Wcale się nie pomyliłaś. – Poczochrał jej włosy. – Na szczęście nie uznałaś, że to niewłaściwy moment i niewłaściwy mężczyzna.

– Nie jestem kokietką. Nie oszukałabym cię. – Zachichotała. – A już z pewnością nie oszukałabym siebie. Okazałeś się wyjątkowo niegodziwym facetem, Michaelu Travisie.

– Urodziłem się, żeby zadowalać innych. Mówiłaś o cielesnych sztuczkach...

– Chyba dotarliśmy do kresu możliwości.

– Jeszcze nawet nie zaczęliśmy. – Ujął jej dłoń i zaczął ssać palec wskazujący. – Prawda?

Poczuła, jak ogarnia ją fala gorąca. Naprawdę był niezły. Seks z nim nie przypominał niczego, czego doświadczyła do tej pory. Bliskość między nimi była bardzo gorąca i bardziej niż zmysłowa.

– Może i nie. – Przysunęła się bliżej. – No to do roboty...

Słońce stało wysoko na niebie, kiedy wyszli na werandę.

– Tam jest Galen, siedzi na wydmie. – Melissa odwzajemniła leniwe machnięcie Galena i zobaczyła, że się przeciągnął, ziewnął i znowu położył na piachu. – Wydaje się taki zrelaksowany... odpoczywa, wpatruje się w łodzie. Pierwszy raz, odkąd tu jesteśmy, widzę, że się obija. Najczęściej się krząta, gotuje, gada przez telefon, zarządza światem.

Travis także obrzucił spojrzeniem Galena i dwie łodzie przycumowane przy brzegu.

– Wszechświatem – poprawił ją. – Może jednak jest bardziej taktowny, niż przypuszczasz. Nie chciał nam przeszkadzać. Rozumie pewne sprawy.

– Jakie sprawy? – Spojrzała na niego. Miał zmierzwione włosy, wymiętą koszulę, a jego mina... Odwróciła wzrok. Myślała, że ma dosyć, ale kto wie... – Jak Galen to odbiera? – Uśmiechnęła się. – Myślisz, że jego zdaniem uwiodłam cię po to, żebyś zaczął mi ustępować?

– Nie jest idiotą. – Patrzył wprost przed siebie. – Czy jednak mogłabyś mi się łaskawie zwierzyć, dlaczego miałem tyle szczęścia?

– Chciałam to zrobić – powiedziała po prostu.

– To nie takie proste.

– Owszem, właśnie proste. To ja wszystko utrudniałam, a to do mnie niepodobne. Każdą chwilę powinno się wykorzystywać do maksimum. Pragnęłam cię, ale nie chciałam, żeby coś nas połączyło. Wczoraj jednak byłam śmiertelnie przerażona. Obawiałam się, że zginę, a potem bałam się o ciebie. To mi przywróciło rozsądek. Czuję... coś do ciebie, wiesz?

– Co?

– Sama nie wiem. Czasem wydajesz mi się bardzo bliski i to mnie... przeraża.

– Nieźle mnie nabierałaś.

– O co chodzi? Czujesz się obrażony? Chciałam być z tobą uczciwa.

– I byłaś. Rozumiem, dlaczego walczyłaś z uczuciem do mnie. Stoimy na dwóch przeciwległych krańcach wszechświata.

– A ty nie chcesz mieć zobowiązań wobec nikogo.

Milczał.

– Ale ode mnie się nie uwolnisz. – Uśmiechnęła się. – Nie mogę odwrócić się plecami do ludzi, którzy stali mi się bliscy. Podoba ci się to czy nie, zaistniałam w twoim życiu.

– Naprawdę?

– Nie panikuj. Istnieją rozmaite rodzaje zobowiązań. Na przykład przyjaźń. Tego nie powinieneś się bać.

– Chyba trochę mnie wkurza ta analiza mojego charakteru.

– Przepraszam – odparła ze znużeniem. – Pewnie sama usiłuję się w tym połapać. Zdumiało mnie, że żywię do ciebie tak silne uczucie. Nie chcę, żeby cokolwiek ci się stało. Byłabym...

– Smutna?

Żeby tylko smutna. Znajdowała się tak blisko wielkiej próżni, że musiała się bardzo ostrożnie poruszać.

– Chyba można by tak powiedzieć. – Zmieniła temat. – Co dalej? Straciliśmy wątek. Myślisz, że Deschamps...

– Chryste, prawie dałaś się wczoraj zabić podczas pogoni za Deschampsem! – wybuchnął. – Może sobie darujesz? I przestań się obrażać, do diabła. – Ujął ją za ramiona i potrząsnął. – Posłuchaj mnie.

– Słucham.

– Ale nie słyszysz. Uciekasz ode mnie.

– Nie uciekam. – Popatrzyła mu w oczy. – Chcesz wrócić do sypialni i znowu się kochać?

– Nie, nie chcę. Cholera, jasne, że chcę. Ale nie pozwolę się wykorzystać, żebyś... Co ja gadam, do diabła?

– Nie wykorzystałam cię. Dzieliłam tylko z tobą radość. Prawda?

Wpatrywał się w nią, aż wreszcie powoli skinął głową.

– Rany boskie, co z ciebie za kobieta, Melisso?

Kobieta, która pewnie cię kocha.

Boże, jak żałowała, że taka odpowiedź przyszła jej do głowy. Istniały jednak różne rodzaje miłości, tak jak istniały różne rodzaje zobowiązań. Da sobie z tym radę.

– Powinieneś już wiedzieć. – Zmusiła się do uśmiechu. – Jestem dość przejrzysta.

– Akurat.

– W porównaniu z tobą jestem przezroczysta jak szkło. – Odwróciła się, żeby wejść do domu. – Głodna jestem. Masz ochotę na śniadanie?

– Nie, idę na spacer. Do zobaczenia później.

Patrzyła, jak kroczył w stronę Galena. Wyglądał na przygnębionego. Cóż, nic nie mogła na to poradzić. Była wobec niego tak uczciwa, jak to możliwe. Nie potrafiła zapomnieć o Deschampsie i nie zamierzała oszukiwać Travisa.

Galen i Travis rozmawiali. Szybko. Z napięciem.

O Deschampsie? Pewnie tak. Jeśli snuli jakieś plany, znowu ją z nich wykluczali. Nie mogła na to pozwolić. Cholera, Travis zrobił się jeszcze bardziej opiekuńczy niż przedtem. Wczorajsza noc była pomyłką.

Ale rozkosz nigdy nie jest pomyłką. Po prostu musiała jakoś rozwiązać ich problemy.

Galen już wracał do domu. Uśmiechał się, wchodząc po stopniach werandy.

– Travis mówi, że jesteś głodna. Co chcesz na śniadanie?

– Sama mogę sobie zrobić.

– Nie, to moje zadanie. – Otworzył siatkowe drzwi. – Poza tym pewnie przydałby ci się odpoczynek po wczorajszej nocy.

Zamrugała ze zdumieniem.

– O rany! – Roześmiał się. – Chodziło mi o uderzenie w głowę.

Melissa popatrzyła na Travisa.

– On też przyjdzie?

– Nie teraz. Powiedział, że musi mieć trochę czasu dla siebie. Naleśniki? Jajecznica na szynce?

Przyglądała się, jak Travis idzie plażą. Poznała po jego krokach, że jest zestresowany. Pomyślała, że może z nim porozmawia, kiedy wróci. A może lepiej da mu ochłonąć.

– Naleśniki. – Zmierzyła wzrokiem Galena. – Przygotuję stół.

Travis odwrócił się w stronę werandy i patrzył, jak Melissa wchodzi do domu. Ależ była uparta.

A także silna, śmiała i wspaniałomyślna. Bystra i piękna. I czuł się przez nią...

Śmiertelnie przerażony.

Wiedział, że Melissa nie da za wygraną. Jeśli ostatnia noc jej nie zniechęciła, nic nie było w stanie tego dokonać. Pozostawało kwestią czasu, kiedy się dowie, że Deschamps może się ukrywać w łodzi w zatoczce. Gdyby wczoraj nie była tak przygnębiona, domyśliłaby się, że Deschamps zechce ich śledzić. Travis nie miał wątpliwości, że Deschamps znowu ją namierzy. Przeszkodziła mu, a teraz była świadkiem.

Poczuł skurcz w żołądku.

Nie mógł do tego dopuścić.

– Masz ochotę na pokera? – spytał Galen. – Znudził mi się pasjans.

Melissa odwróciła się od okna, przez które obserwowała Travisa na plaży.

– Nie, dzięki.

– Twoja strata. – Położył królową na królu. – Słynę z tego, że jestem najgorszym graczem w Europie. To by mile połechtało twoją próżność.

Przydałoby się jej coś takiego, jasne. Travis przez cały dzień jej unikał. Aż do kolacji łaził po plaży. Uznała, że to naturalne. Fakt, odmówiła zrezygnowania z pościgu za Deschampsem, ale była szczera co do swoich zamiarów pozostania w życiu Travisa. Pewnie czuł się zaniepokojony.

No cóż, lepiej, żeby przywykł do tej myśli. Niech sobie siedzi na tej plaży przez całą noc. Nie zamierzała na niego czekać.

– Idę spać. Dobranoc, Galen.

– Dobranoc. – Nie spojrzał na nią.

Cassie spała, więc Melissa cicho przeszła do łazienki, żeby umyć zęby i twarz. Jednak mała się obudziła, gdy Melissa wsuwała się do łóżka obok niej.

– *Melissa?*

– *Ciii. Śpij.*

– *Dobrze. Spać... Dlaczego jest tu Michael?*

– *Nie ma go.*

– *Jest. Czuję to. Teraz prawie zawsze jest z tobą...*

Usnęła.

Prawie zawsze jest z tobą.

Melissa wpatrywała się w ciemność. Czy Cassie wyczuwała nową więź, która między nimi powstała? Czy też Melissa po prostu więcej teraz myślała o Travisie, a dziecko to wychwyciło?

Cassie się jednak myliła. Dziś nie było tu Michaela. Chodził gdzieś po tej przeklętej plaży.

Czuła się samotna. Dziwne... po zaledwie jednej spędzonej z nim nocy. Czy on także był samotny?

Miała nadzieję, że tak, do cholery. Chciała, żeby czuł się równie beznadziejnie. Ale pewnie był wesoły jak szczygiełek. Mężczyznom brakowało wrażliwości kobiet, niestety.

Idź spać. Zapomnij o nim.

Ale była taka samotna...

– *Potwory*!

Melissa przebudziła się gwałtownie. Jezu, myślała, że nie będzie już koszmarów. Bez wątpienia jednak dziewczynka była przerażona.

– *Nadchodzą. Dlaczego tak leżysz? Musimy z nimi walczyć.*

– *Rozmawiałyśmy o tym. Wiesz, że w tunelu nie ma potworów.*

– *Potwory. Broń się. Chcą cię skrzywdzić.*

– *Nie ciebie?* – To był przełom. Cassie zawsze uważała potwory z koszmarów za zagrożenie dla siebie.

– *Nie chcą mi zrobić nic złego. Wstawaj. Uciekaj.*

– *Nie zostawię cię. Nie masz się czym przejmować. Potwory istnieją tylko w twojej wyobra...*

Drzwi sypialni otworzyły się gwałtownie.

Czterej mężczyźni z bronią.

– Nie! – Przykryła Cassie swoim ciałem. – Nie róbcie jej krzywdy!

– *Melissa!* – krzyknęła Cassie.

Rozdział dwudziesty trzeci

– Proszę jej zdjąć kajdanki, Danley – powiedział Andreas. – Chcę, żeby jechała ze mną limuzyną.

– Nie radziłbym...

– Myślę, że potrafię się przed nią obronić. – Mocniej przytulił Cassie. – Wątpię też, by stanowiła jakiekolwiek zagrożenie dla mojej córki. Sam pan mówił, że przede wszystkim usiłowała ratować Cassie.

– To mogło być taktyczne zagranie, żeby...

– Proszę ją wpuścić do auta, Danley.

– Tak, panie prezydencie. – Niechętnie zdjął kajdanki dziewczynie i otworzył drzwi.

Melissa wsiadła do limuzyny.

– Ma pani podrapaną szyję – poinformował ją Andreas. – Trochę krwawi. W schowku jest chusteczka. – Jeszcze troskliwiej owinął Cassie kocem. – Przepraszam. Mówiłem im, żeby nie robili pani krzywdy.

– Dlaczego?

– Bo to część umowy – Wyjął telefon. – Proszę wybaczyć, muszę zadzwonić do żony. – Wystukał numer. – Cassie jest bezpieczna. Całkiem bezpieczna. Tak, jestem pewien. Nic się jej nie stało. Ja też cię kocham. Zadzwonię później.

– Jakiej umowy? – spytała Melissa, gdy odłożył słuchawkę.

– Z Michaelem Travisem. Zadzwonił i powiedział mi, gdzie znajdę panią i Cassie.

Zdrada. Nie powinna czuć się taka zaszokowana. Powinna się była domyślić, kiedy po akcji czterech mężczyzn nie zobaczyła ani Travisa, ani Galena.

– A ta umowa?

– Amnestia dla pani. Nie można pani sądzić za porwanie ani za żadną inną zbrodnię. Mamy panią przetrzymać przez czterdzieści osiem godzin, a następnie wypuścić.

– A co dla Travisa?

– To inteligentny człowiek. Wiem, że byłbym w stanie poderżnąć mu gardło. Umowa dotyczy wyłącznie pani. Był bardzo przekonujący i właściwie nie miałem wyboru, gdy poinformował mnie, że Deschamps wie, gdzie przebywacie i w każdej chwili może przyjść po Cassie. Stwierdził, że zadzwoni do mnie, zanim opuści dom z Tancerzem Wiatru, żebyśmy mogli wkroczyć do akcji przed Deschampsem.

Który śledził ją i Travisa aż do domu, pomyślała z niesmakiem. Dlaczego nie potrafiła wcześniej dodać dwóch do dwóch? Gdyby kierowała się rozumem, nie zaś emocjami, wpadłaby na to, co było oczywiste dla Travisa. I cały ten czas, który on i Galen spędzali na plaży...

– Przeszukaliście teren?

– Jasne. Z rozkoszą znalazłbym Travisa albo Deschampsa.

– To Deschamps jest wam potrzebny. To on zaplanował napaść na Vasaro.

– Chcę ich obu. Ale po telefonie Travisa przeczytałem akta Deschampsa, i ten sukinsyn może być jeszcze gorszy.

– To potwór. Proszę spytać Cassie.

– Niestety, ona nie odpowie. – Popatrzył na córkę. – Czy to prawda, że Cassie nie ma już koszmarów?

Melissa skinęła głową.

– Może jeszcze za wcześnie tak twierdzić, ale sądzę, że minęły.

– Oby miała pani rację. Chciałem zabić pani siostrę w dniu porwania Cassie.

– Ktoś to zrobił za pana. – Zacisnęła wargi.
– Wiem. – Zamilkł na chwilę. – Odesłałem jej ciało do Wirginii. Trudno mi było uwierzyć, że należała do tej szajki.
– Nie należała. Wtedy wyjazd z Juniper wydawał jej się dobry dla Cassie. – Uniosła brodę. – Miała rację. Cassie czuje się o wiele lepiej. Gdyby tam została, być może utracilibyśmy ją na zawsze albo zabiłby ją jeden z tych ataków histerii.
– Powinienem być jej wdzięczny?
– Tak, do cholery.
– Naraziła Cassie na niebezpieczeństwo.
– Oddała życie za pańską córkę.
Ponownie zapadło milczenie.
– Pani też była gotowa dziś za nią umrzeć.
– Działałam pod wpływem instynktu. Gdyby Jessica wiedziała, że ma umrzeć, pewnie i tak poszłaby do muzeum, żeby zobaczyć Tancerza Wiatru. Uznała, że to szansa na sprowadzenie Cassie. Niemal się jej udało.
– Tak mówił Travis. – Znowu popatrzył na Cassie. – Jak blisko była?
– Bardzo blisko.
– Prosiła, żebym zawiózł Cassie do Vasaro. Odmówiłem.
– Powinien był pan się zgodzić.
– Żebym wiedział to, co wiem teraz... Ale będzie pani zadowolona, pani siostra postawiła na swoim.
– Jak to?
– Właśnie tam zmierzamy. Zostaniemy na parę dni, będzie pani moim gościem.
– Dlaczego?
– Przecież właśnie powiedziała mi pani, co jest najlepsze dla Cassie.
– Ale dlaczego teraz? – Wpatrywała się w niego uważnie. – Myślałam, że chce pan jak najszybciej zawieźć ją do Stanów, do matki.
– I tak muszę tu zostać przez najbliższe dni, a nie zamierzam tracić jej z oczu. Nie zaufam już nikomu w kwestii bezpieczeństwa córki. Chyba pani to rozumie.

– Tak. – Czuła jednak, że Andreas nie mówi jej wszystkiego. – Najwyraźniej zaplanował pan to, zanim...

– Nie ma rzeźby, panie prezydencie. – Danley otworzył drzwi. – Przeszukaliśmy wszystko.

– Nie sądziłem, że ją znajdziecie. Musiałem się tylko upewnić, że Travis naprawdę ją zabrał. Jedźmy.

– Szukał pan Tancerza Wiatru – stwierdziła Melissa, gdy auto ruszyło. – Powinnam panu powiedzieć, że Travis nie chciał zabierać go z muzeum. Powiedział, że poruszy niebo i ziemię, żeby zwrócić rzeźbę. To ja go do tego zmusiłam.

– Po co?

– Deschamps zabił moją siostrę i chciał zdobyć rzeźbę. Postanowiłam się nią posłużyć jako przynętą.

– Travis musiał się łatwo przekonać do pani sposobu myślenia – stwierdził ponuro Andreas. – Niech go pani przestanie bronić. Kradzież Tancerza Wiatru to najmniej istotne z jego przestępstw.

– Nie zrobił krzywdy Cassie.

– Naraził ją na niebezpieczeństwo. Zamierzam go za to ukarać – dodał zimno.

Ze znużeniem wyciągnęła się na fotelu. Dlaczego starała się ocalić Travisa, skoro była na niego wściekła? Wystrychnął ją na dudka i usiłował związać jej ręce.

– Dobrze, niech pan robi, co chce. Lepiej jednak , żeby nie mówił pan o tym przy Cassie. On jest nadal jej bohaterem.

– Myśli pani, że ona teraz nie śpi? – Zesztywniał.

– Wiem, że nie. Słucha wszystkiego, o czym mówimy.

– Skąd pani wie?

Najwyraźniej Travis nie poinformował Andreasa o więzi między Melissą a Cassie; ona także nie zamierzała tego robić. Najważniejsza była wiarygodność. Tego by tylko brakowało, żeby Andreas wziął ją za wariatkę.

– Od wyjazdu z Juniper przebywam z nią praktycznie bez przerwy. Potrafię to odróżnić.

Pogłaskał Cassie po policzku.

– Kocham cię, skarbie – powiedział miękko. – Zabiorę cię do domu, chcesz? Porozmawiasz ze mną? Nie? W porządku. Może później. – Odchrząknął i popatrzył na Melissę. – Udało się pani skłonić ją do mówienia?

– Skąd to panu przyszło do głowy? – Zmarszczyła brwi. – Nie, tak daleko nie zaszłyśmy.

– Danley twierdził, że Cassie zawołała panią po imieniu.

– Naprawdę? – Otworzyła szeroko oczy. – Wypowiedziała moje imię?

– Wykrzyknęła je.

– Dzięki Bogu. – Poczuła łzy pod powiekami. – Może nie powinnam się tak złościć na Travisa. Gdyby Cassie się nie przestraszyła, dotarcie do tego punktu potrwałoby pewnie kilka tygodni. Może i pan nie powinien się na niego wściekać – dodała celowo.

– Pomyślę o tym... później.

Teraz, kiedy go ostrzegła, nie zamierzał denerwować Cassie. Nie oznaczało to jednak, że miękł. Andreas był trudny do rozszyfrowania, a Melissa miała świadomość wielu niejasności tkwiących w nim i w całej sytuacji. Cóż, jeśli będzie musiała sobie z nimi poradzić, tym lepiej. Działo się więcej, niż twierdził Andreas. Jedna rzecz, którą powiedział, rozpaliła niewielki płomień. Na tym się skoncentruj, upomniała siebie.

Po co jechali do Vasaro?

Z helikoptera Travisa limuzyna i samochody rządowe wyglądały jak gigantyczny smok wijący się na autostradzie prowadzącej do Vasaro.

Galen gwizdnął cicho.

– Andreas sprowadził tyle posiłków, że wystarczyłoby ich na batalion.

– Nie dopuści do tego, żeby znowu zabrano mu Cassie. – Spojrzenie Travisa powędrowało do łodzi w porcie, która podniosła kotwicę i szykowała się do odpłynięcia. – Deschamps rusza. Pewnie wyrywa sobie włosy z głowy, że nie wszedł do domu i nie zabrał rzeźby, kiedy miał okazję. – Wystawił środkowy palec w jego kierunku. – Pieprz się, sukinsynu.

– Gotowy?

Travis skinął głową. Tancerz Wiatru spoczywał u jego stóp. Specjalnie nie schował go do pudła. Kiedy biegli po plaży, by wspiąć się do helikoptera, słońce odbijało się od złocistej rzeźby, lśniącej niczym lampa w latarni morskiej. Deschamps nie mógł tego nie zauważyć.

– Wynośmy się stąd – powiedział Travis.

Pierwszy rzut oka na Vasaro odebrał Melissie mowę. Piękne wzgórza obsypane kwiatami i, na Boga, te zapachy...

Teraz wiedziała, dlaczego Andreas pootwierał okna. Od delikatnego aromatu kwiatów lawendy zakręciło im się w głowach.

– Cudownie – mruknęła.

– Cassie też to uwielbia. – Andreas pokiwał głową. – Miałem nadzieję, że może wywoła to jakąś reakcję.

– Jest uparta. – Limuzyna jechała drogą prowadzącą do dużego kamiennego domu, skromnego i wolnego od przepychu. Wyglądał jak urocza, przestronna farma otoczona dobrze utrzymanymi budynkami gospodarskimi. Pewnie była to prawdziwa farma, ale Melissa nie widziała żadnych robotników.

– Czyżby pan Danley wyrzucił wszystkich pracowników? – zapytała.

– Caitlin Vasaro wściekłaby się, gdyby to zrobił. Jej robotnicy należą do rodziny. Znaleźliśmy im czasowe zatrudnienie w okolicy. – Limuzyna podjechała pod drzwi wejściowe. – Dom jest lepiej strzeżony niż Fort Knox. Nic już nie grozi Cassie.

– Deschamps ciągle przebywa na wolności. Nie lepiej byłoby wysłać ją do Waszyngtonu?

– Deschamps nie ma powodu porywać mojej córki, skoro zabrano mi Tancerza Wiatru. – Wysiadł z auta, a Melissa poszła w jego ślady. – Pokój Cassie jest w korytarzu na piętrze. Zaniosę ją tam teraz, a pani może zająć dowolną sypialnię. – Popatrzył na nią. – Może pani poruszać się po całym domu, ale nie po terenie. Po zejściu z werandy zostanie pani zatrzymana.

Skinęła głową i popatrzyła na wzgórza. Zauważyła dziesiątki ludzi krążących wokół posiadłości.

– Jeśli będzie mnie pan potrzebował, proszę wołać. Cassie się do mnie przyzwyczaiła.

– Nie będzie jej pani potrzebna. Zatrudniłem pielęgniarkę i lekarza. Zamierzam z nią spędzać jak najwięcej czasu. – Skrzywił się. – Kto wie? Może ze mną porozmawia.

– Mam nadzieję.

Przyglądał się jej uważnie.

– Chyba pani nie kłamie.

– Wiem, że mi pan nie uwierzy, ale ja ją kocham. – Umilkła. – Zrobię coś do jedzenia i przyniosę na górę. Ani Cassie, ani ja nic dziś nie jadłyśmy. Jeśli chce pan, żeby któryś z pana agentów patrzył, jak przygotowuję posiłek, to proszę go do mnie przysłać. Gdzie kuchnia?

– Na dole po lewej. – Ruszył po schodach. – Chyba pani wierzę. Dotąd nie zrobiła jej pani krzywdy.

Olbrzymia wiejska kuchnia była doskonale zaopatrzona. Melissa znalazła zupę w puszce i warzywa na sałatkę. Zostawiła trochę dla siebie, a resztę zaniosła na tacy Cassie i Andreasowi.

Godzinę później stała przy zlewie, zmywając naczynia i wyglądając przez okno na wzgórza. Pomyślała, że cudownie byłoby mieszkać tutaj i patrzeć na te wszystkie kwiaty. Co za piękne miejsce...

Nagle przeszył ją dreszcz.

Takie śmiertelnie niebezpieczne miejsce.

Melissa stanęła w progu pokoju Cassie.

– Mogłabym z panem porozmawiać na korytarzu?

– Nie teraz – odparł Andreas.

– Teraz. Nie chcę mówić przy niej, ale jeśli będę musiała to zrobić...

Spojrzał jej w twarz, a potem zerknął na Cassie.

– Pięć minut. – Wstał i wyszedł z pokoju za Melissą. – Jest pani blada jak upiór. O co chodzi?

– Pan mi to powie. Coś ma się tu wydarzyć. Co?

– Nie wiem, o czym pani mówi.

– Akurat. – Zacisnęła pięści. – Coś się tu zdarzy, a pan jest tego częścią.

– Dlaczego pani tak mówi?

– Bo to prawda.

– Ma pani zbyt bujną wyobraźnię. Pani i Cassie jesteście całkowicie bezpieczne.

Wiedziała, że mówił prawdę.

– Chodzi o Travisa – stwierdziła.

Odwrócił się, by wejść do pokoju.

– Co się stanie z Travisem? – Złapała go za ramię.

– To, na co zasłużył. – Andreas wszedł do pokoju córki i zamknął za sobą drzwi.

Niech go szlag trafi. Oparła się o ścianę. Boże. Andreas był twardy i absolutnie niemiłosierny. Dopuści do tego.

Cóż, ona nie zamierzała do tego dopuścić. Nie mogła jednak niczemu zapobiec, stojąc tutaj i rozczulając się nad sobą.

Wyprostowała się i przeszła korytarzem do wybranej przez siebie sypialni. Złapała szydełkową narzutę i owinęła się nią. Było jej strasznie zimno. Skuliła się na parapecie i spojrzała na wzgórza.

Takie śmiertelnie niebezpieczne miejsce.

Ta myśl nadeszła znikąd, wraz z wizją Travisa upadającego z raną na piersi. Miał szkliste oczy, jakby uszło z nich życie.

On umrze.

Tak jak Jessica i ten miły staruszek na uniwersytecie. Nie udało się jej tego powstrzymać. Nie uda się jej także uratować Travisa.

Nie dałaś sobie takiej możliwości, powiedziała w duchu. Najłatwiej nazwać to przeznaczeniem.

Travis pada, umiera.

– Nie! – Odsunęła od siebie ten obraz.

Znów stchórzyła. Może coś pomogłoby jej poskładać fragmenty układanki. Zmusiła się, by zamknąć oczy i ponownie przywołać ten obraz. Travis pada...

Gdzie on jest?

Travis pada...

Był w jakimś domu albo w stodole, obok starej lampy z miedzianym kloszem na stojaku. Za nim widziała stolik z dziwnymi pojemnikami, a w jednym z kątów coś lśniło jak złoto.

Tancerz Wiatru.

Przeszył ją dreszcz.

Kałuża krwi i szmaragdowe oczy wpatrzone...

Nie, to była Jessica. To się nie musiało powtórzyć. Mogła do tego nie dopuścić.

Ale jak, skoro nie potrafiła nawet stłumić paniki? Miała ochotę krzyczeć z bezradności. To niesprawiedliwie. Jeśli pozwalasz mi widzieć, pozwól mi również powstrzymać.

Travis, który pada, umiera...

Dobra, niech cię szlag, już dosyć. I tak coś wymyślę.

16.30

– Nie może tam pani wejść. – Danley zablokował jej drogę, gdy Melissa usiłowała wśliznąć się do gabinetu. – Prezydent jest zajęty.

– Muszę się z nim zobaczyć. Jeśli nie planuje kolejnego ataku na Irak, to natychmiast.

– Powiedział, żeby mu nie przeszkadzać.

– Natychmiast.

– Każę panią usunąć...

– Wszystko w porządku, Danley. – Drzwi się otworzyły i stanął w nich Andreas. – Najwyraźniej ta dama nie zna znaczenia słowa nie. – Cofnął się. – Proszę, panno Riley. Mogę pani poświęcić kilka minut. Na razie Irak nie przysparza mi większych kłopotów – dodał sarkastycznie. – Proszę jednak pamiętać, że mam także inne problemy.

– Jak mogłabym zapomnieć? – Odwróciła się i spojrzała mu w twarz. – Gdzie ma się pan dzisiaj spotkać z Travisem?

– Słucham?

– Niech pan nie gra ze mną w te gierki. Zabrałby pan Cassie do domu, gdyby nie miał pan ważnego powodu, aby tu zostać. Zapytałam samą siebie, jaki to mógłby być powód.

Zmrużył oczy i popatrzył na nią uważnie.

– I jak brzmiała odpowiedź?

– Tancerz Wiatru albo Deschamps. – Umilkła. – Albo jedno i drugie.

– Może to jednak coś innego niż sprawy osobiste.

– Przecież właśnie sprawy osobiste pana tutaj przywiodły.

– Dostałem to, co chciałem.

– Niezupełnie. Nigdy nie będzie pan miał poczucia, że Cassie jest bezpieczna, dopóki nie wyeliminuje się Deschampsa. – Odetchnęła głęboko. – To właśnie obiecał panu Travis, prawda? Zanim wsiadł do helikoptera, zadzwonił do pana i powiedział, żeby pojechał pan do Vasaro. Tam się spotkacie, a on odda panu rzeźbę w zamian za obietnicę amnestii. Ale ten telefon był prowokacją na użytek Deschampsa. Travis dzwonił do pana także wcześniej, prawda? Prosił, żeby zastosował się pan do jego sugestii, a załatwi Deschampsa. Wtedy dostanie pan wszystko, co zechce.

– Czyżby? To tylko przypuszczenie.

– Ale słuszne, prawda? Travis wybrał Vasaro, bo i on, i Deschamps swobodniej się tu czują. Deschamps zna teren, przyjrzał mu się przed tamtą próbą porwania Cassie. Co panu szkodzi powiedzieć mi prawdę?

Andreas przez chwilę milczał, a wreszcie skinął głową.

– Travis zadzwonił do mnie po waszym spotkaniu z Deschampsem w St Ives i kazał mi przyjechać do Cannes, żebym był w pogotowiu. Następnie stwierdził, że skontaktuje się ze mną przez pocztę internetową.

– Gdzie się macie spotkać?

– Proszę się nie wtrącać.

– Nie spotka się pan z nim, prawda?

– Nie mieliśmy tego w planach. To była pułapka na Deschampsa. Travis obiecał, że zostawi Tancerza Wiatru, jak tylko pozbędzie się Deschampsa.

– Gdzie go zostawi?

– Ależ pani jest uparta. – Prezydent się uśmiechnął.

– Pozwoli pan uciec Travisowi po zabiciu Deschampsa?

– O tym nie rozmawialiśmy. On chyba wie, że będzie zdany na siebie, kiedy dostanę to, co moje. To bystry facet. Może uda mu się uciec.

– Ale pana ludzie wkroczą do akcji po jego ucieczce z Vasaro.

– Rzecz jasna, muszę mieć odpowiednią ochronę, żeby Deschamps nie uciekł, jeśli zabije Travisa.

Travis pada, umiera...

Ta wizja znowu wzbudziła w niej strach. Spokojnie.

– Ale nie zamierza pan nic zrobić, w wypadku, gdyby Travis potrzebował jakiejś pomocy. – Zwilżyła wargi. – Na litość boską, ma pan w tym domu całą armię. Niech ktoś dopilnuje, żeby Deschamps nie zrobił krzywdy Travisowi.

– To mogłoby spłoszyć Deschampsa.

– Ale rzeźba i tak zostałaby w pańskich rękach.

– Chcę wszystkiego. – Uśmiechnął się.

Właśnie tego się obawiała.

– Pragnie pan, żeby Travis zginął. Traktuje pan to jak sprawę osobistą i nie chce pan zlecić tego Danleyowi ani żadnemu z jego ludzi. Bo musiałby pan narazić na szwank swoją prezydencką etykę. Ma pan nadzieję, że on zginie.

– Porwał moją córkę. – Uśmiech Andreasa zniknął. – Ryzykował jej życie. Przez wiele dni była łatwym celem nie tylko dla Deschampsa, ale także dla wszystkich innych, którzy coś do mnie mieli. Zamienił życie mojej żony w piekło. Mogła stracić dziecko, które nosi. Wierzę, że sprawiedliwości stanie się zadość i ci dwaj nawzajem się pozabijają. Czy to wszystko? Muszę wracać do pracy.

To było beznadziejne, ale musiała spróbować.

– Proszę, niech pan wyśle Danleya albo kogokolwiek, żeby go uratował.

– Niech sam się ratuje. Może będzie miał szczęście.

– Zginie.

– Miłego dnia, panno Riley.

Odetchnęła głęboko.

– No dobrze... proszę mi powiedzieć, gdzie on jest, to sama mu pomogę.

– Proszę się nie wtrącać – powtórzył.

– Niech pan tak nie mówi. Nie proszę o wiele. – Potarła czoło. – To z pewnością stanie się dzisiaj, bo mówił pan, że mnie przetrzymacie przez czterdzieści osiem godzin. Nie pozwoliłby mu pan zbliżyć się do Cassie, więc czai się gdzieś na terenie posiadłości. W jakimś budynku, prawda?

– Niezły strzał. – Uniósł brew. – Kamień, nożyce, papier?

– Sama go znajdę.

– Znajduje się pani pod moją opieką. Jeśli opuści pani ten teren, każę panią zastrzelić.

– Wątpię. Jest pan człowiekiem honoru i wie pan, że pomogłam Cassie. A jedyny sposób, żeby mnie powstrzymać, to mnie zabić. – Skrzywiła się gorzko. – Chociaż może w ramach premii dla pana Deschamps zajmie się także mną.

– Vasaro to wielka posiadłość. Nigdy nie znajdzie pani Travisa.

– Znajdę. Proszę powiedzieć Danleyowi, żeby nie potraktował mnie jak tarczy strzeleckiej. Każe pan mu dać mi broń?

– Naprawdę pani przesadza.

– Muszę. – Usiłowała ukryć rozpacz, ale bez powodzenia. – Travis na to nie zasłużył. Owszem, zrobił coś, czego nie powinien, ale to dobry człowiek. Popełnia pan błąd.

Andreas przez cały czas kręcił głową.

– Pożałuje pan tego.

– Na moim stanowisku często muszę podejmować decyzje, których żałuję.

– Ale to nie musi być jedna z nich. Travis już raz uratował Cassie. Czy to nie ma żadnego znaczenia? – Nie potrafię do niego dotrzeć, uświadomiła sobie z rozpaczą. – Cassie uważa Travisa za przyjaciela. Powie jej pan później, co się z nim stało?

Nie odpowiedział od razu.

– To jasne, że jest pani przywiązana do Travisa, ale radziłbym jeszcze to przemyśleć. Nie chcę, żeby coś się pani stało. Niech się pani trzyma od tego z daleka.

– Jeszcze czego. – Odwróciła się i przemaszerowała obok Danleya. Musiała przestać drżeć. W końcu przecież niespecjalnie liczyła na to, że zdoła nakłonić Andreasa do pomocy. Gdyby to jej dziecku groziło niebezpieczeństwo, pewnie byłaby równie zgorzkniała.

Okłamywała samą siebie. Liczyła na cud. No cóż, cud się nie wydarzył, teraz była zdana na własne siły. Gwałtownie otworzyła drzwi od biblioteki. Nie mogła biegać po Vasaro i szukać na ślepo. Z pewnością istniała jakaś mapa terenu uwzględniająca budynki gospodarcze.

Musiała tylko ją znaleźć.

Boże drogi, pomóż mi, pomyślała.

Po trzech godzinach znalazła mapę. Nie stała na żadnym z regałów, upchnięto ją w księdze spoczywającej w dolnej szufladzie biurka.

Pospiesznie rozłożyła ją na blacie. Mapa wydawała się całkiem nowa, więc pewnie przedstawiała wszystkie istniejące zabudowania.

Cholera. Było ich siedem, poza tymi otaczającymi dom, wszystkie rozrzucone na dużej powierzchni, odległe od siebie pewnie o wiele kilometrów. Szansa, że znajdzie ten właściwy, równała się niemal zeru.

Zerknęła na okna. Słońce już zachodziło. Wkrótce zapadnie ciemność, a wtedy to się stanie. Do diabła, nawet nie wiedziała, ile jej zostało czasu.

Usiadła przy biurku i zakryła oczy dłońmi.

Rozdział dwudziesty czwarty

20.15

Travis zerknął na zegarek.

– Już prawie pora. – Popatrzył na helikopter zaparkowany obok hangaru na niewielkim lotnisku. – Wystarczy paliwa, na lot do Nicei i z powrotem?

– Jasne. – Galen popatrzył na niego ze zdumieniem.

– Tylko się upewniam.

– Od kiedy trzeba mnie sprawdzać? Nie jesteś trochę zbyt nerwowy?

– Możliwe.

– Nic dziwnego. To nie twoja działka. Naprawdę powinieneś pozwolić mi załatwić to na własną rękę. – Zamyślił się. – Myślisz, że będzie tam na nas czekał?

– Założę się, że ruszył prosto do Vasaro. Ja bym tak zrobił. Dotarł tam, zanim pojawił się Andreas z posiłkami, okopał się i czeka. Bez ryzyka, że wpadnie na kogoś, kto przyjechał na farmę albo z niej wyjeżdża. Jest na tyle bystry, by się domyślić, że Andreas obstawi teren, żeby mnie złapać.

– Ale jak się wydostanie? Nie może tam porzucić samochodu ani helikoptera.

– Może przejąć mój środek transportu, kiedy już mnie zabije. – Uśmiechnął się. – Może myśli, że uleci na skrzydłach Tancerza Wiatru.

– Gdzie jest rzeźba?

– Włożyłem ją do szafki w drugim pokoju. – Otworzył drzwi. – Przyniesiesz? Ja uruchomię silnik helikoptera.

– Dobra. – Galen wszedł do pokoju i otworzył drzwiczki szafki. Złoto nie zalśniło w ciemności. Włączył światło i zerknął na górną półkę. Nie było tam żadnej rzeźby.

– Sukinsyn!

Wybiegł z biura, ale helikopter już się wzbijał w powietrze.

– Co ty wyprawiasz, gnojku? – wrzasnął. – Potrzebujesz mnie.

Travis pomachał mu w odpowiedzi.

Galen nadal stał na asfalcie i patrzył w górę, kiedy Travis skręcał na południe do Vasaro. Chryste, naprawdę się wkurzył.

Cóż, Travis nie mógł na to nic poradzić. Galen nie miał w tej sprawie żadnego interesu, który byłby wart takiego ryzyka. Nawet gdyby likwidacja Deschampsa okazała się łatwiejsza, niż Travis się spodziewał, Andreas dorwałby ich obu, gdyby tylko miał okazję.

Travis musiał dopilnować, aby takiej szansy nie dostał. Zamierzał pozbyć się Deschampsa, a potem odlecieć do Nicei. Liczył tylko na to, że Andreas nie każe zestrzelić helikoptera. Mógłby się zawahać, gdyby podejrzewał, że Travis ma na pokładzie Tancerza Wiatru.

Zerknął na rzeźbę leżącą z tyłu maszyny. Tancerz Wiatru zdawał się odwzajemniać jego spojrzenie. Światło zachodzącego słońca lśniło dziko w szmaragdowych oczach. W tej chwili Travis zrozumiał, dlaczego niektórzy wierzyli w nadnaturalną moc rzeźby.

– Naostrz zęby, przyjacielu. – Uśmiechnął się. – Lecimy na polowanie.

Cassie!

Melissa powoli uniosła głowę znad biurka. Nie miała pojęcia, w którym budynku kryje się Travis, ale Cassie mogła to wiedzieć.

Dziewczynka spędzała tu wakacje, pomagała zrywać kwiaty, zapewne biegała swobodnie po całej posiadłości. Tak, to możliwe...

Niech to będzie możliwe. Błagam, niech to będzie możliwe.

Zamknęła oczy.

Cassie.

Dziewczynka nie chciała jej wpuścić. Dopiero po kilku cennych minutach Melissa pokonała jej opór.

– *Cassie, jesteś mi potrzebna.*

– *Powinnam się na ciebie gniewać. Gdzie się podziałaś? Nie było cię przez cały dzień.*

– *Ale był tu twój tata.*

– *Dopiero wrócił. Przedtem siedziała tylko ta... pielęgniarka.*

– *Jest bardzo miła.* – Nie miała czasu na takie pogawędki. – *Cassie, musisz mi pomóc. Musisz dla mnie znaleźć jedno miejsce.*

Milczenie.

– *Boisz się. Boisz się potworów.*

– *Tak.* – *Jasne, że tak.*

– *Przyjdą tutaj?* – *Strach.*

– *Nie, to ja tam muszę iść.*

– *Z powodu Michaela?*

– *On jest w domu albo w stodole. Nie wiem gdzie. Muszę znaleźć to miejsce. Jest tam lampa z miedzianym kloszem, a na stole leżą różne pojemniki.*

– *Jakie pojemniki?*

– *O dziwnym kształcie.*

– *Pokaż mi.*

Skoncentruj się na stole. Nie pokazuj jej umierającego Travisa.

– *To stodoła na południowym polu.*

– *Jesteś pewna, skarbie?* – Jej serce waliło jak młotem.

– *Jasne, że jestem pewna. Jest tylko jedno takie miejsce. Caitlin mówiła, że istnieje od początku Vasaro. Był pożar, ale nie spłonęło, a ona...*

– *Dziękuję. Dziękuję. Dziękuję ci, Cassie.* – Chwyciła mapę i zlokalizowała budynek na południowym polu. Cholera, to co najmniej sześć kilometrów od domu.

– *Jest skrót. Musisz przejść przez kępę drzew przy drodze, a potem przez wzgórze.*

– *Ile to potrwa?*

– *Nie wiem. Trochę.*

Trudno spodziewać się precyzji po dziecku. Melissa miała tylko nadzieję, że dziewczynka dobrze pamięta.

– *Naprawdę jest skrót.* – *Oburzenie.*

– *Przepraszam.* – Zerwała się na równe nogi. – *Muszę iść. Do zobaczenia, Cassie.*

– *Nie chcę, żebyś szła. – Nagła panika. – Zostań tutaj. Potwory cię złapią.*

Musiała stłumić przerażenie dziecka. Cassie ostatnio zbyt dużo widziała, nie wolno jej straszyć.

– *Nic mi się nie stanie. Nikomu nic się nie stanie.*

– *Wracaj...*

Ale Melissa już była na korytarzu, a po chwili wypadła z domu. Ochroniarze ją zignorowali, zupełnie jakby nie istniała.

Boże, robiło się ciemno.

Przebiegła przez drogę i wpadła w kępę drzew.

Danley zapukał do drzwi Cassie i zaraz je otworzył.

– Kobieta zniknęła, panie prezydencie. Kilka minut temu.

Andreas wstał i wyszedł na korytarz.

– W którym kierunku pobiegła?

– Ku drzewom.

– Nikt jej nie przeszkodził?

– Dostaliśmy rozkazy. – Zacisnął usta. – Chociaż muszę panu powiedzieć, że nie pochwalam tej sytuacji.

– Wiem, wiem. Lubi pan, kiedy wszystko jest poukładane, a nad tym zupełnie pan nie panuje. Proszę się nie przejmować, Melissa Riley nie ma szansy znaleźć stodoły. Nawet jeśli się jej uda, będzie za późno.

– To bez znaczenia. Powinien nam pan pozwolić dopaść sukinsynów.

– Trzymajcie się z dala od tego. Ma pan pilnować bezpieczeństwa mojej córki. Kropka.

– A ta kobieta?

– Ostrzegałem ją. Teraz jest zdana na siebie. – Andreas się odwrócił i otworzył drzwi. – Proszę dać mi znać, kiedy pan się czegoś dowie.

Usiadł na fotelu obok łóżka Cassie i wziął córkę za rękę. Przeklęta Melissa Riley. Będzie miała szczęście, jeśli nie zginie. Dlaczego nie pilnowała własnego nosa, zamiast martwić się o Michaela Travisa? Za dużo emocji, a za mało rozsądku; myśli, że zdoła poruszyć niebo i ziemię, jeśli tylko będzie wystarczająco mocno chciała.

Zupełnie jak jego Chelsea. Ta myśl pojawiła się jakby znikąd. Mógł sobie wyobrazić swoją żonę, która w tych okolicznościach postępuje dokładnie tak samo jak Melissa. Ledwie zdołał powstrzymać Chelsea od przylotu tutaj, kiedy jej powiedział, że ma szansę odzyskać Cassie. Zrobiłaby...

Poczuł, że Cassie ściska go za rękę.

Zesztywniał i spojrzał na twarz córki.

– Cassie?

Miała zamknięte oczy, a ciało wygięte sztywno jak w paroksyzmie bólu. Jej ucisk się zacieśniał coraz bardziej.

– Cassie, porozmawiaj ze mną – powiedział niepewnie. – Pozwól sobie pomóc. Proszę.

Melissa przedarła się przez kępę drzew i weszła na wzgórze. Szybciej.

Poślizgnęła się, ale uniknęła upadku.
Usłyszała coś. Silnik. Silnik helikoptera. Travis?
Miała nadzieję, że nie.
Schodziła po drugiej stronie wzgórza. Liczyła na to, że zmierza we właściwym kierunku. A co, jeśli Cassie źle coś zapamiętała? W końcu była tylko małą dziewczynką.
A może na terenie była więcej niż jedna stodoła?
Żadnych przemyśleń. Teraz i tak już za późno.
Następne wzgórze. Czy znajdzie stodołę po drugiej stronie?
Czuła ból w płucach; oddychała szybko i urywanie.
Idź przed siebie.
Potknęła się. Teraz było już całkiem ciemno, ledwie widziała teren przed sobą. Dotarła na szczyt wzgórza.
Nic. Tylko kolejna dolina i kolejne wzgórze.
Idź przed siebie. Nie rezygnuj.
Ale się spiesz. Musiała się pospieszyć.
Travis pada, umiera.

Cassie krzyknęła.
Andreas podskoczył. Czyżby następny koszmar?
– Michael! – zawołała, wyprostowując się.
Po raz pierwszy Andreas zauważył, że ma otwarte oczy.
– O Boże, Boże! – Porwał ją w ramiona. Łzy spływały mu po policzkach. – Kochanie, wróciłaś do nas. Tak się...
– Michael. – Objęła go mocno. – Tatusiu, potwory. Krew. Zabijają Michaela.
– Ciii. – Pocałował ją delikatnie w czoło i zaczął kołysać. – Wszystko będzie dobrze. Wszystko już jest dobrze.
– Nie. – Szlochała. – Jest tak jak przedtem. Potwory. Ciebie też nie było.
– Teraz jestem.
– To się znowu dzieje.

– Nie, jesteś bezpieczna. Wszyscy jesteśmy bezpieczni.

– Nieprawda. – Oczy dziecka rozszerzyły się z przerażenia. – Michael!

Travis wylądował.

Deschamps skrył się głębiej w krzakach za stodołą. Wpatrywał się w helikopter stojący kilka metrów dalej. Oczekiwanie obudziło w nim głód. Tak długo to trwało. No, chodź. Niech cię zobaczę. Niech zobaczę to, co moje.

Dziś nie świecił księżyc, a w ciemnościach ledwie dostrzegał ciemną sylwetkę za sterami. Dlaczego on nie wychodzi? Nagle uświadomił sobie, że Travis zachowuje ostrożność. Byłby bezbronny, gdyby wysiadł z helikoptera; dlatego właśnie Deschamps czekał, aż otworzą się drzwi od strony pilota.

Może Travis wyczuł, że coś jest nie tak.

Wobec tego musi zachowywać się wyjątkowo dyskretnie, dopóki Travis nie poczuje się bezpieczny.

Mijały minuty.

Dlaczego ten sukinsyn się nie rusza?

Deschamps podszedł trochę bliżej i na chwilę znieruchomiał.

Znajdował się już prawie przy samej maszynie, kiedy nagle się zatrzymała. Ta sylwetka to nie był Travis. Za sterami siedział manekin w kurtce. Drzwi od strony pasażera były otwarte.

Więc jednak wyszedł!

– Cholera. – Deschamps padł na ziemię. Przeciwnik mógł być wszędzie.

Nagle w stodole zamigotało światełko. Drzwi były otwarte...

Melissa zauważyła światło w stodole, gdy znalazła się na szczycie wzgórza. W pobliżu majaczyła sylwetka helikoptera.

Zaczęło się.

Szlochała, zbiegając po zboczu. Czekaj na mnie. Nie pozwól, żebym zaszła tak daleko i nie mogła ci pomóc.

Drzwi były otwarte. Deschamps mógł kryć się w środku.

Pieprzyć go. Jeśli będzie zwlekała jeszcze chwilę, Travis może zginąć.

Stanęła w progu i rozglądała się gorączkowo w ciemności, wypatrując Travisa.

Zobaczyła Deschampsa na samym końcu pomieszczenia. Skradał się i wpatrywał w coś w cieniu. W Travisa?

Nie. Travis przetoczył się pod stołem z bronią w ręku i wstał bezszelestnie. Był całkowicie skoncentrowany na Deschampsie, stojącym do niego plecami.

Wstrzymała oddech. Zrób to. Zastrzel go. Nie pozwól mu się odwrócić.

Nie!

Travis zaczął odwracać głowę. Melissa się nie poruszyła, ale pewnie dostrzegł ją kątem oka. Oczy mu się rozszerzyły, gdy rozpoznał dziewczynę.

Deschamps także się odwracał.

Następnych kilka sekund minęło jak w zwolnionym tempie. Melissa rzuciła się przed siebie, zderzyła z Travisem, objęła go w pasie i powaliła na ziemię.

Za późno.

Usłyszała jęk i poczuła, jak jego ciało podskoczyło, gdy dosięgły go kule.

Zawiodłam, pomyślała z bólem. Deschamps go zabił.

Upadli razem na podłogę. Obok jej policzka kula odłupała drzazgi; Deschamps znowu strzelił i trafił w lampę. Przewróciła się i zgasła.

Ciemność.

Pistolet Travisa leżał obok niego. Melissa sięgnęła po broń i przetoczyła się pod stół. Uderzyła o krzesło i zasłoniła się nim.

– Nie uciekniesz! – krzyknął Deschamps. – Zabiłem Travisa. Kto cię teraz będzie bronił?

Oczy piekły ją od łez, kiedy patrzyła na ciało Travisa po drugiej stronie stołu.

– Boisz się, prawda? Mógłbym cię puścić wolno, gdybyś dała spokój.

– Pieprz się! – Jezu, jak miała go zastrzelić, skoro kompletnie nic nie widziała?

– Nie zdołasz mnie powstrzymać. Wiesz, jak długo czekałem na tę rzeźbę?

Jeszcze jeden strzał. Kula odbiła się od krzesła i musnęła jej lewe ramię.

– Poddaj się. Nie masz broni, gdybyś miała, już byś jej użyła. Zaczynam tracić cierpliwość. Nie mam zbyt wiele czasu do przyjścia Andreasa.

– Andreas nie przyjdzie. Nigdy nie miał takiego zamiaru. To wszystko pułapka. Wyszedłeś na głupka, co?

– Kłamiesz. Sprawdziłem cały teren. Tylko dom jest strzeżony.

– Nie kłamię. To pułapka. Nawet jeśli mnie zabijesz, Andreas cię namierzy, zanim odjedziesz dziesięć kilometrów od Vasaro. – Kula świsnęła jej koło ucha. Namierzał ją po głosie, podobnie jak ona usiłowała po jego głosie zorientować się, gdzie jest. – Po co marnujesz czas? Uciekaj stąd jak najszybciej.

– Nie muszę się spieszyć. Wezmę helikopter, którym przyleciał Travis... kiedy już zabiorę Tancerza Wiatru.

Tancerz Wiatru. Dostrzegła blask złota na stole nad sobą. Czy zdoła zwabić Deschampsa na tyle blisko, żeby strzelić? Czy też najpierw dosięgnie ją jedna z jego kul?

Jeszcze jeden strzał. Bardzo blisko.

Cicho jęknęła.

– W porządku – mruknął z zadowoleniem Deschamps. – Ostatni raz weszłaś mi w drogę. – Cisza. – Bolało? Zrobiłem krzywdę twojej siostrze, prawda? Widziałem, jak krwawi, zanim uciekłem. – Umilkł i zaczął nasłuchiwać.

Sprawdzał ją; miał nadzieję, że się załamie, nawet jeśli nie dosięgła jej kula.

– Liczyłem na to, że nie będę się musiał spieszyć z zabiciem Travisa. Przyznaję, że czuję się rozczarowany. Wolałbym zobaczyć, jak cierpi. Nie czułem takiej nienawiści do nikogo, odkąd zabiłem swojego czarującego ojczyma.

Sukinsyn.

– Widziałaś, jak krwawił, kiedy trafiły go kule? Krążą legendy, że Tancerz Wiatru ma upodobanie do krwi. Wojny... Gilotyna... Myślisz, że w tych opowieściach kryje się ziarno prawdy?

Nie odpowiedziała. No już, skurwielu. Pokaż mi się.

– Nie powinnaś była się w to mieszać. Nie jesteś wystarczająco bystra. Strasznie łatwo wystrychnąłem cię na dudka w St Ives.

Krążył wokół cały czas.

Nareszcie!

Zobaczyła go po drugiej stronie pomieszczenia. Chodź bliżej, obejrzyj sobie tę piękną rzeźbę. Przyjdź tu po nią.

Szedł. Bardzo ostrożnie, ale jednak się zbliżał.

Zacisnęła palce na pistolecie.

Jeszcze jeden strzał.

Poczuła gorący, gwałtowny ból w udzie.

Nie krzycz. Nie ruszaj się. Musi myśleć, że nie stanowisz żadnego zagrożenia.

– Słyszałem, że kula trafiła. Nic nie daje takiego odgłosu jak kula w miękkim ciele. Albo jesteś cholernie wytrzymała, albo zemdlałaś, albo nie żyjesz. Ciekawe. Sprawdzę to, gdy tylko wezmę Tancerza Wiatru. – Był bliżej, ale nie dość blisko. Nie mogła się ruszyć, a miała tylko jedną szansę. – Mój Boże, co za wspaniałe dzieło. Widzę te oczy migoczące w ciemności. Niemal wystarczy, by uwierzyć w te wszystkie opowieści.

Poczuła wstrząs, kiedy światło zalało pomieszczenie. Zapalił lampę. Boże, był zaledwie dwa metry od niej!

Jednak rzucił jej tylko przelotne spojrzenie; zafascynowany wpatrywał się w rzeźbę.

– Aleksander, Karol Wielki, Borgiowie – wyszeptał, biorąc Tancerza w ramiona. – I Edward Deschamps. Pięknie brzmi, prawda? Cholera! – Przyciskając mocno rzeźbę, upadł na podłogę. – Co do...

To Travis chwycił Deschampsa za kostki nóg i pociągnął. Wszędzie była krew. Krew Travisa. Ale Travis nadal żył. Nadal żył.

Deschamps natychmiast odzyskał zimną krew. Wycelował broń w Travisa.

– Nie! – Trzydziestkaósemka przemówiła w dłoniach Melissy.

Jeden strzał. Dwa. Trzy.

Deschamps podskakiwał, gdy kule przeszywały jego ciało. Krew trysnęła z ran w brzuchu.

Wpatrywał się w nie z niedowierzaniem.

Raz jeszcze strzeliła, a on rzucił broń.

– Suka. – Po twarzy spływały mu łzy. Przyciskał Tancerza Wiatru zakrwawionymi rękami i czołgał się w stronę drzwi. – To bez znaczenia. I tak nie wygrasz. Mam go. Tylko to się liczy. Mam go...

Nadal jeszcze był w stanie wsiąść do helikoptera i uciec. Nie wiedziała, jakim cudem mógł się jeszcze poruszać. A jednak to rozumiała. Miał obsesję, a Jessica powiedziała jej kiedyś, że fanatycy zdają się czasem dysponować nadludzką siłą i wytrzymałością.

Jessica...

Deschamps nie może wsiąść do maszyny.

Strzeliła mu w głowę.

Rozdział dwudziesty piąty

– To... boli. – Travis otworzył oczy, gdy Melissa przycisnęła pasek koszuli do rany na jego przedramieniu.

– Zamknij się. Masz szczęście, że żyjesz. Gdzie Galen?

– Nie potrzebowałem go.

– Wykiwałeś go i zostawiłeś.

– Nikt nie wiedział, że jest w to zamieszany. Andreas... nie zadowoli się... rzeźbą.

– Dałeś mu Deschampsa.

– Nie żyje?

– Tak, zabiłeś go. Słyszysz mnie?

– Dziwne, nic nie pamiętam. – Usiłował się uśmiechnąć. – Usiłujesz zrobić ze mnie bohatera?

– Usiłuję ocalić cię od stryczka. – Oblizała suche wargi. – Nigdy nie myślałam, że będę miała taką szansę. Widziałam, jak umierasz, Travis. Widziałam rany na twojej piersi i twarzy... Umierałeś.

– Ale ty się na mnie rzuciłaś. Przewróciłaś mnie i kula nie dosięgła piersi.

– Może byś nie oberwał, gdyby mnie tu nie było.

– A może bym oberwał i zginął. Kto to wie, do cholery? – Zamknął oczy. – Jeśli nie masz nic przeciwko temu, prześpię się trochę. Jestem bardzo zmęczony.

– Tylko mi tu nie umieraj. – Jej głos drżał. – Za dużo zadałam sobie trudu, żeby utrzymać cię przy życiu.

– Nawet mi to... do głowy nie przyszło.

Stracił przytomność. Uciskaj ranę, napomniała się. Zanim podczołgała się do Travisa, owinęła sobie nogę prowizorycznym bandażem. Jak mogła pomóc im obojgu? Andreas pewnie w ogóle tu nie przyjdzie. Chciał przecież, żeby Travis i Deschamps się pozabijali.

Galen.

Pogrzebała w kieszeni Travisa, wyciągnęła telefon i zaczęła wystukiwać numer.

Drzwi otworzyły się nagle.

– Ręce do góry! – Do stodoły wpadło pół tuzina mężczyzn.

Garnitury. Bez wątpienia CIA. Na litość boską, zupełnie jak wczoraj rano w domku na plaży.

– Nie zrobię tego. Jeśli zabiorę ręce z tego opatrunku, Travis wykrwawi się na śmierć. Gdzie, do cholery, jest Danley? Chcę rozmawiać z Danleyem.

– Będę musiał pani wystarczyć. Danley zabezpiecza teren. – Andreas wszedł do stodoły i popatrzył na Deschampsa. – Czy to ten człowiek?

– Tak. Danley na pewno pokazywał panu zdjęcia.

– Trudno go poznać, skoro ma odstrzeloną połowę twarzy.

– To Deschamps. Travis załatwił go dla pana – dodała żarliwie. – Jest mu pan coś winien.

– Mam szczery zamiar pomóc. Co mu jest?

– Dwie kule w ramieniu. Stracił trochę krwi, ale przeżyje... jeśli pan czegoś nie spieprzy.

– Nie odważyłbym się. Pani też przydałaby się pomoc. – Machnął na jednego z mężczyzn. – Paulding, sprowadź pomoc medyczną. – Klęknął obok Melissy.

– Proszę dać spokój. Nic mi nie jest.

– Niech pani puści Travisa. Nie zrobimy mu krzywdy.

– Skąd mam to wiedzieć?

– Cassie mi nie pozwoli.

– Co takiego?

Uśmiechnął się.

– Przebudziła się.

– Jezu!

– Też tak zareagowałem. Czułem się, jakbym miał za chwilę ulecieć w powietrze... To było cudowne... chociaż wpadła w histerię i darła się na mnie, żebym uratował Travisa. Musiała podsłuchać, jak wczoraj o nim rozmawialiśmy.

Pewnie, że podsłuchała. Ale nie w taki sposób, jak to sobie wyobrażał Andreas.

– Mówiłam panu, co do niego czuje.

– Tak, to prawda. – Wstał. – Zaprowadzimy panią do domu i wyjmiemy kulę.

– Nie, jeśli nie zabierze pan także Travisa.

– Nie ufa mi pani? – Uśmiechnął się do niej. – Obiecałem Cassie, że sprowadzę go do domu. Tylko tak mogłem ją uspokoić. Myśli pani, że pozwolę na to, żeby znowu się ode mnie oddaliła? Poruszyłbym cały świat, żeby tylko do tego nie dopuścić.

Przyjrzała mu się uważnie, wreszcie skinęła głową.

– Wiem – powiedziała.

– Lepiej wrócę i powiem Cassie, że jej bohater jest bezpieczny.

– A co potem, kiedy stan Cassie się poprawi? Czy wtedy Travis także będzie bezpieczny?

– Poczekamy, zobaczymy. Nadal mam ochotę skręcić mu kark. – Ruszył do drzwi. – Do zobaczenia w domu. – Zatrzymał się obok trupa i pochylił, żeby podnieść Tancerza Wiatru, którego Deschamps nadal ściskał w martwych dłoniach. – Jest na nim krew.

– Deschamps mówił, że Tancerz Wiatru lubi krew.

– Idiotyzm. Jak on może cokolwiek lubić albo nie? – Starł krew z posążka i uśmiechnął się, patrząc w szmaragdowe oczy. – W końcu to tylko rzeźba.

– Melissa! Potwory… Michael!

– Ciii. Zniknęły. Michael jest bezpieczny. Raniono go, ale leży tu koło mnie. Jedziemy furgonetką do domu.

– Tak mówił tatuś.

– Uwierz mu.

– Ale widziałam Michaela…

– Wiem, co widziałaś. Ale to się nie zdarzyło. Nic nie musi się stać, jeśli z tym walczymy.

– Boję się. Może wrócę do tunelu.

– Ani mi się waż! Wejdę tam za tobą i znowu cię wyciągnę. A jeśli Michael, mama albo tata będą cię potrzebowali? Albo ja? Nie chciałaś, żeby twój tata pomógł Michaelowi, prawda? Wolałaś to zrobić sama.

– Tak.

Wiedziała, jak się zachowa dziecko obdarzone tak silną wolą jak Cassie.

– Ja też bym tak chciała. Ale jak mogłaś coś zrobić, skoro się ukrywałaś?

Cisza.

– Na razie tu zostanę. Właściwie to miło znowu być z tatą.

To, że już zaczynała przywiązywać się do ojca, dobrze rokowało. Pełna wahania akceptacja była zapewne szczytem jej możliwości. Jessica wiedziałaby, jak postępować z dziewczynką na tym etapie; Melissa mogła tylko kierować się intuicją.

– Przyjdę cię odwiedzić jutro rano.

– Teraz.

– Jutro rano – powtórzyła stanowczo.

– Ale ja chcę się z tobą zobaczyć. Widziałam cię tylko taką, jaką sama siebie widzisz.

Ona także pragnęła zobaczyć Cassie świadomą.

– No dobrze, na chwilę. Lekarz musi się zająć moją nogą.

– Poczekam. Michael też przyjdzie?

Melissa popatrzyła na Travisa. Lekarz, który pojawił się w stodole po odejściu Andreasa, zaaplikował mu zastrzyk.

– *Może obie złożymy mu jutro wizytę. Nieźle oberwał w walce z potworami.*

– *Ale żyje?*

– *O tak, żyje.* – Dzięki ci, Boże. To była noc podziękowań. Dzięki, Travis. Dzięki, Cassie. – *Wjeżdżamy na podjazd. Muszę kończyć, do zobaczenia później.*

– Jednak przyszłaś – powiedziała Cassie. – Mówiłam tacie, że przyjdziesz. On twierdził, że lekarz każe ci leżeć w łóżku.

– Próbował. – Melissa podjechała bliżej wózkiem. – Mogę tu zostać tylko przez kilka minut.

– Boli cię? – Cassie zmarszczyła brwi. – Boli. Czuję to.

– Przejdzie. Lekarz dał mi lekarstwo, żeby przeszło. – Zatrzymała się przy łóżku i tylko patrzyła na Cassie. Dziewczynka była szczupła, ale ta kruchość nie rzucała się w oczy przy żywym spojrzeniu dziecka.

– Dobrze wyglądasz.

– A ty jesteś ładniejsza, niż myślisz. Prawie tak ładna jak mama. – Głos załamał się jej przy ostatnim słowie i Cassie się skrzywiła. – Mam głos jak żaba. Tata mówi, że to dlatego, że długo z nikim nie rozmawiałam.

– Na pewno. – Melissa nie mogła oderwać oczu od dziewczynki. Była taka żywa, tak cudownie żywa. Nigdy nie widziała takiej Cassie, najwyżej na fotografiach i w telewizji. – Za kilka dni ci się poprawi.

– Nieważne. Ten mój głos śmieszy tatę. – Uśmiechnęła się. – Ja też się śmieję.

– Tak to działa.

– Zapomniałam. – Spoważniała. – Nadal cię boli. Idź do łóżka.

– Tak, proszę pani. – Odwróciła wózek i podjechała do drzwi. – Do zobaczenia rano.

– *Wcześnie rano. Przyjdź wcześnie, Melisso.*

– *Przestań. Nie musisz już tak ze mną rozmawiać.*

– *Tak jest łatwiej.*

– *Nie rób tego.*

– *Ale gardło mnie boli. Nie chcesz chyba, żeby mnie bolało?*

– *Aż tak bardzo cię nie boli. Ludzie cię nie rozumieją, kiedy tak mówisz. Zmartwisz rodziców.*

– *Będę tak mówiła tylko do ciebie.*

Było jasne, że Cassie i tak zrobi swoje, niezależnie od tego, co powie Melissa. Musiała pójść na kompromis.

– *Niech ci będzie.*

– *Na pewno nic się nie stało Michaelowi?*

– *Lekarz mówi, że wyzdrowieje.* – Otworzyła drzwi.

– *Martwiłam się. Staram się i staram, ale nie mogę do niego dotrzeć. Jeśli ja mogłam wyjść z tunelu, to on też musi. Inaczej byłoby niesprawiedliwie.*

– *O czym ty mówisz?*

– *Powtórz mu. To niesprawiedliwie.*

– Chcę się stąd wydostać – powiedział Travis, gdy Melissa pojawiła się w jego pokoju następnego ranka. – Co ty robisz na tym wózku inwalidzkim? A jednak Deschamps cię zranił. Nie wiedziałem, czy sukinsyn blefuje, ale miałem taką nadzieję.

– Cicho bądź. – Podjechała do łóżka. – Nic mi nie jest. Po prostu muszę spędzić trochę czasu na wózku. Cassie i jej ojciec złożą ci wizytę, ale ja chciałam być pierwsza. – Promienny uśmiech rozświetlił jej twarz. – Wróciła wczoraj, Travis.

– Mój Boże. – Zesztywniał z wrażenia.

– Wyszła z szoku, kiedy uznała, że nie żyjesz.

– Co jej jest?

– Jest przerażona, niecierpliwa i... śliczna. – Przełknęła ślinę. – Taka śliczna! Byłam u niej wczoraj wieczorem i jeszcze dziś rano, uśmiechała się do mnie. Nigdy nie widziałam jej uśmiechu.

– Ja też nie.

– Musimy cię stąd wydostać. – Odetchnęła głęboko. – Teraz Andreas jest słodki i miękki jak wosk. – Skrzywiła się. – Jak na siebie, oczywiście. Kiedy się jednak upewni, że z Cassie wszystko w porządku, nie wiadomo, co zrobi. Jakoś nie może ci wybaczyć.

– To, co powiedziałaś, zasługuje na tytuł niedopowiedzenia roku. Nie spodziewam się wybaczenia.

– Może jeśli cię stąd zabierzemy, to zapomni. Co z oczu, to i z serca. Ma z powrotem Cassie i Tancerza Wiatru, Deschamps nie żyje. Nie musi dorwać ciebie.

– Nie?

– Dzwoniłam do Galena. Za jakieś pół godziny po nas przyleci.

– Nie chcę w to mieszać Galena. – Zmarszczył brwi.

– Nikt nie musi wiedzieć, że to ktoś więcej niż tylko wynajęty pilot. Zabierze nas do Nicei, a stamtąd przedostaniemy się do Juniper.

– Wszystko sobie zaplanowałaś.

– Ktoś musiał to zrobić. Skoro dałeś się postrzelić i nie byłeś w stanie kiwnąć palcem, nie mówiąc już o...

– Dobrze, dobrze. – Zaczął się śmiać. – Kiedy Galen zobaczy, jacy jesteśmy poturbowani, nigdy nie przestanie zrzędzić i narzekać, że go nie zabrałem ze sobą. Przysięgnie, że to by się nie zdarzyło, gdyby z nami był.

– Może i by się nie zdarzyło. – Pokręciła głową. – Sama już nie wiem. Jestem pewna jednego: muszę cię stąd wydostać.

– Ja zaś jestem pewien, że muszę iść za tobą. – Zamyślił się. – Gdziekolwiek. Kiedykolwiek.

– Co? – Wytrzeszczyła oczy.

– Słyszałaś. Zadziwiające rzeczy przychodzą człowiekowi do głowy, gdy myśli, że umiera.

– I co, chcesz przestać być outsiderem?

– Nie twierdzę, że to będzie łatwe. – Uśmiechnął się. – Na pewno jednak warto spróbować. – Co ty na to?

– Mogłabym uznać, że warto spróbować – powiedziała niepewnie. – Chociaż jesteś...

– Michael, tak bardzo chciałam się z tobą zobaczyć! – Do pokoju wpadła Cassie. – Powinieneś przyjść razem z... O, jesteś potłuczony. Melissa mi mówiła, ale ja...

– Tylko trochę się poturbowałem. – Znowu się uśmiechnął. – Za to ty wyglądasz wspaniale. Witaj w domu, Cassie. Jak się miewasz?

Powoli przemierzyła pokój.

– Nie mogę za dużo chodzić, bo z moimi nogami dzieje się coś dziwnego. – Przysiadła na skraju łóżka. – Tatuś mówi, że to dlatego, że tak długo ich nie używałam.

– Na pewno ma rację.

– Mama tu przyleci. Tata kazał jej zostać w Waszyngtonie, ale już siedziała w samolocie, kiedy z nią rozmawiał. Powiedziała, że nie zamierza dłużej czekać na spotkanie ze mną. – Zachichotała. – Tata mówi, że może zostać matką jedynego dziecka urodzonego na pokładzie Air Force Two.

– Wygląda na to, że wszystko już z tobą w porządku.

– Raczej tak. Chociaż wciąż się boję. – Uśmiechnęła się jeszcze szerzej. – Ale jest tu Tancerz Wiatru. Pilnuje mnie. Tata przyniósł mi go wczoraj. Czy to nie wspaniałe?

Melissa doznała szoku. A więc Andreas zaniósł rzeźbę z miejsca zbrodni wprost do Cassie. Po chwili uznała, że to wcale nie jest takie dziwaczne. Rodzina Andreasów i rzeźba całe wieki patrzyli na śmierć i radość. Skoro Tancerz Wiatru mógł dać Cassie szczęście i nową pewność w Vasaro, to czemu nie miałby jej towarzyszyć?

– Wspaniale, Cassie – powiedziała.

– Michael, Melissa mówi, że oboje odjeżdżacie. – Uśmiech dziewczynki zniknął. – Nie chcę, żebyście odchodzili.

– Tak będzie najlepiej dla nas – odparł. – Zawsze się zjawimy, jeśli będziesz nas potrzebowała.

– Obiecujesz? – Zmarszczyła brwi.

– Obiecuję. – Uścisnął jej rękę. – Daj mi znać, a przybiegnę ile sił w nogach.

– Zazwyczaj ludzie czekają na formalne zaproszenie – zauważył od progu Andreas.

Travis zesztywniał.

– Cassie właśnie takie wystosowała. Jeśli jednak dobrze się pan nią zajmie, nie będzie miała powodu wysyłać SOS, prawda?

– Zajmę się nią najlepiej, jak umiem. – Przeszedł przez pokój i wziął córkę za rękę. – Rozumiem, że zamierzacie nas opuścić.

– Za dziesięć minut przyleci po nas pilot – odpowiedziała szybko Melissa. – Wiem, że chętnie by się pan nas pozbył, skoro przyjeżdża pani Andreas.

– Istnieją rozmaite sposoby na pozbycie się was. – Ucałował Cassie w policzek. – Dokąd się wybieracie?

– Do Juniper.

– Co za niespodzianka. To niespecjalnie w stylu Travisa, prawda? Potrzeba mu czegoś bardziej ekscytującego. I to w pobliżu Waszyngtonu. – Zacisnął wargi. – Może to trochę za blisko mnie.

– Nie wiem, czy tam zostaniemy – stwierdziła Melissa. – Muszę jednak dopilnować pewnej sprawy osobistej. Chodzi o Jessicę. Zajmie się pan nią?

– Dopilnuję tego. – Skinął głową.

– Świetnie. – Popatrzyła mu w oczy ze śmiałością, której wcale nie czuła. – Wobec tego to postanowione.

Andreas milczał przez chwilę i wpatrywał się w Travisa.

– Na to wygląda. Każę Danleyowi sprowadzić was na dół i wsadzić do helikoptera. – Wziął Cassie na ręce i ruszył z nią do wyjścia.

Melissa odetchnęła z ulgą. Nawet nie chciała wiedzieć, czy Andreas miał dotąd zupełnie inne zamiary.

– Puść mnie, tatusiu. – Cassie wyśliznęła się z objęć Andreasa i rzuciła się w ramiona Melissy. – Kocham cię – wyszeptała i dodała stanowczo: – Nie zapomnij o mnie.

Melissa przytuliła ją z całej siły.

– Nie mogłabym cię zapomnieć. – Z trudem przełknęła ślinę. – Zawsze będę blisko ciebie, skarbie.

Cassie cofnęła się o krok.

– Żebyś wiedziała – zapewniła.

Melissa pomyślała z rozbawieniem, że zabrzmiało to niemal jak pogróżka. Niepewność dziewczynki znikała z chwili na chwilę.

Cassie uśmiechnęła się szeroko, mrugnęła, a następnie podeszła do ojca i wzięła go za rękę.

– Jestem głodna – oznajmiła. – Możemy zjeść gofry na śniadanie?

– To chyba da się zrobić – stwierdził jej ojciec i razem wyszli z pokoju.

– Dajmy Cassie jeszcze parę miesięcy, a będzie rządziła Białym Domem – zachichotała Melissa.

– To nie jedyny buldożer w tej okolicy – mruknął Travis.

– Ty i Andreas zachowujecie się jak dwa walczące kocury. Ktoś musiał wejść między was i odciągnąć jego uwagę. – Podjechała na wózku do drzwi. – Jak to dobrze, że znajdę się w Juniper, z dala od tego wszystkiego... – Urwała, bo przeszył ją nagły ból. – Ale nic z tego. Każdy centymetr w domu będzie mi przypominał Jessicę.

– Może po pogrzebie powinniśmy gdzieś wyjechać.

– Może. – Spojrzała na niego przez ramię. – Ale w Juniper będzie chyba bezpieczniej, dopóki Karlstadt o tobie nie zapomni.

– Znowu usiłujesz mnie chronić. – Uśmiechnął się. – Dam sobie radę z Karlstadtem. Gdy tylko dotrzemy do Juniper, wyślę mu pieniądze i dyskietkę. Już oddałem mu diament, którym zapłaciłem Thomasowi.

– To powinno go zadowolić, prawda? Brakuje tylko tych diamentów, które skonfiskowała CIA.

Travis się zawahał.

– No cóż, niezupełnie.

– Co takiego?

– Są jeszcze trzy całkiem spore, których musiałem użyć do negocjacji.

– Z kim?

– Z Danleyem.

– Z Danleyem? – Wpatrywała się w niego z niedowierzaniem. – O czym ty mówisz, do diabła?

– Ułożyłem się z Danleyem tej nocy, gdy zabrał mnie z Amsterdamu. Pomyślałem sobie, że może mi się przydać.

– Danley wziął łapówkę?

– Większość ludzi ma swoją cenę, a te diamenty zrobią z niego bogacza. – Uśmiechnął się. – Chociaż był bardzo enigmatyczny podczas precyzowania warunków pomocy. Zgodził się pomóc mi w ucieczce, jeśli okaże się niezbędna.

– Wiedział, że zamierzasz porwać Cassie?

– Nie, ja i Galen już się o to postaraliśmy. Kiedy się jednak o tym dowiedział, zrozumiał, że lepiej, aby mnie nie złapano. Powiedziałem mu wcześniej, że jeśli coś mi się nie uda, pociągnę go za sobą. Nie chciał być w to zamieszany.

– Czyli rzucał Andreasowi kłody pod nogi?

– A jak myślisz? Galen jest niezły, ale szczęście nam nie sprzyjało.

– Zamierzasz powiedzieć Andreasowi o Danleyu?

– Nie, cholera, facet może mi się jeszcze przydać. Nigdy nie wydaje się swojego informatora.

– Jesteś niewiarygodny. – Pokręciła głową ze zdumieniem.

– Cóż, Karlstadt może zażądać ode mnie diamentów zamkniętych w magazynie CIA. Danley ma do niego dostęp.

– A jeśli Danley postanowi sprzedać diamenty, które od ciebie dostał?

– Szepnę mu słówko na temat, co zrobi z nim Karlstadt, kiedy się dowie, że te kamienie wypłynęły na powierzchnię. – Znowu się uśmiechnął. – Przestań się martwić. Ja się tym zajmę. Nie musimy się ukrywać w Juniper. Musimy myśleć o tobie.

– Sama myślę o sobie. – Otworzyła drzwi. – Do zobaczenia na dole.

Rozdział dwudziesty szósty

– Jezu, co za kaleki. – Galen patrzył z miejsca pilota, jak agenci CIA wsuwają nosze Travisa do helikoptera. – Trudno uwierzyć, że...

– Leć, Galen – przerwał mu Travis. – Nie interesują mnie twoje zniewagi.

– A powinny. Jestem w tym niezły. – Zerknął na Melissę. – Musisz odtąd zwracać większą uwagę na to, z kim się zadajesz. Przy mnie nic złego ci się nie stało.

– Zamknij się – powiedziała. – Startuj.

Chwilę później helikopter wzbił się w powietrze i odleciał na północ.

Melissa spojrzała w dół i zobaczyła Andreasa i Cassie na schodach domu. Cassie uniosła dłoń i pomachała. Melissa odpowiedziała jej tym samym.

– Cassie? – odezwał się Travis.

Melissa skinęła głową.

– Cieszę się, że ją przyprowadził, aby się z nami pożegnała. – Zmarszczyła nos. – Przynajmniej nie każe nas zestrzelić rakietą, kiedy ona patrzy.

– Nie zrobiłby tego. Tylko ze mną ma problem.

– Może kiedyś go rozwiążecie. Kto wie? Na przykład wykorzystasz jedno ze swoich źródeł i dostarczysz mu cennych informacji.

– Może.

– Cassie zapewni mu sporo wrażeń, gdy Andreas się dowie, że przydźwigała ze sobą ten sam psychiczny bagaż, który i ja zabrałam z tamtej strony. Może będzie potrzebował pomocy.

– Nie możemy być pewni, że tak się stanie. Odkąd się obudziła, nie zdołałaś się z nią połączyć, prawda?

– Raz. – Zamilkła na chwilę. – I dowiedziałam się pewnej bardzo interesującej rzeczy z czasów, kiedy była w tunelu. Teraz, kiedy się wydostała, ta umiejętność może się jeszcze wzmóc.

– Jakiej znów interesującej rzeczy?

– Kiedy byłeś nieprzytomny, oznajmiła: „Jeśli ja mogłam wyjść z tunelu, to on też musi. Inaczej byłoby niesprawiedliwie". – Popatrzyła prosto w oczy. – Jak myślisz, co chciała przez to powiedzieć?

– Na pewno mi wyjaśnisz. – Wyraźnie się zmieszał.

– Wczoraj sporo o tym myślałam.

– Przykro mi, że nie mogłaś przeze mnie spać.

– Może powinniśmy spytać o to doktora Dedricka.

– Tak, to jakieś wyjście.

– Tyle że, cholera jasna, nie ma żadnego doktora Dedricka, prawda? Wymyśliłeś go. Co byś zrobił, gdybym oskarżyła cię o blef, kiedy zaproponowałeś, że pożyczysz mi jedną z jego książek?

– Uznałem, że to mało prawdopodobne. Byłaś za bardzo przejęta problemami Jessiki. – Wzruszył ramionami. – Poza tym chciałem ci pomóc.

– Powinnam się domyślić. Tak wyrozumiale podchodziłeś do tego, co się ze mną dzieje. Miałeś inne informacje niż Galen. Wiedziałeś o napadzie na Vasaro, ale nie od Deschampsa. Potrafiłeś pomóc Cassie, gdy odrzucała wszystkich innych. Uznaliśmy, że to dlatego, że uratowałeś ją w Vasaro, ale chodziło też o coś innego, prawda?

– Nie wiem. Nie jestem specjalistą od tego, jak to działa.

– Nic dziwnego, że tak bardzo interesowałeś się Cassie. Identyfikowałeś się z nią. Po tym wypadku, w którym zginął twój ojciec, leżałeś wiele miesięcy nieprzytomny w szpitalu. Gdzie byłeś w tamtym czasie, Travis? W tunelu, jaskini, lesie?

– Nie, w łodzi. W bardzo mocnej, solidnej łodzi motorowej, płynącej z prędkością światła. Mogła uciec od wszystkiego.

– Od potworów?

– Też miałem z nimi do czynienia. Ale było coś, co wyrwało mnie z traumy. Widziałem, jak zamordowano mi ojca, a nienawiść to potężny bodziec. – Odwrócił wzrok. – Wtedy zaczęły się sny. Jeszcze później co pewien czas widywałem... rzeczy. Nigdy się z nikim nie łączyłem, tak jak ty z Cassie. Najwyraźniej u różnych osób różnie to przebiega. W pierwszym roku uświadomiłem sobie, czym dysponuję. Nie mogłem sam tego kontrolować. Miałem wrażenie, że to wzięło mnie w posiadanie.

– Nie mówiłeś Janowi?

Pokręcił głową.

– Nie pisnąłem słówka ani Janowi, ani nikomu innemu. Tłumiłem to w sobie. Czasem mogłem powstrzymać to, co mi się ukazywało. Czasem nie chciałem tego robić. Uznałem, że zasłużyłem na małą premię po tym wszystkim, przez co przeszedłem. Kiedy dojrzałem, zacząłem szukać odpowiedzi i kilka znalazłem... ale wiesz, że należymy do wyjątkowo ekskluzywnego klubu. Dlatego byłem tak zafascynowany, gdy dowiedziałem się o Cassie... i o tobie. Prawie można by uwierzyć w przeznaczenie.

– To nie przeznaczenie kazało ci zająć się sprawą Cassie.

– Nie, to się zaczęło jako ciekawostka, a potem się wciągnąłem.

– Dlaczego mi nie powiedziałeś? Dlaczego nie podzieliłeś się tym ze mną?

– Po pierwsze, nie byliśmy przyjaciółmi. Ale nie tylko dlatego. Po prostu trudno mi o tym mówić. Przyzwyczaiłem się do tego, że radzę sobie sam. – Skrzywił się. – No dobra, raz powiedziałaś, że może jestem w tunelu, jak Cassie. Nie zgadłaś, jak niewiele się pomyliłaś. Może miałaś rację. Może nie potrafię jeszcze podejść do tego normalnie. Robiłem, co w mojej mocy.

– Zaufałbyś mi kiedyś?

– Pewnie. Może. Mam nadzieję. Nie byłoby mi łatwo. Różnię się od ciebie. Jesteś otwarta, potrafisz dotrzeć do każdego. – Napotkał jej spojrzenie. – Gdybyś bardzo chciała, powiedziałbym ci. Dam ci wszystko, czego ode mnie zażądasz.

– Travis, mogłabym cię udusić.

– Czy to oznacza, że wyrzucisz mnie ze swojego życia? – Mówił lekkim tonem, ale wyraz jego twarzy wskazywał, że myśli poważnie. – Byłoby mi trudno się z tym pogodzić. Tak trudno, że powrót do tamtego stanu to w porównaniu z tym łatwizna.

Nigdy nie widziała go tak bezbronnego. Tyle jeszcze o nim nie wiedziała. Tyle musiała się dowiedzieć. Myślał, chodził, planował. Prowadził życie, o którym nie miała pojęcia. Może to jego pierwsza tajemnica, którą poznała. Travis zdecydowanie nie był aniołem.

No i co z tego? Przynajmniej nie będzie się nudziła.

– Dlaczego miałabym cię wyrzucać? Jesteś pewnie jedyną osobą na świecie, która mnie rozumie. Masz jednak parę wad, które dadzą nam się we znaki. – Wzięła go za rękę i uśmiechnęła się szeroko. – No cóż, będziemy musieli nad tym popracować.

Gabriel
GARCÍA
MÁRQUEZ
Jesień patriarchy
Eliseo
ALBERTO
Niech Bóg sprawi,
żeby istniał Bóg
Javier
MARÍAS
Jutro, w czas bitwy,
o mnie myśl
Gabriel
GARCÍA
MÁRQUEZ
Sto lat samotności
Wkrótce:
GABRIEL
GARCÍA
MÁRQUEZ
O miłości i innych demonach
MAYRA
MONTERO
Przybądź, ciemności

Wkrótce:

PIERRE LA MURE

Miłość niejedno ma imię

Warszawskie Wydawnictwo Literackie
MUZA SA
ul. Marszałkowska 8, 00-590 Warszawa
tel. (0-22) 827 77 21, 629 65 24
e-mail: info@muza.com.pl
Dział zamówień: (0-22) 628 63 60, 629 32 01
Księgarnia internetowa: www.muza.com.pl

Warszawa 2003
Wydanie I

Skład i łamanie: MAGRAF s.c., Bydgoszcz
Druk i oprawa: Drukarnia Naukowo-Techniczna, Warszawa